JN046564

都市調査報告⑱

「消滅」と「一極集中」の政治・行政

公益財団法人　後藤・安田記念東京都市研究所

目次

※本報告書は、日本学術振興会の科学研究費補助金（課題番号 16H03585）を受けて行った研究成果の一部である。

図表目次

・出典を記載していない図表は、すべて後藤・安田記念東京都市研究所作成。

序章

後藤・安田記念東京都市研究所研究室では、2016年度から2018年度において「『消滅』と『一極集中』の政治・行政」というテーマの下に調査研究を実施した。その成果についてはすでに、「徳島県那賀町における「自治」の諸相（1）～（7）」（『都市問題』108巻7号～12号、2017年）および「埼玉県戸田市・千葉県印西市における「自治」の諸相（1）～（9）」（『都市問題』109巻7号～12号、2018年）として随時報告してきたところである。本書はそれらの中間報告も踏まえながら、調査全体の最終成果をとりまとめた報告書である。

1　研究の文脈

日本創成会議（座長は前岩手県知事・総務相の増田寛也）は2014年5月、896の自治体を「消滅可能性都市」と名指して公表し―「消滅」という言葉のショッキングさもあってか―巷間に大きな反響を呼び起こした。これは、人口の再生産力を示す指標として「20～39歳の若年女性人口」を取り上げ、2040年時点において当該人口が対2010年比で半数以下になることが見込まれる自治体を選び出したものである。さらに、このうち2040年に総人口が1万人を割り込む523の自治体は、特に「消滅の可能性の高い」自治体であるとされた。

ところで日本創成会議は、「消滅可能性都市」の公表と同時に、「ストップ少子化・地方元気戦略」なる文書も公表している（というより、この文書と「消滅可能性都市」の推定は不可分の一体である）。「日本の人口減少は「待ったなし」の状態にあ」り、人口減少対策は「早く取り組めば取り組むほど効果はあがる」。その「基本は「若者や女性が活躍できる社会」を作ることであ」り、それは「今まさに安倍政権が官民あげて取り組んでいる政策と同一線上にある」との認識に立つその文書は、「人口過密の大都市では、住居や子育て環境等から出生率が低いのが一般的」であるため、「少子化対策の観点から」これ以上の「東京一極集中」には歯止めをかけなければならない、と主張している。

2014年6月14日、つまり「消滅可能性都市」の公表とほぼ時を同じくして、安倍首相は省庁横断的に地域活性化に取り組む「地方創生本部」を設置する方針を明らかにした[1]。「地方創生」なる言葉が政権の売り文句として登場した瞬間である。「本部」の名称は「まち・ひと・しごと創生本部」となり、7月25日には「財務、総務など各省の出身者ら数十人からなる」、設置準備室が内閣官房に置か

---

[1] 「地方創生本部新設へ　首相表明」『朝日新聞』2014年6月15日朝刊、4面。

れた[2]。本部は9月の内閣改造と合わせて正式に設置され、併せて地方創生担当相が置かれた（石破茂が就任）。政権の地方「創生」の売り出しの背後に、日本「創成」会議の座長を務める増田寛也と菅義偉内閣官房長官や安倍首相の接触があり、政権中枢も、いわゆる「アベノミクス」の恩恵が大都市ばかりに集中しているという世論を念頭に、創成会議の提言を「好都合」ととらえた、という報道もある[3]。それを証し立てるように、まち・ひと・しごと創生本部が 12 月末に打ち出し、閣議決定された「まち・ひと・しごと創生長期ビジョン」や「まち・ひと・しごと創生総合戦略」も、創成会議の「ストップ少子化・地方元気戦略」と同様、人口減少と地域経済縮小の克服を最重要課題とし、そのために東京一極集中を是正し、若い世代の就労・結婚・子育ての希望を実現しなければならない、と論じている。

ところで、ここであらためて振り返っておくならば、日本における人口の遍在―農山漁村における人口流出・減少（過疎）と都市への人口流入・集中（過密）―は、近年に始まった新しい問題ではない。高度経済成長にともなう就業構造の急激な変化にともなって、1955年以降、農山漁村地域から都市（とりわけ東京・大阪・名古屋の三大都市圏）への大規模な人口移動が起こった。三大都市圏への人口流入は 1960 年代前半をピークとし、1970 年までには概ね収束して、1973 年のオイルショックを機に勢いを失ったが、東京圏への流入だけは、高度経済成長期の水準には及ばないものの、ほぼ一貫して続いてきた（例外として、バブル崩壊を機に、1994・95年は東京圏からの人口流出が見られた）。すなわち人口の集中＝過密現象は、高度成長期の「三極」集中から、オイルショック後は東京圏への一極集中へと推移していったことになる。これを農山漁村地域の側から見ると、高度成長期には都市圏に向かって激しい人口流出が起きたが、流出圧は 1970 年代以降、弱まっていったことを意味する。しかし、高度成長期の農山漁村地域における人口減を、社会減による「第一の過疎」とするならば、農山漁村地域ではとりわけ 1990 年代以降、少子高齢化にともなって、出生数に対する死亡数の優越＝自然減を主因とする「第二の過疎」がじわじわと進んできた。この傾向は今もって止まっておらず、今後も続いていくであろうことは、創成会議が指摘したところでもあった。

この事実を踏まえた上で、創成会議の文書や創生本部の戦略を見返せば、それらは高度成長期以降のこの社会に一貫して表流あるいは伏流してきた「過疎」と「過密」という問題系を、「消滅」と「一極集中」という名に置き換えた上で、この 2010 年代にふたたび公共政策の課題として浮上させたという意義を持つであろう。しかしそれらは、あくまで全体社会に対する、マクロの数値による推計をもとに議論を展開するものであり、「消滅」や「一極集中」が問題視される地域に

[2] 「地方創生本部　準備室を設置」『読売新聞』2014 年 7 月 25 日夕刊、3 面。
[3] 「[スキャナー] 地方創生へ政府本気　準備室を発足　「統一選で攻勢」も意識」『読売新聞』2014 年 7 月 26 日朝刊、3 面。

おける、自治体の政治・行政や住民の活動の仔細な実態を十分に踏まえているのか、いささか疑問なしとしない。

そのような実態の解明に取り組んだ先行研究としては、①「昭和の大合併」で誕生した静岡県湖西町の産業と経済、社会構成、政治と財政、教育と文化に関する調査の結果をまとめた、福武直『町村合併の実態』(東京大学出版会、1958年)、②東京都杉並区における特別区制の実態を分析するとともに、地域の政治を担う地元有力者層の役割を明らかにし、地域民主主義の課題を考察した、都政調査会『大都市における地域政治の構造―杉並区における政治・行政・住民』(都政調査会、1960年)、③1970年代の京都市政を取り上げて、市長をはじめとする行政幹部、市会議員、政党と主要利益団体の責任者、町内会長、一般市民に対する大規模な面接調査に基づき、政治過程への参加、政策決定の動態、政策への結実についての分析を行った、三宅一郎・村松岐夫編『京都市政治の動態』(有斐閣、1981年)、④過疎地域の自治体政策に焦点を当て、島根県美濃郡匹見町を主な分析対象とした、内藤正中編『過疎問題と地方自治』(多賀出版、1991年)、⑤東京都政についての共同研究である、『シリーズ東京を考える（全 5 巻)』(都市出版、1994-1995 年）などが挙げられよう。また当研究室でも、「平成の大合併」に起因する自治体の行財政状況や住民サービス、また地域政治構造の変化について総合的な調査研究を行い、その成果を後藤・安田記念東京都市研究所研究室『平成の市町村合併―その影響に関する総合的研究』(2013年)にまとめたことがある。

本研究は、以上のような文脈をふまえ、「消滅」が危惧される過疎地域と、人口・経済的中枢機能の「一極集中」が進行する東京圏を対象として、地域政治の構造、行財政の状況、各種政策分野の現状と課題、地域住民による組織・団体の活動および自治体との関係などを、総合的かつ実証的に明らかにしようとするものである。

2　研究の視点と方法

次に、本研究の視点と方法について、「自治」という用語を手がかりに説明したい。西尾勝が論じているように、「近代以降における自治の問題は……つねに、個人の自治を基礎にして、このうえに集団〔≒自発的結社〕の自治、共同社会の自治を重層的に積みあげた自治の連立構造という全体的な構造の問題であ」り、「これはもっとも現代的な課題でもあ」る[4]。ところで「集団はなにがしかの自律性をもった個人の集合であ」り、「集団が形成されるとき、そこには個々人では解決できない公共的課題が発生しているはずである」[5]。そして、「集団の自己統治、共

[4] 西尾勝『行政学の基礎概念』東京大学出版会、1990年、377頁。
[5] 同上、374頁。

同社会の自己統治では、意思の統合といい行為の調整といっても、そこに支配の契機をはらまざるをえない」[6]。

ここで西尾が言う《「共同社会の自己統治」において現れる「支配の契機」》が実体化された機構こそ、「政府」(あるいは「(地方公共団体としての)自治体」)にほかならない。その上で、近代以降の「共同社会の自己統治」は、「支配被支配関係の成立を前提にしながら、被支配者が同時に支配者であるように、支配者と被支配者を同一化しようとする……民主主義とほぼ同義」の政治原理を生み出した[7]。この事実を、地方政府＝自治体の文脈に引き込むならば、「地方自治」の二つの構成要素の一つであるとされる「住民自治」、すなわち、自治体の運営が住民の意思に基づいて行われるべきこと、という理念をめぐる議論となる。

一方、西尾は、自治を「自己統治」と「自律」を含むものととらえながら、こうも述べる。「個人、集団、共同社会の自律が安定的なものであるためには、なんらかの制度的保障が必要である。……この自律的領域を画する客観的なルールを定立するの……が他者であるとき、とくに自律を侵す可能性のもっとも強い権力主体そのものであるとき、自律は安定しない」[8]。これを、同じく地方政府＝自治体の文脈に引き込むならば、それは「地方自治」の構成要素のもう一つであるとされる「団体自治」、すなわち、国の一定地域を基礎とし、一定範囲の政策・施策・事業を立案・実施する「地方公共団体」の独立性・自主性が保障されるべきこと、という理念をめぐる議論となる。

ところで、「共同社会の自治」は、「支配」の機構たる政府のみが担うものではない。共同社会には、自治会／町(内)会／行政区／公民館など、(多く明治以前の自然村落を基盤にした)地縁組織が「自律」的に存在し、共同社会の政府とは異なる独自の伝統や論理に基づく「意思の統合」や「行為の調整」を、政府とのある種の競合関係の中で行っている(＝「自己統治」)。また地域には、西尾の言う「集団〔≒自発的結社〕の自治」も存在し、それも時に共同社会の政府と関係を持ちながら「個々人では解決できない公共的課題」の解決に取り組んでいる(そしてむろん、そこにも「自律」と「自己統治」の問題がある)。

以上の議論を踏まえ、本研究では、①過疎地域・東京圏双方の自治体の行財政運営や政策立案・実施の実態を明らかにすることで、「団体自治」の理念に照らし、その自主性・自律性について評価する。また、②過疎地域・東京圏双方の自治体における首長・議員の選挙の分析および議員の構成、議会審議の状況、議員-首長／議員-行政の関係などの分析による議会の政治的影響力の評価や、行政への住民参加のしくみと実態の解明を行うことで、「住民自治」の理念に照らし、自治体の運営に住民の意思がいかに反映されているのかを明らかにする。また、③地縁組織や地域活動を行うボランタリー・アソシエーション、NPOなどの地域諸団体に

---

[6] 同上。
[7] 同上、374-375頁。
[8] 同上、375頁。

注目し、それらの「共同社会／集団の自治」の活動の実態や自治体の政治・行政との関係・かかわりについて分析する。

さて本研究では、過疎地域と東京圏という対照的な地域を対象とすると述べてきた。しかし、過疎地域には過疎地域の、東京圏には東京圏の課題があり、社会がある。したがって、上述の①、②、③について、浮かび上がってくる現実が大きく異なることは容易に想像される。今、仮説的に挙げれば、①については、財政基盤が強く、組織の体制が整っている大都市の自治体の方が、過疎地の自治体に比べて自律度が高い（裏返して言えば、過疎地の自治体の方が、都道府県や中央政府などへの依存度が高い）だろう。②や③については、住民や地域諸団体の、選挙（ひいては政治）への関心度や地域社会へのつながりの強度、そして地縁組織の活性度は過疎地域の方が強い（ただし、高齢化によってその基盤は揺らいでいる／く）のではないだろうか。

しかし一方で、①については、過疎地域の小規模な自治体に「自律」の要素がまったく欠けているわけではもちろんなかろうし、規模が小さいゆえに可能な、独自の政策・施策を展開している自治体も存在するはずである。また、②や③については、東京圏（の、それも都心部）においても、ミクロな視点で地域社会＝「共同社会」を捉えれば、多くの場所では地縁の構造が実は色濃く残っており、住民自治のあり方に陰に陽に影響を与えているのではないかと想像される。

以上のようにして、自治体と地域諸団体・住民の複雑な相互作用の内に、ある地域における政治・行政の実態をとらえるという作業は、いわば、その地で展開される自治のいとなみの全容を総体的に解明することにほかならない。そして、過疎地域と東京圏それぞれにおける自治の様態について知り、比較することによって、その多様性とともに、ある種の普遍的部分、《本質》をとらえることが可能になると考える。その《本質》は、全国津々浦々、どこで生活していようとも、すべての人が満ち足りて、ゆたかに暮らしていくことができるような政府や地域社会のありようを構想する手がかりを与えてくれるのではないだろうか。

研究にあたっては、特定の自治体を取り上げ、その行政や政治のみならず、広く地域社会全体のありようについて詳細に調査するという方針を採った。個別事例への沈潜による細かい事実群の発見（の積み重ね）が重要であると考えたためである。

調査対象自治体の選定経緯は以下の通りである。まず、《「消滅」が危惧される自治体》については、過疎地域自立促進特別措置法（過疎法）が定める要件（一定期間における一定以上の人口減少率・高齢化率および一定期間における一定以下財政力指数）による過疎地域市町村（全国に 616）のうち、平成の市町村合併の文脈において「小規模」と見なされた人口 1 万人以下の自治体を選出した（該当自治体は 319）。ここから、地理的に特殊な条件を有する全部離島の 41 自治体を除いて、278 自治体に絞り込み、さらにこの中から、①一定以上の人口を有すること（調査対象として一定の複雑性・流動性が必要であるとの観点から。本研究では3000人以上とした)、②一定以上の人口減少がみられること(本研究では、直近2回の国勢調査における人口の減少率が10%を超えていることとした)を基本要件とし、そのうちで、政治・行政・社会に大きな変動をもたらす要因になるのではないかと想定して、③交通網に著しい改善が見られる地域(新幹線・高速道路・高規格道路などの建設)、④主要産業に大きな衰退が見られる地域(たとえば産炭地域など)、⑤昭和/平成の合併を経験しており、なおかつ合併構成自治体数が多い自治体を探索した。その結果、①・②に該当し、④(林業の衰退)、そしてとりわけ⑤の条件(昭和の合併前10町村、平成の合併前5町村)を満たしている徳島県那賀町を選定した。

次に、《「一極集中」が続く自治体》については、東京都を含んで依然人口の増加が続いており、一体的な経済圏・生活圏を形成していると考えられる「東京圏」の自治体を対象とすることとした。行財政の権限が特殊な政令市および特別区を除外した上で、直近2回の国勢調査における人口の増加率が高い自治体を20選び出し、その中でまずは増加率第1位の埼玉県戸田市を選定した。さらに、当該20自治体のうちで、平成の合併を経験している3市(つくばみらい市、印西市、ふじみ野市)から、①相対的に人口規模が大きく(ふじみ野市は約11万人、印西市は約10万人、つくばみらい市は約5万人)、②合併構成自治体数が多く(つくばみらい市とふじみ野市は2、印西市は3)、また、③近年の選挙結果において非自民系の一定の勢力の存在が想定された千葉県印西市を選定した。

各対象自治体における調査は、首長、議員、行政職員、住民を対象としたヒアリングを中心とした。ヒアリングにおいては、可能な限り、ヒアリング対象者に対して別の候補者を紹介していただく、いわゆる「スノーボールサンプリング(雪だるま式標本法)」の手法を採った。那賀町においては計47日間の調査を実施し、延べ62名にヒアリングを行った。また、戸田市においては計22日間、延べ72名、印西市においては計23日間、延べ63名へのヒアリングを行った。これに加えて、ヒアリング調査による個別の聞き取りではどうしても限界のある、広い範囲の住民の生活実態や意識の把握のため、質問票を配布してのアンケート調査も実施した。

3　対象自治体の概要

(1) 徳島県那賀町

徳島県那賀町は、県南部の山間地域に所在する。面積は694.86 km²で、県第2位、県の総面積の16.8%を占める巨大な町域を有する。町域の実に95.2%が山林であり、山々から流れ出た川が那賀川に集まって、屈曲を繰り返しながら町内を横断している。那賀川は上流域では多くの場所で谷深い流れを形成し、町最東部の鷲敷地区(旧鷲敷町)あたりまで来ると一部で川原も有するような中流域となる。

町内に鉄道は走っておらず、主要な道路は、那賀川・坂州木頭川沿いに走る国道 193 号線・195 号線である。バスは、徳島駅と相生地区の川口を結ぶ徳島バスの 1 系統（1 日 12 本）、川口から上那賀地区・木頭地区方面を結ぶ徳島南部バスの 8 系統（停留所により 1 日 4～11 本）が主要路線であり、さらにそれら主要路線から乗り継ぐ形で、相生地区の平野・西納と木沢地区に向けて町営バスが運行されている（本数は少なく、木沢地区の最深部に位置する岩倉から徳島駅まで乗り継げば、所要時間は 4 時間である）。

町内の東端から西端までは、自動車でおよそ 1 時間半を要する。町役場の本庁機能の多くが所在する鷲敷庁舎は町内東部の市街地に立地し、そこから各支所までの所要時間は、相生庁舎（一部の本庁機能が所在）・支所まで 10 分、上那賀支所まで 30 分、木沢支所まで 40 分、木頭支所まで 1 時間である。基本的に、上流部ほど小売店や飲食店などの立地は少なくなり、多くの商業施設は鷲敷地区の中心市街地に集積している。町外とのアクセスは、鷲敷庁舎から阿南市の中心市街まで 30 分、徳島市の中心街までは 1 時間。町西部の木頭地区の中心地に所在する木頭支所から高知県側で最も近い商業集積地である香美市香北町の市街地までおよそ 1 時間 10 分である。

人口は 8,591 人で、高齢化率は 47.4％、後期高齢化率は 29.4％、15 歳未満人口比率は 7.7％である（総務省「住民基本台帳に基づく人口、人口動態及び世帯数」による 2018 年 1 月 1 日現在の数字。後述 2 市も同じ）。高齢化率は約 5 割、後期高齢化率も約 3 割と、人口の高齢化が顕著であり、一方子どもの人口は少ない（661 人）。典型的な少子高齢化が進行する社会である。

15 歳以上就業者数 3,781 人のうち、町内就業者は 3,061 人と 81.0％を占める。町外の就業先で最も多いのは、東に隣接する阿南市の 461 人（12.2％）で、これに徳島市 78 人、美波町 72 人、小松島市 42 人と続いている（平成 27 年国勢調査結果。以下、就業者および通学者に関する数字は後述 2 市も含めて同じ）。ちなみに、町内における就業者数は 3,887 人で、町外からの就業者の流入が 809 人あり、最も多い流入元は阿南市からの 440 人、それに徳島市 129 人、小松島市 74 人、美波町 54 人と続く。就業者の流出入は近隣の同じ自治体へ／からが主流となっていることがわかるだろう。15 歳以上通学者数は 221 人で、うち町内に通学しているのは 151 人、68.3％を占める。町外の通学先で多いのは、阿南市 46 人と徳島市 16 人である。

産業別就業人口比率は、第 1 次産業が 19.0％、第 2 次産業が 28.0％、第 3 次産業が 53.0％である（平成 27 年国勢調査結果。後述 2 市も同じ）。就業者数比率が多い順に産業（大分類）を並べると、農業 14.8％、医療・福祉 14.5％、建設業 14.3％、製造業 13.6％、卸売業・小売業 9.1％となる。

町内の産業を事業従事者数・付加価値額・事業従事者数一人当たり付加価値額の三指標で見ると（「平成 28 年経済センサス―活動調査」。後述 2 市も同じ）、まず事業従事者数の最も多い産業（大分類）は製造業で658人、それに建設業525人、卸売業・小売業413人、医療・福祉350人、宿泊業・飲食サービス業181人と続く。付加価値額も製造業が最も多く41億3600万円、これに建設業15億7500万円、卸売業・小売業15億3900万円、医療・福祉10億3200万円、複合サービス事業（郵便局と協同組合）8億7500万円が続いている。製造業、建設業、卸売業・小売業、医療・福祉が、規模や「稼ぎ」の面で言えば那賀町の主要産業である（そして、就業者数比率の高い農業は該当しない）と言えるだろう。ただし、事業従事者数一人当たり付加価値額を見ると、複合サービス事業が1094万円で最も多く、以下、金融業・保険業1027万円、製造業629万円、学術研究・専門／技術サービス業623万円、卸売業・小売業373万円となり、規模が小さいが「稼ぎ」を生んでいる業種として金融業・保険業や学術研究・専門／技術サービス業が浮上していることが分かる。

（2）埼玉県戸田市

埼玉県戸田市は、県南部に所在し、荒川をはさんで東京都板橋区や埼玉県和光市と接する。面積は18.19 km²で、那賀町のおよそ38分の1、県内63市町村中53位とコンパクトな市域である。市内の全域が起伏の少ない極めて平坦な地形であり、西部の河川敷に大きな緑地がある以外はほぼ全域が市街地に覆われている。市街地は近隣のさいたま市・蕨市・川口市のそれと完全に連担している。スーパー・コンビニエンスストアや飲食店などの商業施設は、鉄道駅付近のみならず、市内（のとりわけ中央部より東側）に遍在している。

市内にはJR埼京線が通っており、戸田公園・戸田・北戸田の3駅が立地する。戸田駅からは新宿駅まで25分、大宮駅まで20分弱、東京駅（赤羽駅乗換）まで30～40分である。市内の主要幹線道路は、市東部を縦断する国道17号線（中山道）と西部を縦断する国道17号線（新大宮バイパス）である。路線バスは、国際興業バスが西戸田駅、戸田公園駅や近隣市区の川口駅、西川口駅、蕨駅、武蔵浦和駅、南浦和駅、成増駅を起終点とした20系統以上を運行しており、また、コミュニティバスtocoも循環5系統で運行されている。また、上述の通りの小さい市域や平坦な地形ゆえ、自転車が住民の「足」となる余地が極めて大きい。

人口は138,738人で、高齢化率は16.0%、後期高齢化率は7.4%、15歳未満人口比率は15.1%である。高齢化率が極めて低い水準にあり、15歳未満の子どもの人口（21,008人）と高齢者人口（22,163人）がほぼ拮抗している。

15歳以上就業者数は66,972人で、うち市内就業者は22,492人（33.6%）である。市外の就業先で最も多いのはさいたま市（4,479人：6.7%）で、これに千代田区・新宿区（いずれも3,037人）、川口市2,843人、港区2,743人、板橋区2,473人、渋谷区2,002人が続いている。なお、市内における就業者数は59,853人で、市外からの流入が32,324人あり、最多はさいたま市の10,185人。これに川口市5,396人、蕨市2,604人、板橋区1,460人と続いている。

15歳以上通学者数は6,982人で、うち市内通学者数は1,119人（16.0%）である。市外の通学先で最も多いのはさいたま市の1,259人（18.0%）で、市内通学者を上回る。これに、豊島区300人、板橋区298人、新宿区292人、川口市289人、千代田区284人、文京区243人、北区235人と続いている。

産業別就業人口比率は、第1次産業が0.2%、第2次産業が23.0%、第3次産業が76.8%である。就業者数比率が多い順に産業（大分類）を並べると、卸売業・小売業15.0%、製造業13.5%、医療・福祉8.6%、運輸業・郵便業7.8%、建設業7.5%となる（分類不能[9]とされた8.8%を除いた）。

市内の産業を事業従事者数・付加価値額・事業従事者数一人当たり付加価値額の三指標で見ると、事業従事者数の最も多い産業（大分類）は製造業の13,105人で、運輸業・郵便業11,718人、卸売業・小売業11,255人、医療・福祉7,093人、サービス業（他に分類されないもの）[10]5,490人と続く。付加価値額は卸売業・小売業が814億2400万円と最も多く、以下、製造業713億3300万円、運輸業・郵便業454億200万円、医療・福祉329億2200万円、金融業・保険業293億7000万円と続いている。以上から、戸田市の主要産業は運輸業・郵便業、卸売業・小売業、医療・福祉で、サービス業や金融業・保険業もこれに含めてよいかと思われる。なお、事業従事者数一人当たり付加価値額は、金融業・保険業の3958万円が圧倒しており、以下、卸売業・小売業723万円、不動産業・物品賃貸業629万円、電気・ガス・熱供給・水道業589万円、建設業587万円と続く。後三者は、事業従事者数・付加価値額の指標では上位に現れない産業である。

（3）千葉県印西市

千葉県印西市は、県北部に位置し、利根川を挟んで茨城県利根町と接する。市域の東部および南部では印旛沼に面しており、成田市や酒々井町、佐倉市、八千代市などと接している。面積は123.79 km²で、県内54市町村中14位である。市域のほとんどが市街化している戸田市とは異なり、台地上に広がる畑地や林地、台地下に広がる水田などの田園地帯を広く有している。歴史的に古い市街地は、利根川の舟運で栄えた市北部の木下地区周辺に広がり、市役所もそこに立地しているが、人口集中地域は市中央部に東西に広がる千葉ニュータウン（1984年から入居開始）に移っており、商業施設もニュータウン地区に多く立地している（さらに言えば、ニュータウン地区の商業施設は、ロードサイド型の大規模店舗、ショッピングモールが多いのが特徴である）。市役所からニュータウンの商業施設集

[9] 総務省統計局によれば、「これは主に調査票の記入が不備であって、いずれの項目に分類すべきか不明の場合又は記入不詳で分類しえないものである」（総務省統計局『平成27年国勢調査に用いる職業分類』101頁）。

[10] 経済センサスの産業分類では、中分類として「政治・経済・文化団体」「宗教」「廃棄物処理業」「自動車整備業」「機械等修理業」「職業紹介・労働者派遣業」「その他の事業サービス業」「その他のサービス業」を含んでいる。

積地までは、自動車で 10 分強の距離である。

市内には北部に JR 成田線が走っており、木下・小林の 2 駅が立地する（列車の運行本数は 1 時間に 2～3 本)。木下駅から我孫子駅までは 20 分、上野駅までは 1 時間ほどである。また、中央部に北総鉄道北総線が横断しており、千葉ニュータウン中央・印西牧の原・印旛日本医大の 3 駅が立地する（列車の運行本数は 1 時間に 4 本～10 本)。千葉ニュータウン中央駅から京成上野駅／日本橋駅まで 40 分、成田空港第 2 ビル駅まで 20 分である。

路線バスは、市内の各駅と近隣市町の新鎌ヶ谷駅・白井駅・京成佐倉駅・京成酒々井駅を起終点として、ちばレインボーバスが 9 系統、なの花交通バスが 1 系統、大成交通が 1 系統を運行しており、コミュニティバス「ふれあいバス」も 6 系統で運行されている。市東・南部を通る路線は総じて運行本数が少ない。

人口は 99,286 人で、高齢化率は 21.5%、後期高齢化率は 8.7%、15 歳未満人口比率は 15.4%である。高齢化率は戸田市よりは若干高いが、15 歳未満人口比率においても戸田市を若干上回っている。

15 歳以上就業者数は 45,662 人で、うち市内就業者数は 17,573 人（38.5%）である。市外の就業先で最も多いのは千代田区（2,016 人：4.4%）で、これに成田市（2,002 人)、港区 1,738 人、中央区 1,636 人、白井市 1,548 人、船橋市 1,516 人、千葉市 1,326 人、八千代市 1,268 人、柏市 1,078 人と続いている。東京都では都心三区への通勤が多く、千葉県内では成田線沿い・北総線沿いの近隣市が並んでいる。ちなみに、市内における就業者数は 36,207 人で、市外からの流入が 17,161 人あり、最多は白井市の 2,224 人である。これに、船橋市 1,427 人、佐倉市 1,295 人、八千代市 1,226 人、我孫子市 1,112 人、栄町 908 人と続く。我孫子市以外は隣接自治体である。

15 歳以上通学者数は 5,895 人で、うち市内通学は 1,820 人（30.9%)。市外の通学先で多いのは柏市で 359 人となっており、以下、船橋市 245 人、松戸市 243 人、八千代市 239 人、成田市 214 人、千葉市 193 人、千代田区 176 人と続いている。

産業別就業人口比率は、第 1 次産業が 4.1%、第 2 次産業が 16.9%、第 3 次産業が 79.0%である。就業者数比率が多い順に産業（大分類）を並べると、卸売業・小売業 16.1%、医療・福祉 10.0%、製造業 9.5%、サービス業（他に分類されないもの）7.3%、運輸業・郵便業 7.1%となる。

町内の主要産業を事業従事者数・付加価値額・事業従事者数一人当たり付加価値額の三指標で見ると、事業従事者数の最も多い産業（大分類）は卸売業・小売業 7,229 人で、医療・福祉 3,972 人、宿泊業・飲食サービス業 2,637 人、運輸業・郵便業 2,405 人、サービス業（他に分類されないもの）2,115 人と続く。付加価値額は卸売業・小売業が 264 億 4500 万円と最も多く、以下、医療，福祉 174 億 1300 万円、運輸業・郵便業 121 億 4600 万円、情報通信業 92 億 8500 万円、製造業 69 億 3900 万円と続いている。以上から、卸売業・小売業、医療・福祉、運輸業・郵便業が印西市の主要産業であり、その他、宿泊業・飲食サービス業、サービス業（他に分類されないもの）、情報通信業、製造業あたりも含めてよいだろう。

なお、事業従事者数一人当たり付加価値額は、不動産業・物品賃貸業の 1060 万円が最多、以下、電気・ガス・熱供給・水道業 906 万円、学術研究・専門／技術サービス業 901 万円、情報通信業 643 万円、金融業・保険業 624 万円、農林漁業 619 万円と続く。ここでもやはり、事業従事者数・付加価値額では上位に来なかった産業が現れており、とりわけ農林漁業（実際には農業）が健闘しているのが目につく。

あらためて、本項で紹介してきた三つの自治体の諸データを、比較のために図表序－3－1にまとめた。

	面積	人口	高齢化率	後期高齢化率	15歳未満人口率	市町内就業者率	市町内通学者率	第一次産業従事者率	第二次産業従事者率	第三次産業従事者率	産業別就業者比率5傑	産業別事業従事者数5傑	産業別付加価値額5傑
那賀町	694.86㎢	8591人	47.4%	29.4%	7.7%	81.0%	68.3%	19.0%	28.0%	53.0%	農業	製造	製造
											医療・福祉	建設	建設
											建設	卸売・小売	卸売・小売
											製造	医療・福祉	医療・福祉
											卸売・小売	宿泊・飲食サービス	複合サービス
戸田市	18.19㎢	138738人	16.0%	7.4%	15.1%	33.6%	16.0%	0.2%	23.0%	76.8%	卸売・小売	製造	卸売・小売
											製造	運輸・郵便	製造
											医療・福祉	卸売・小売	運輸・郵便
											運輸・郵便	医療・福祉	医療・福祉
											建設	サービス（分類残）	金融・保険
印西市	123.79㎢	99286人	21.5%	8.7%	15.4%	38.5%	30.9%	4.1%	16.9%	79.0%	卸売・小売	卸売・小売	卸売・小売
											医療・福祉	医療・福祉	医療・福祉
											製造	宿泊・飲食サービス	運輸・郵便
											サービス（分類残）	運輸・郵便	情報通信
											運輸・郵便	サービス（分類残）	製造

図表序－3－1　調査対象自治体の各種データまとめ

4　本書の構成

本書は、大きく 4 つのパートに分かれる。構成は次のとおりである。

第 I 部＝第 1 章では、対象自治体の地勢や歴史、人口動態などについて、前項をふまえてさらに詳述する。

第 II 部＝第 2 章および第 3 章は、対象自治体の政府機構に関する総論である。第 2 章では政治および行政について、第 3 章では財政について論じる。

第 III 部＝第 4 章から第 6 章は、対象自治体における政策各論である。第 4 章では教育を、第 5 章では医療を、第 6 章では高齢者福祉・介護を取り上げる。

第 IV 部＝第 7 章および第 8 章は、対象自治体の住民の動態に焦点をあてる。第 7 章は、自治組織や住民活動の実態を明らかにする。第 8 章は、那賀町において実施した住民生活実態調査の結果を分析する。

終章では、各章で明らかになったことをあらためて整理した上で、対象自治体の「これから」と、地域社会における《自治》といういとなみの「これから」について論じる。

第１章　歴史と人口

本章では、本調査研究が対象とした徳島県那賀町、埼玉県戸田市、千葉県印西市の３市町の基礎的データについて、その地勢、歴史および人口について概略的ではあるが、これを確認する。

１　徳島県那賀町

（１）地勢

那賀町は、徳島県南部に位置する自治体であり、2005 年 3 月に那賀郡 5 町村（鷲敷町・相生町・上那賀町・木沢村・木頭村）の合併により生まれた。那賀町一帯は「丹生谷」と呼ばれ、地理・歴史・文化・産業等で古くから結びつきが見られた地域である。人口は 8,402 人（平成 27 年国勢調査）で、町域は東西に長く、面積は 694.98km²（平成 30 年全国都道府県市区町村別面積調）と東京 23 区よりも広域である。その約 95%が森林域に覆われる中山間地域であり、東西に流れる那賀川および坂州木頭川沿いに国道が整備され、多くの集落も国道沿いに形成されている。

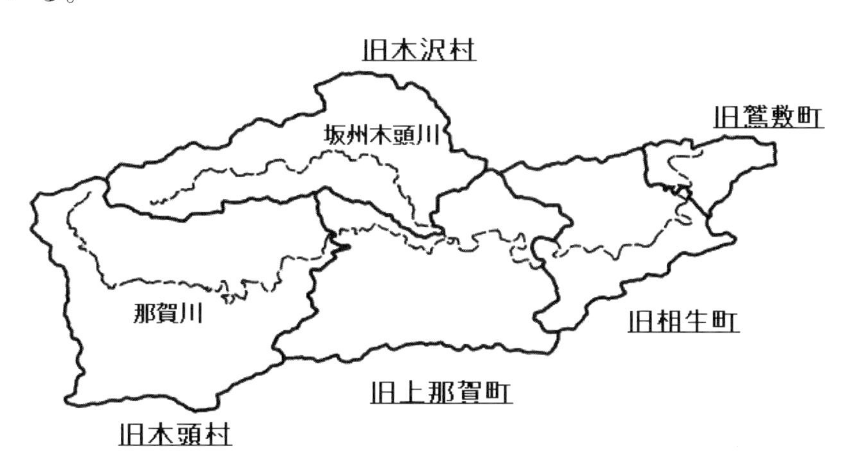

図表１−１−１　徳島県那賀郡那賀町と旧町村
出典）国土数値情報を元に筆者作成

山間地のため朝夕の寒暖の差が激しく、また、梅雨から秋季にかけて記録的な大雨に見舞われることがあり、日本で最も降水量が多い地域の一つに数えられる。これまでもたびたび水害や台風被害に遭ってきており、近年では、2014 年の台風 11 号および 2015 年の台風 11 号にて、那賀川が氾濫し、流域に床上浸水の被害が生じた。

産業構成は、第 1 次産業 18.96%、第 2 次産業 27.87%、第 3 次産業 52.86%（平

成 27 年国勢調査）であり、全国平均に比して第 1 次産業、なかでも林業の割合が高い。農林業は、「木頭杉」「相生杉」の地域材の名称に残る林業や、「木頭ゆず」「相生晩茶」等の特産物の生産で知られる。また、第 2 次産業については、医療製品等を製造する大塚テクノの工場が鷲敷に立地する。

地区	2015年人口（人）	面積（km2）	面積割合（%）	人口密度（人/km2）	林野率（%）	可住地割合（%）
鷲敷町	2,881	30.14	4.34%	95.59	79.8%	19.3%
相生町	2,480	101.04	14.54%	24.54	89.2%	10.4%
上那賀町	1,433	175.27	25.22%	8.18	95.9%	4.5%
木沢村	490	157.97	22.73%	3.10	97.2%	3.3%
木頭村	1,118	233.44	33.59%	4.79	96.9%	2.4%
那賀町全体	8,402	694.98	100.00%	12.09	94.9%	4.9%

図表 1－1－2　那賀町各地区の人口・面積他

出典）平成 27 年国勢調査、平成 30 年全国都道府県市区町村別面積調、2015 年農林業センサスの結果をもとに作成。ただし各地区の面積および可住地割合は 2004 年のデータを使用した。

那賀町の旧 5 町村は、大きく 2 地域に分かれる。那賀川の中流部に位置する鷲敷町・相生町と、上流部に位置する上那賀町・木沢村・木頭村である。中流部に行くほど可住地および人口密度は高まり、反対に上流部ほど森林割合が増える傾向にある。商店や路線バスなどの生活インフラについても中流部の方に整備されている。なお、当地では、特に上流部に位置する地域を「奥（おく）」と呼ぶことがある。

那賀町にとって、那賀川の存在は大きい。高度成長期までの主産業であった林業では、切り出した杉材を川下りによって運搬した。また、戦後には徳島県が治水や用水、発電等を目的として、1950 年に那賀川総合開発計画を策定した。これに従って多目的ダムが建設され、1955 年に上那賀町・木沢村に跨がる長安口ダム、1960 年に相生町に川口ダム、1968 年に木頭村に小見野々ダムが完成した。ダム建設に当たっては、当該地区の集落が水没し、また漁業にも影響が及ぶため、住民から反対運動が提起され、補償交渉はダム完成後まで長引いた。

なお、1971 年より木頭村に新たなダムとして、細川内ダムの建設計画が持ち上がった。これに対して木頭村は村を挙げて反対運動を展開した結果、社会問題化し、長期化することとなった。最終的に細川内ダムの建設計画が中止となるのは、2000 年である。

（２）合併と歴史

（ア）昭和の合併

昭和の合併では、丹生谷（現・那賀町）地域の 10 町村が、5 町村に合併した。注目すべきは、丹生谷地域が一つのまとまりとされた点である。1954 年 6 月に徳島県町村合併促進審議会が策定した町村合併策定書によれば、地域全体で 2 町村に合併する A 案、5 町村に合併する B 案が示されている。

A 案 (1) 鷲敷町・相生村（あいおいそん）・延野村（のぶのそん）・日野谷村（ひのたにそん）・宮浜村（みやはまそん）
　　 (2) 坂州村（さかしゅうそん）・沢谷村（さわだにそん）・平谷村（ひらだにそん）・上木頭村（かみきとうそん）・木頭村
B 案 (1) 鷲敷町・相生村
　　 (2) 延野村・日野谷村
　　 (3) 平谷村・宮浜村
　　 (4) 坂州村・沢谷村
　　 (5) 木頭村・上木頭村

A 案の枠組みは宮浜村以東の、B 案の枠組みは平谷村以西の自治体の支持を受け、これをもとに合併協議が進められた。このうち最も順調に協議が進んだのは、坂州村・沢谷村であり、最も早く合併協議がまとまり、木沢村が設立された（1955 年）。

鷲敷町・相生村・延野村・日野谷村・宮浜村の合併協議は、まず庁舎位置を巡って鷲敷町が脱退し、次いで地勢的・経済的事情で宮浜村が脱退する。結果、残る 3 村で合併が成立し、相生町が設立された（1956 年）。鷲敷町は、そのまま存続する。

木頭村・上木頭村については、合併の枠組みに平谷村を含めるかどうかで対立が起きた。教育問題やダム問題で従来から平谷村と衝突を繰り返してきた木頭村が反対した結果、協議は不調に終わった。

このような経緯があったため、宮浜村・平谷村の協議が開始され、1956 年に合併して上那賀村（かみなかそん）が設立された。

その後、上木頭村は村内の地区で合併先を巡って対立する。海川（かいかわ）地区は上那賀村と合併し、1957 年に上那賀町となる。同年、助（すけ）地区は木頭村と合併し、新設合併にて木頭村となった。

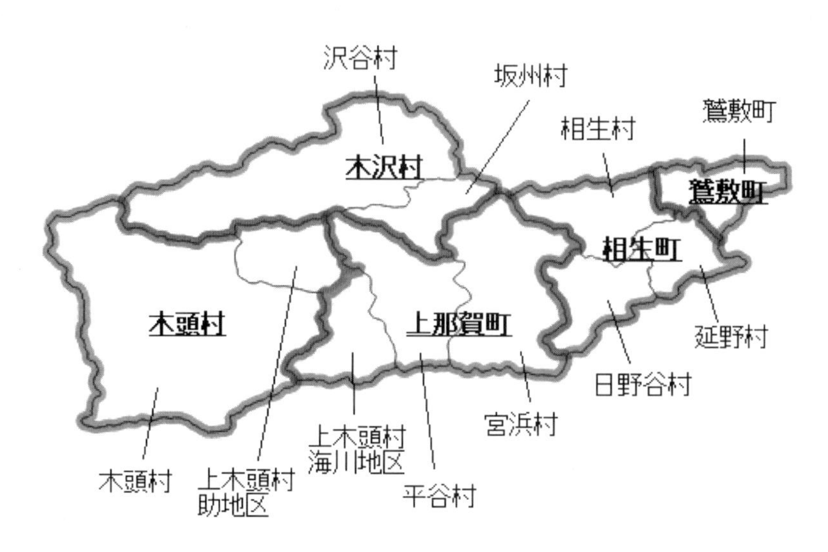

図表 1−1−3　丹生谷地域における昭和の合併と町村

出典）国土数値情報を元に筆者作成

（イ）平成の合併

平成の合併においても、丹生谷地域は一体として認識されている。徳島県が、都道府県として初めて公表した要綱「徳島県市町村合併推進要綱」（1999 年 12 月）では、県南部県域の合併の「基本パターン」A および B 両方に、鷲敷町・相生町・上那賀町・木沢村・木頭村の 5 町村合併が示されている。これに加えて、南部圏域その他①として、上勝町・上那賀町・木沢村・木頭村の 4 町村合併、南部圏域その他②として、那賀川町・羽ノ浦町・阿南市・鷲敷町・相生町の 5 市町村合併パターンが示された。

これを受け、2000 年 5 月には任意協議会である「上勝町・上那賀町・木沢村広域行政体制整備検討協議会」が立ち上げられた。これに相生町・木頭村が参加し、地勢的問題により上勝町が脱退した結果、2001 年 12 月に「那賀川上流域広域行政体制整備検討協議会」へ改組された。翌年 8 月には、4 町村が合併重点指定地域に指定されている。なお、この段階で鷲敷町が合併協議に参加していないのは、当時の助岡克典・鷲敷町長が合併に消極的であったためである[1]。

同協議会の枠組みは、2002 年 4 月に「那賀川上流域合併協議会」として法定協議会が立ち上げられた。しかし、合併後の新町事務所位置をめぐり対立が起こる。相生町に設置することを支持する相生町・木頭村、上那賀町に設置を支持する上那賀町・木沢村の溝は埋まらず、結果として 2002 年 12 月、相生町は合併協議会より脱退した。このため合併協議は空中分解し、2003 年 3 月に協議会は解散した。

---

[1] ただし、2001 年 11 月に鷲敷町が町内全世帯に実施した町村合併に関するアンケートでは、「合併は必要・どちらかと言えば必要」が 39%、「求められれば応じるべきだ」が 21%、「必要がない・どちらかと言えば必要がない」が 26%、「分からない」が 14%であって、町民は合併に肯定的であった（『鷲敷町史続編』39 頁）。

一方、鷲敷町では、合併に消極的であった助岡町長が退任し、2002 年 12 月、新たに日下正隆が選出された。財政問題を理由に日下は合併に意欲的であり、協議会を脱退した相生町との合併の気運が急速に高まった。

2003 年 9 月、「相生町・鷲敷町合併問題検討協議会」が設置され、新たな枠組みでの合併協議がはじまる。これに同年 11 月に木沢村が、12 月には上那賀町・木頭村が参加を申し入れた。これに対して、相生町および鷲敷町は、2 町間での協議合意項目を受け入れることを条件に、申し入れを受諾する。2 町間での主な協議合意項目は、①合併方式（新設合併）、②合併期日（2005 年 3 月 1 日）、③新町事務所位置（鷲敷町に本庁舎を置き、相生町に分庁舎を置く）、④総合事務所方式の採用である。先の協議会で相生町が脱退する原因となっていた新町事務所位置が、協議合意項目として決定されている点には留意したい。

2003 年 12 月に 5 町村の「丹生谷五町村任意合併協議会」に改組され、翌年 1 月には法定協議会として「丹生谷合併協議会」が発足する。途中、台風 10 号による土砂災害等に見舞われたものの、11 月には合併の調印がなされ、2005 年 3 月、那賀町が発足することとなった。初代町長には、旧鷲敷町長であった日下が選出された。

合併協議にて深い対立を生じさせたのは、合併後の新町事務所位置の問題である。特に上流域に位置する 3 町村では、本庁舎が中流域に設置されてしまうと、「奥」の地域が衰退してしまうのではないかという強い危惧があった。上述の「那賀川上流域合併協議会」は、これが原因となって破談となった。一方、破談後の合併協議は、中流域の鷲敷町・相生町が当初主導したため、新事務所位置については表立って問題とはならなかった。しかし合併の結果、中流域に本庁舎・分庁舎が設置されたことは、その後、「奥」地域の住民の不安を招くこととなった。

（３）人口動態

那賀町は人口減少が著しく、2019 年 4 月 1 日現在、那賀町全域が過疎地域自立促進特別措置法第 2 条第 1 項にもとづく過疎地域に指定されている。

高度成長期から人口減少の度合いは激しく、国勢調査によれば、1955 年に 24,713 人であった現・那賀町域の人口は、1975 年には 15,364 人、2000 年では 11,893 人、2015 年で 8,402 人と急減している。ただし、全域が等しく減少しているわけではなく、上那賀町・木沢村・木頭村といった那賀町の「奥」の地域の人口が、著しく減少している点は注意が必要である。これに対して、中流域、特に鷲敷町の人口減少率は相対的に穏やかといえる。

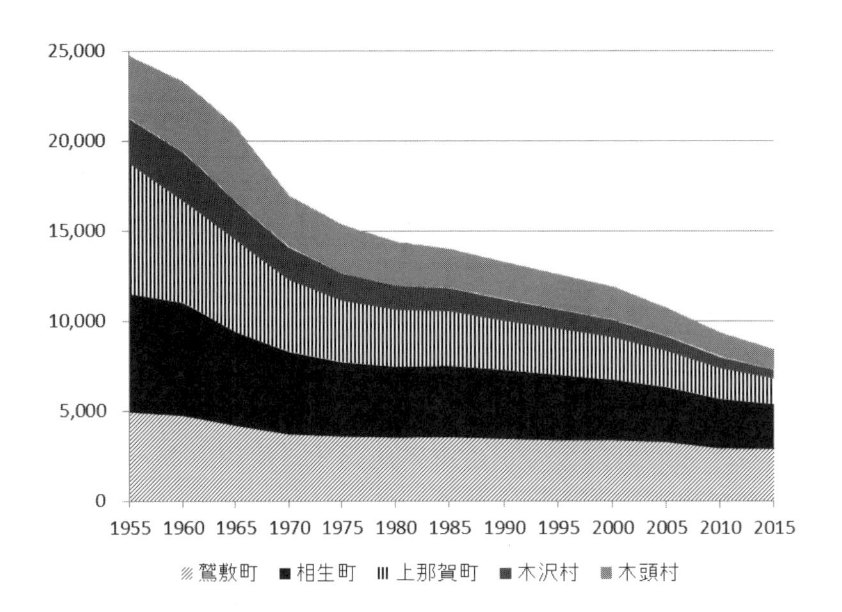

図表 1－1－4　那賀町域の経年人口

出典）各年国勢調査結果を元に筆者作成

経年の年齢構成比では、幼年人口および生産年齢人口の減少が顕著である反面、老年人口については増加から横ばいとなっている。

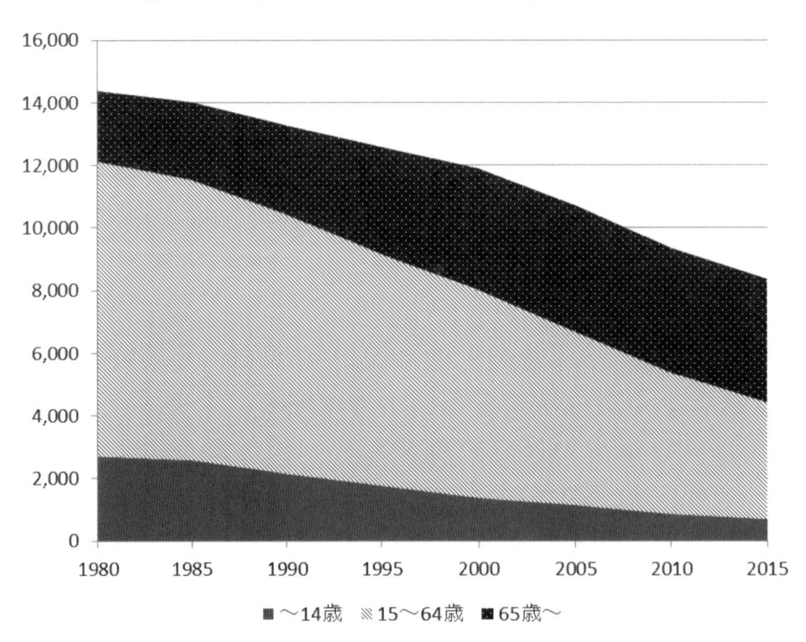

図表 1－1－5　那賀町域の経年年齢構成

出典）各年国勢調査結果を元に筆者作成

この傾向は将来的にも続くと予測されており、国立社会保障・人口問題研究所による将来人口推計（2018 年）では、2045 年の那賀町の人口は 3223 人まで落ち込むとされている[2]。

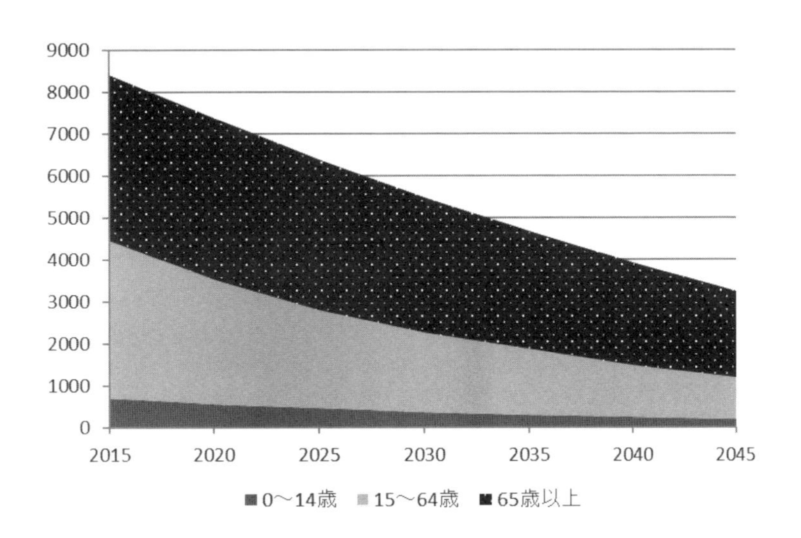

図表 1－1－6　那賀町の将来人口推計

出典）国立社会保障・人口問題研究所「日本の地域別将来推計人口」2018 年推計を元に筆者作成

次に、1985 年・2000 年・2015 年の那賀町域の人口ピラミッドを比較する。1985 年の人口構成は、20～24 歳の層が男女ともに非常に少なく、比較的若い生産人口が流出する「ひょうたん型」の形状に近い。「ひょうたん型」の人口ピラミッドは、一般に農村地域に多い人口構成とされる。2000 年には幼年人口が縮小し、「つぼ型」の形状に変化する。さらに、2015 年は 50 歳未満の人口がさらに縮小し、いわば「逆ピラミッド型」となっている。国立社会保障・人口問題研究所「日本の将来人口推計」（2012 年）において示された、将来の「超高齢化社会」日本の姿を先取るともいえよう。

[2] これに対して、那賀町は 2015 年 10 月に「那賀町人口ビジョン」を策定し、2040 年の将来人口 5000 人維持を打ち出している。

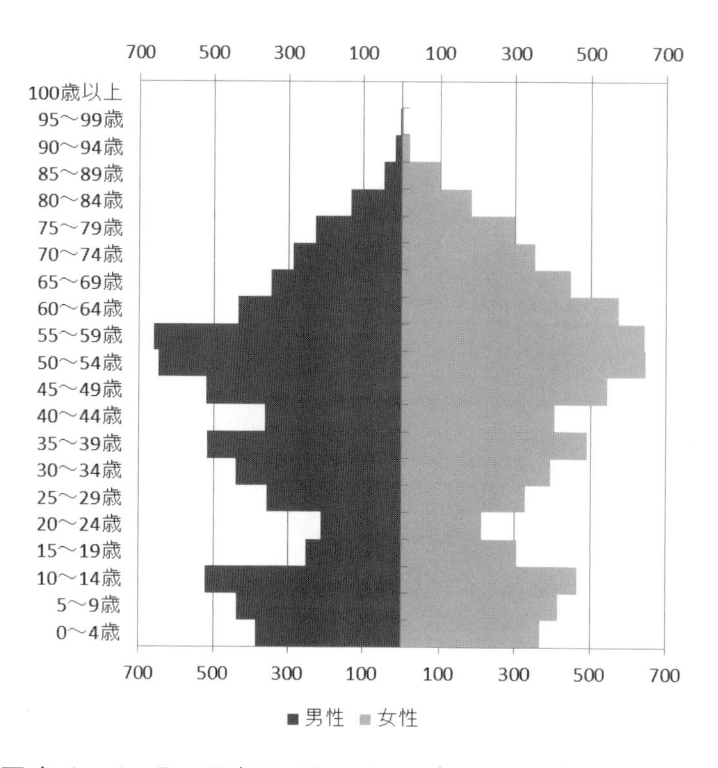

図表 1－1－7　那賀町域の人口ピラミッド・1985 年

出典）昭和 60 年国勢調査結果を元に筆者作成

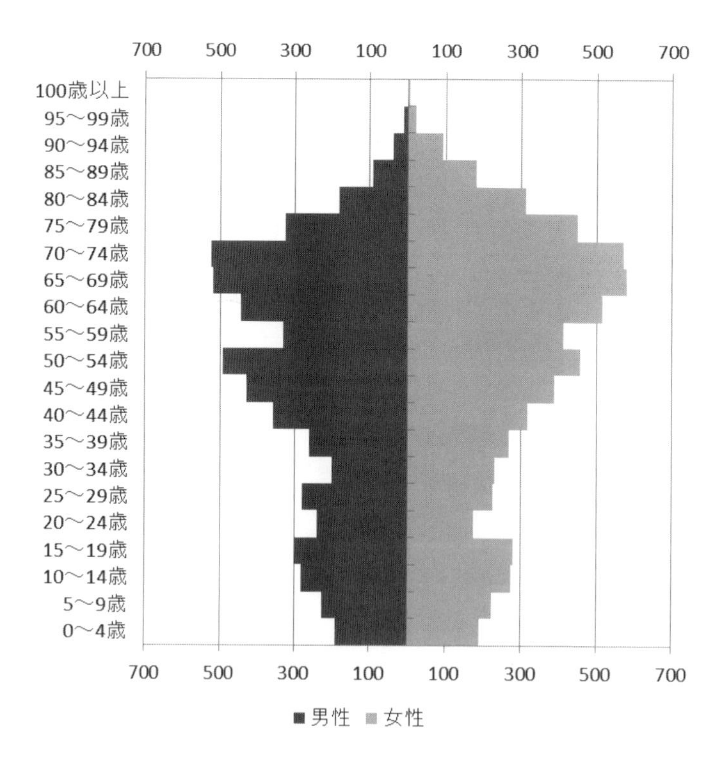

図表 1－1－8　那賀町域の人口ピラミッド・2000 年

出典）平成 12 年国勢調査結果を元に筆者作成

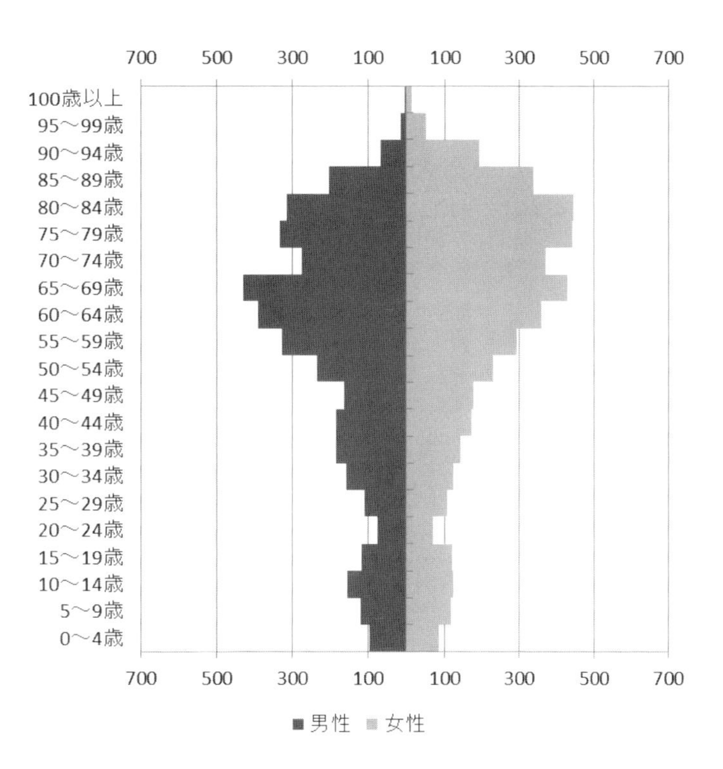

図表 1－1－9　那賀町域の人口ピラミッド・2015 年

出典）平成 27 年国勢調査結果を元に筆者作成

近年の転出については、生産年齢人口に多く、特に 15～19 歳、20～24 歳が主である。進学や就職を機会に、那賀町を離れる住民は多い。たとえば、那賀町に所在する徳島県立那賀高校への進学率は、町内の中学校卒業生の半数に満たない。町域外への進学は阿南市の富岡西高校が最も多く、小松島市や徳島市の高校に進学するケースも見られる。

2016 年 1 月の那賀町成人式にて行われたアンケートによれば、新成人のうち 28.3%しか那賀町に居住しておらず、43.3%が県内他市町村、28.3%は県外に居住していた[3](『広報なか』2016 年 3 月号)。ただし、「将来、那賀町に住んでいたい？」という設問には、3 分の 2 が那賀町に住みたいと回答している点は留意される。このため、25～29 歳・30～34 歳・35～39 歳の年代に多い那賀町への転入の多くは U ターンであると考えられる。

また、30 代～40 代については、町内での移動が顕著である。「奥」に居住する住民が、生活に利便性のある中流域に移住している可能性も考えられよう。

なお、80 代以上の町内移動および転出も目立つ。これらは介護施設等への入居のためと推測される。

[3] 『広報なか』では「学生の割合が多いため」と説明される。

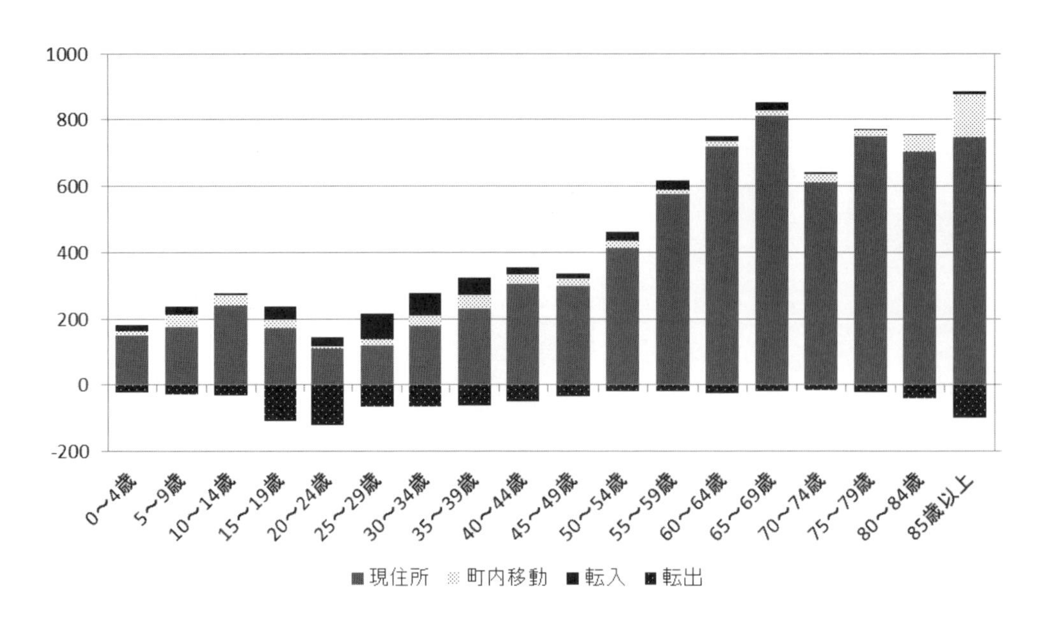

図表 1－1－10 那賀町の転入・転出・町内移動人口（2010 年→2015 年）

出典）平成 27 年国勢調査結果を元に筆者作成

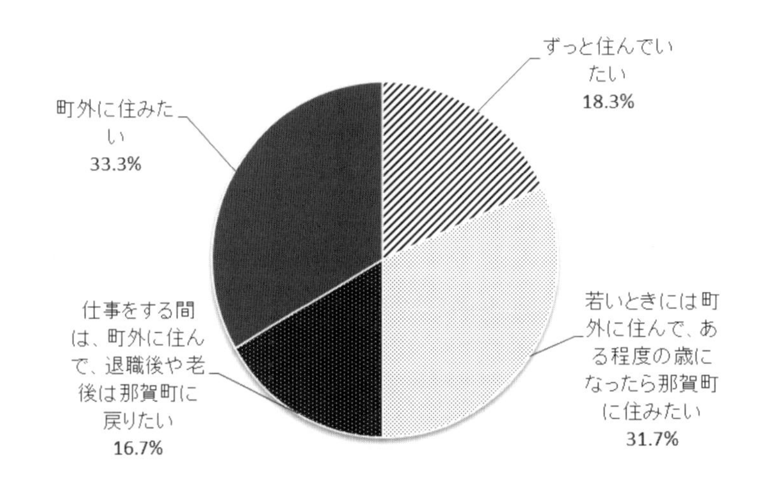

図表 1－1－11 新成人アンケート「将来、那賀町に住んでいたい？」

出典）『広報なか』2016 年 3 月号を元に筆者作成

転出先を見ると 8 割が徳島県内で、なかでも県庁所在地の徳島市、そして那賀川河口域の阿南市の 2 市で 6 割弱を占める。県外転出者は少ないものの、大阪府（29 人）、高知県（22 人）、兵庫県（15 人）、香川県（15 人）の順であり、比較的近隣の府県に転出する傾向が見られる。

転入者数は、転出者数のおよそ半分強である。転入元の自治体は、転出先の自治体と同様の傾向にある。これは、転入者の多くが U ターンであるという前述の推測を補強するだろう。

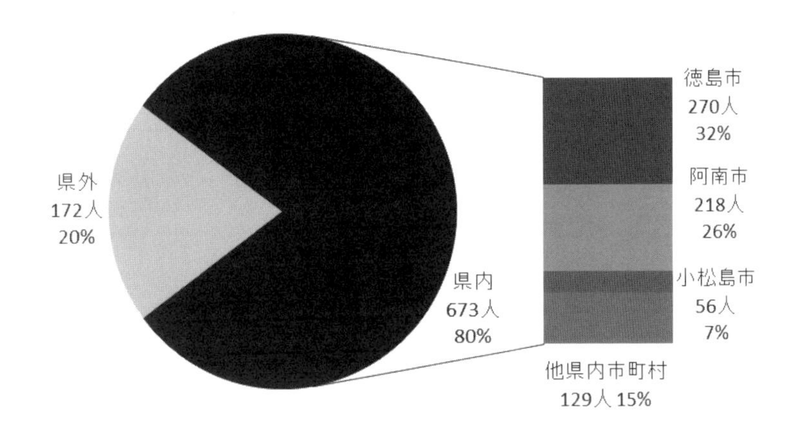

図表 1－1－12　那賀町からの転出先（2010 年→2015 年）

出典）平成 27 年国勢調査結果を元に筆者作成

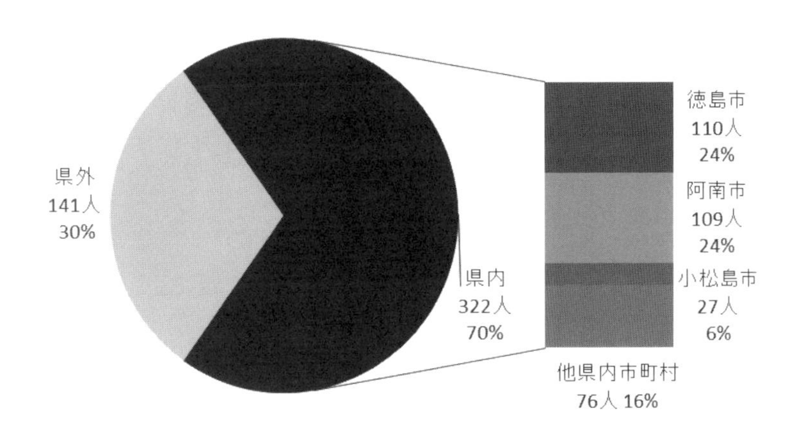

図表 1－1－13　那賀町への転入元（2010 年→2015 年）

出典）平成 27 年国勢調査結果を元に筆者作成

2　埼玉県戸田市および千葉県印西市

埼玉県戸田市および千葉県印西市はともに関東大都市圏のなかにあって人口増加率が高い都市であるが、その様相は大きく異なる。誤解を恐れず簡潔に表せば、戸田市は、埼京線の開通を契機として都心部へのアクセスの良さから、いわば「自然」と人口が増加していった都市といえる。これに対して、印西市は、千葉ニュータウン事業によって開発されたこともあり、ある種「人工」的な発展が見られる都市である。人口増加という共通項はあるものの、前提とする条件や抱えている問題には異なる部分も多い。このため、本節ではその差異に着目しながら、両市の地勢・歴史・人口について概観する。

（１）地勢

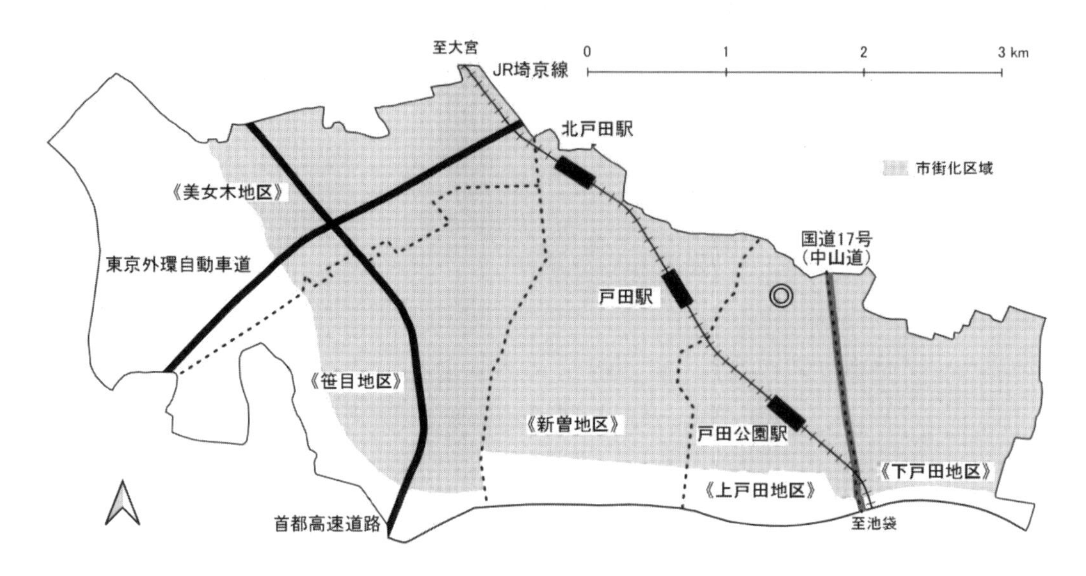

図表 1−2−1　埼玉県戸田市の略図

出典）国土数値情報および地理院地図より作成

戸田市は、埼玉県の南西部に位置する約人口 14 万人の都市である。1957 年に戸田町と美笹村が合併し、その 2 年後に一部地域が分離して現在の市域となった。さいたま市南区・蕨市・川口市と接し、また荒川を挟んで朝霞市・和光市および東京都板橋区等と接する。土地は平坦で、荒川河川沿い（公園区域を含む）以外はほぼ全域が市街化区域に指定されている。1985 年の埼京線開通を契機に全域でベッドタウン化が進行し、近年では特に市東部の中山道沿いで中高層マンションの増加が顕著である。都心へのアクセスが良好で、新宿駅まで 20 分台で到着可能なためである。また市西部には首都高速道路、国道バイパスおよび東京外環自動車道があり、陸路の便も良いため工場および物流倉庫も数多く見られる。林野は存在せず、耕地もほとんど残っていない。

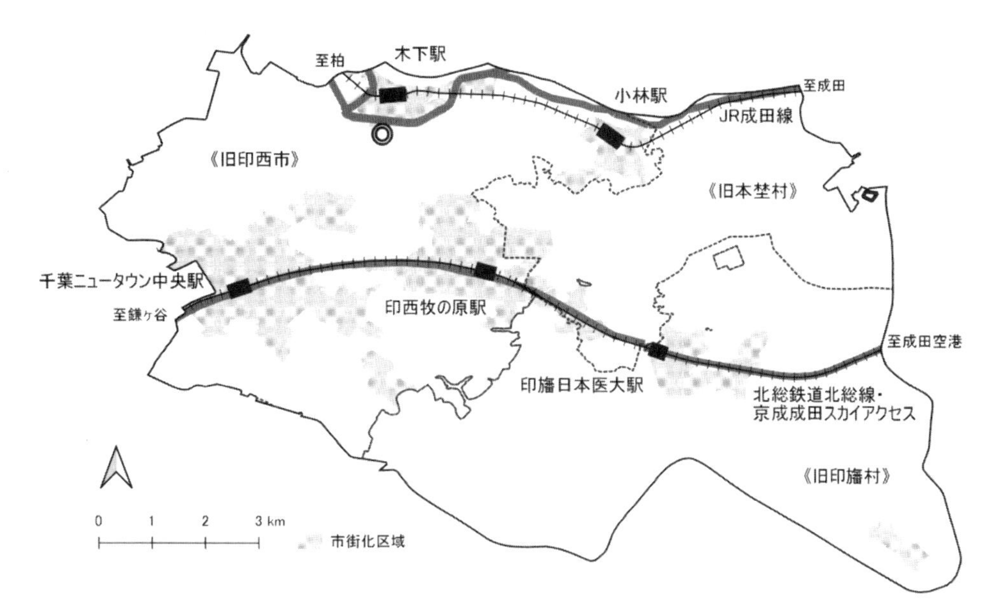

図表 1−2−2 千葉県印西市の略図

出典）国土数値情報より作成

印西市は、千葉県北部に位置する人口 10 万人弱の都市である。2010 年に印西市が本埜村および印旛村を編入合併し、現在の市域となった。西は我孫子市・柏市・白井市、南は八千代市・佐倉市・酒々井町、東は成田市・栄町、また北は利根川を挟んで茨城県に接する。土地は平坦な台地と、北部の利根川沿いおよび東部から南東部の印旛沼干拓の低地から構成される。戦前期に利根川の水運にて栄えた木下（きおろし）周辺を除けば、もとは山林と田畑が広がる農村地帯であった。しかし、1984 年より入居がはじまった千葉ニュータウン事業により様相は大きく変化する。域内では千葉ニュータウン中央地区・印西牧の原地区・印旛日本医大地区と 3 箇所が開発され、北総線の駅もまた整備されることとなった。印西市の市街化区域はこの 3 地区と JR 成田線の 2 駅周辺が中心である。これらの地区以外については、概ね山林や耕地の風景を残している。ニュータウンから都心へのアクセスは鉄路にて直通の 1 時間弱であるが、ニュータウン開発のため建設された北総鉄道の運賃は比較的高額であり、沿線住民の大きな負担となっている[4]。

---

4 『平成 23 年度市民意識調査報告書』、印西市、2012 年。

	戸田市	印西市
2015年人口(人)	136,150	92,670
人口増加率	10.62%	5.10%
面積(km2)	18.19	123.79
市街化区域面積(ha)	1,337	1,907
市街化区域人口(人)	136,109	74,415
耕地面積(ha)	5	4,160
林野率	-	15.03%
1次産業割合	0.17%	4.14%
2次産業割合	23.01%	16.86%
3次産業割合	76.82%	78.99%
持ち家率	48.32%	85.17%

図表 1－2－3　埼玉県戸田市および千葉県印西市の比較

出典）国勢調査（2015）、全国都道府県市区町村別面積調（2019）、作物統計調査（2018）、農業センサス（2015）、データいんざい（2018）
http://www.city.inzai.lg.jp/cmsfiles/contents/0000007/7762/2018_00_DataInzai_ALL.pdf、統計とだ（2018）
https://www.city.toda.saitama.jp/site/opendata/list47.html より作成。人口増加率については、2010 年から 2015 年のもの。

2 市を比較してまず気づくのは、平成の合併を経験しなかった戸田市の相対的狭小さである。市域も、荒川で隔てられた箇所を除けば、隣接する蕨市等との市境に気づくのは難しい。まちなみ等についても、印西市に比較すれば、およそ均一的である。

一方、印西市は相対的に広域であり、また域内でもニュータウン地区とそれ以外の地区の差異が顕著である。そしてより重要なのは、市内でもニュータウン地区のみに人口が集住していないという点である。市域のニュータウン地区人口が 54,111 人（58%）であるのに対して、非ニュータウン地区は 38,559 人（42%）である（2015 年国勢調査）。これに加えて非ニュータウン地区も一様ではなく、旧本埜村のような農村的要素が強い地域もあれば、JR 成田線の木下駅および小林駅周辺や旧印旛村平賀学園台等、宅地開発が行われている地域も見られる。

また 2 市には持ち家率に大きな開きがあるのも特徴といえる。埼玉県と千葉県の持ち家率はそれぞれ 67.04%、65.99%（2015 年国勢調査）であるから、戸田市は県平均よりも 20%近く低く、反対に印西市は約 20%高いこととなる。これは、後述する人口動態に関する 2 市の特徴に大きく影響しよう。

（2）合併と歴史

（ア）埼玉県戸田市

戸田市は現在 5 地域に分かれる（前掲図表 1－2－1）。このうち下戸田・上戸田・

新曽は明治の合併以前の集落単位である。3 村は町村制施行に伴って合併し、1889 年に戸田村となった。1940 年には町制が施行されている。この戸田町地域は、新曽は農業が中心であったが、下戸田・上戸田は中山道沿いであったため、商家および工場労働者も多く見られた。

笹目・美女木は、それぞれ明治の合併にて成立した笹目村・美谷本村の村域が主である。両村は 1943 年に戦時合併をし、美笹村となった。戸田町域よりもより農村的要素が強い地域であった。

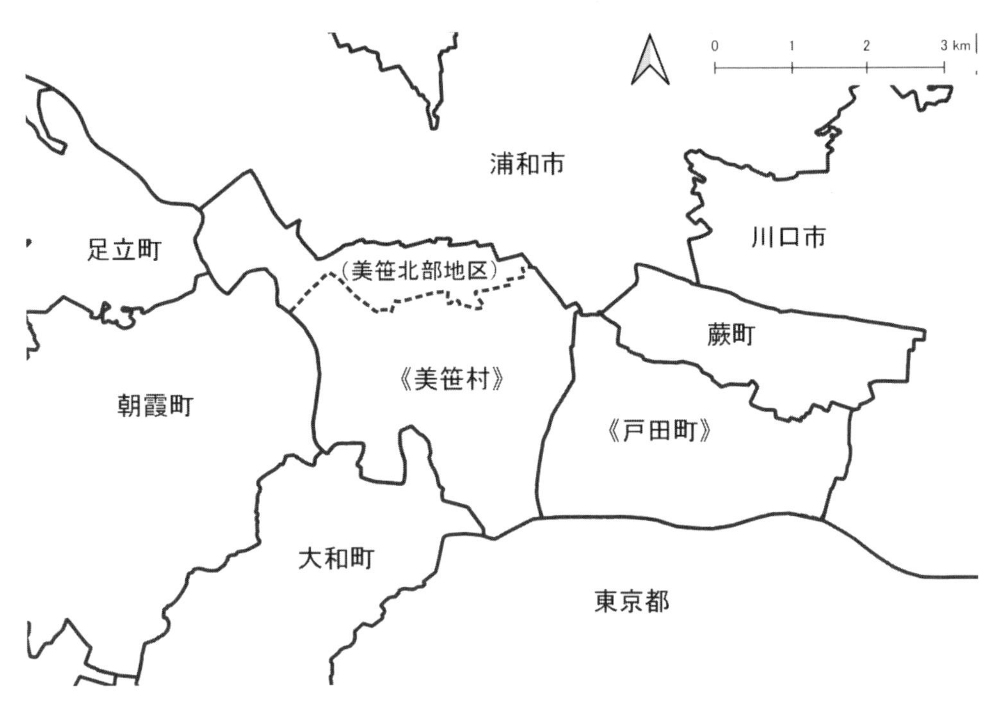

図表 1－2－4　1955 年現在の戸田町・美笹村と周辺自治体

出典）国土数値情報より作成（一部改変した）

昭和の合併では、埼玉県は町村合併促進法の施行を受けて、1954 年に県内の市町村合併に関する試案を作成・公表した。同試案中では、蕨町・戸田町・美笹村の 3 町村合併が示されている。これに対して蕨町・美笹村は合併に前向きであったが、戸田町は消極的な態度をとった。その一つの理由に、人口規模の問題が推測される。1955 年国勢調査では、戸田町が 15,941 人、美笹村が 5,416 人であるのに対して、蕨町は 35,184 人と域内人口の 6 割以上を占めていた。このこともあって合併協議は遅々として進まず、町村合併促進法の期限を迎えた。

1956 年の新市町村建設促進法下では、戸田町の意向が反映され、戸田町・美笹村の 2 町村による合併協議が進められることとなった。しかし、美笹村内では、浦和市（現・さいたま市）と接する北部地区を中心として、浦和市への合併を望む声も少なくなかった。このため美笹村議会は、合併相手をめぐって紛糾する。新市町村建設促進法の期限が切れた 1957 年 4 月になってようやく、戸田町・美笹村の合併および美笹北部地区の合併後の分離が両町村議会にて議決され、同年7月に戸田町が美笹村を編入合併した。旧美笹村北部地区の分離については、合併後に同地区住民による小中学校の「同盟休校」がなされるなど、穏やかな推移とはならなかったが、県の斡旋によって1959年9月に実施される運びとなった。

合併後の戸田町は、域内に鉄道はないものの、交通網の整備や区画整理の進展の結果、工業化および市街化が進んだ。1955年に町域で19,882人だった人口は、1965年に52,298人まで急増している（国勢調査）。1966年には市制が施行された。

安定成長期には人口は微増傾向となるものの、1985年の国鉄・埼京線の開通により市内に3駅（戸田公園駅・戸田駅・北戸田駅）が設置されると、東京都心部および埼玉県中心部へのアクセスが飛躍的に良くなり、急激なベッドタウン化が進行した。戸田市では2015年まで30年間で年平均2.56%の人口増加が継続した結果、1985年に76,960人であった人口は2015年に136,150人となっている（国勢調査）。

平成の合併では、2001年に埼玉県が公表した合併要綱において、県南の5市を中心とした合併パターンが示された。この5市は、戸田市・蕨市・川口市・鳩ヶ谷市・草加市で、1983年より「埼玉県南5市まちづくり協議会」として継続的に交流がなされていた地域であった。示された合併パターンは、これら5市、草加市を除いた4市、戸田市および蕨市の2市の3種である。このうち合併協議は、4市の枠組みにて進められることとなった。

戸田市における住民アンケートでは、当初合併賛成と反対が拮抗していた。これに対して、市執行部は合併に対してどちらかといえば消極的であった。理由は、財政および人口規模である。戸田市は1980年代から不交付団体となっており、2001年の財政力指数は1.17であった。また当時の市長は、行政サービスの点から、10～20万人が都市の適正規模と述べている。その後2002年7月に実施された「戸田市市民意識調査（第8回）」では、合併について「必要と思わない」が69.3%、「必要と思う」が9.6%という結果となり、合併反対が多数を占めることとなった。この結果を受け、戸田市は4市協議の枠組みから離脱することとなった。

（イ）千葉県印西市

印西市は現在、平成の合併による旧3市村およびニュータウン／非ニュータウン地域（前掲図表1－2－2）で分類されることが多いが、昭和の合併以前の旧町村単位で把握されることもある。木下（きおろし）町・大森町・永治（えいじ）村・船穂村が旧印西市域、六合（ろくごう）村・宗像村が旧印旛村域であり、また本埜村は大正期に合併して以来その村域を維持してきた。

このうち、木下および大森は商工業が発達した地域であり、特に木下は利根川の水運によって戦前期に栄え、1901年には成田鉄道成田線の2駅が設置されている（木下駅・小林駅。なお、1920 年に成田鉄道は国有化された）。他の村々は基本的に山林と田畑の広がる農村地帯であったが、特に東部域から南東部域にかけては、昭和期まで続いた印旛沼の干拓事業によって田地が整備されている。

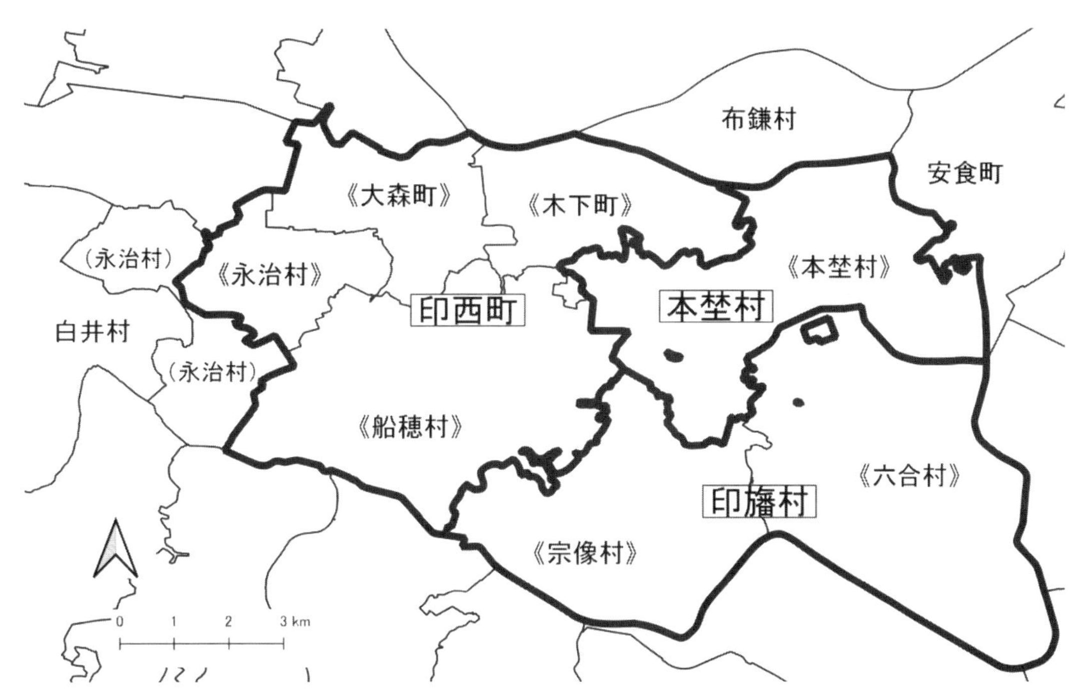

図表 1－2－5　印西市域における昭和の合併と周辺町村

出典）国土数値情報より作成

昭和の合併では 1953 年に木下町・大森町の合併が、県の町村適正化モデル地区として指定されたが、同協議は新町名と役場位置を巡って対立し、破談に終わった。しかし同年、両町はより大規模な合併が必要だとして、印旛郡西部 9 町村の合併を提唱した。この結果として、木下町・大森町・船穂村・永治村・白井（しろい）村という 5 町村による、新たな合併協議の枠組みがつくられることとなった。その後の協議の中で、白井村は永治村との 2 村合併へと議論が傾いた結果、永治村は分村することとなり、1954 年に 2 町 2 村合併の印西町、2 村合併の白井村が生まれた。

本埜村・六合村・宗像村では、先に述べた 9 町村合併等、様々な合併枠組みが模索されたが、1953 年頃より本埜村・安食町・布鎌（ふかま）村・六合村・宗像村との 5 町村合併案が進んだ。しかし、同協議は、本埜村の内部対立によって実現しなかった。本埜村は大正期に合併を行ったが、そのときの旧村間の対立が再燃したためである。結局、先の 5 町村合併案は、問題を抱えた本埜村を除いたかたちとなり、1955 年に六合村・宗像村が合併して印旛村に、安食町・布鎌村が合併して栄町になった。

その後、本埜村は合併先をめぐって内部の対立が激化する。村内で印西町・印旛村・栄町の各町村との合併派に分かれたため、一時は分村を前提に合併が議論され、これを問う住民投票も実施された。また村執行部は、印西町との合併を志向し、印西町長との連名で県に合併請願書を提出するなどしている。しかし、ついぞ村内の意思統一をすることはできず、1959 年に村議会で本埜村単独での存続を決定することとなった。

昭和の合併後の高度成長期には、現印西市域の人口は減少傾向にあった。1955 年に 31,708 人だった人口は、1970 年には 28,011 人まで減少している（国勢調査)。主たる理由は人口流出による。

千葉県が「千葉ニュータウン計画」を発表したのは、このような状況下であった（1966 年)。白井町・船橋市・印西町・本埜村・印旛村の 1 市 2 町 2 村にまたがる北総台地上に、1967 年から 10 年計画で人口 34 万人の新都市を建設するという壮大な計画であった。都心への通勤路線も新たに建設されることとなり、また中心地域は印西町となった（千葉ニュータウン中央)。しかし同事業の進捗は大幅に遅れ、これに伴って計画は大幅な縮小と延長を余儀なくされた。たとえば最終的な計画人口は 143,300 人まで縮小されている。

入居は西部の白井・船橋部分からはじまり、印西町での入居は 1984 年より開始された。そしてニュータウン部の人口増加は、そのまま印西地域の人口増加につながった。1985 年から 1995 年の 10 年間で、地域人口は 35,745 人から 72,278 人とおよそ 2 倍となっている（国勢調査)。1996 年には印西町は市制を施行しており、その後も継続的な人口増加が見られる。ニュータウン事業進捗の遅れが、結果的ではあるが、息の長い人口増加傾向を地域に形成したといえる。なお、ニュータウン地区の開発に並行するように、地域北部の成田線沿い、また印旛村南東部の平賀学園台の宅地開発が 1960 年代後半から 80 年代にかけて実施されている。

平成の合併では、「千葉県市町村合併推進構想」(2000 年）により、2002 年より印西市・白井市・印旛村・本埜村・栄町の 2 市 1 町 2 村の枠組みにて合併協議が開始された。このうち栄町は、隣接する成田市との合併を希望して協議会を脱退する。残った 2 市 2 村は枠組みを維持して協議を進め、「北総市」として新設合併の直前まで進んだ。しかし 2004 年に白井市が住民投票を行い、合併反対が投票の 3 分の 2 を占めた結果、白井市は協議を離脱し、合併協議会は一度解散に追い込まれた。

この後 2006 年に印旛村・本埜村の村長・議長の連名にて、印西市長・議長に対して合併要望書が提出された。両村の将来的な財政不安がその動機の主であった。このとき印西市は不交付団体だが、印旛村および本埜村の財政力指数はともに 0.5 前後であった。この要望書が契機となって、2009 年 1 月に印西市・印旛村・本埜村の 1 市 2 村の枠組みで法定協議会が設置された。新市名称等にて多少の紛議はあったものの、以前の協議会の成果もまだ残っていたため、合併協議は比較的順調に推移した。なお、白井市が抜けたため、合併方式が新設から編入合併へと変更されている。

しかし、協議が進行するとともに、突如として本埜村村長が合併反対を主張するようになった。村財政の好転がその理由であったが、2006年に連名にて合併要望書を提出したのも同村長であったため、本埜村内では村長と議会の深刻な対立に陥った[5]。議会が村長の不信任案を審議しようとすると、村長は対抗して議会を招集せず、村政は混乱した。結局リコールが実施され、村長が解職されることとなった。ただし同騒動の合併協議そのものへの影響はそれほど大きくなく、2010年3月に印西市は印旛村・本埜村を編入合併している。

（３）人口動態

（ア）人口推移と構成

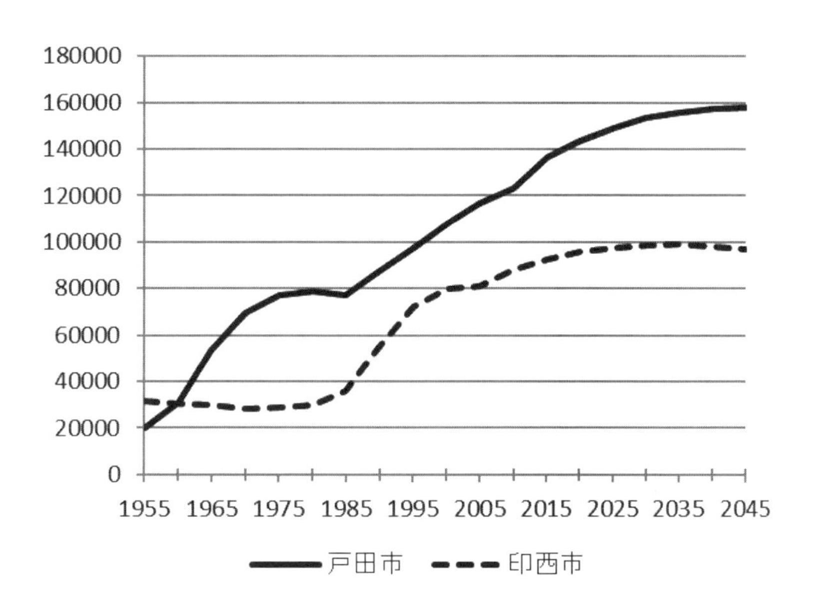

図表１−２−６　戸田・印西市域の人口推移と将来推計人口

出典）2015年までは国勢調査、2020年以降は国立社会保障・人口問題研究所「日本の地域別将来推計人口」2018年推計を元に筆者作成

埼玉県戸田市および千葉県印西市はともに現在も人口が増加傾向にある自治体である。戸田市域は高度成長期に大きく人口増が見られ、安定成長期に入ると微増となったが、先に述べたように埼京線開通（1985年）後は継続的な人口増となっている。印西市域では、80年代まで人口減にあったが、ニュータウン入居開始（1984年）後は急激な人口増が見られ、現在でも増加傾向にある。将来推計人口においても、両市とも2030年代まで増加傾向が見られる。

---

[5]『朝日新聞』2009年9月28日朝刊・ちば首都圏版。

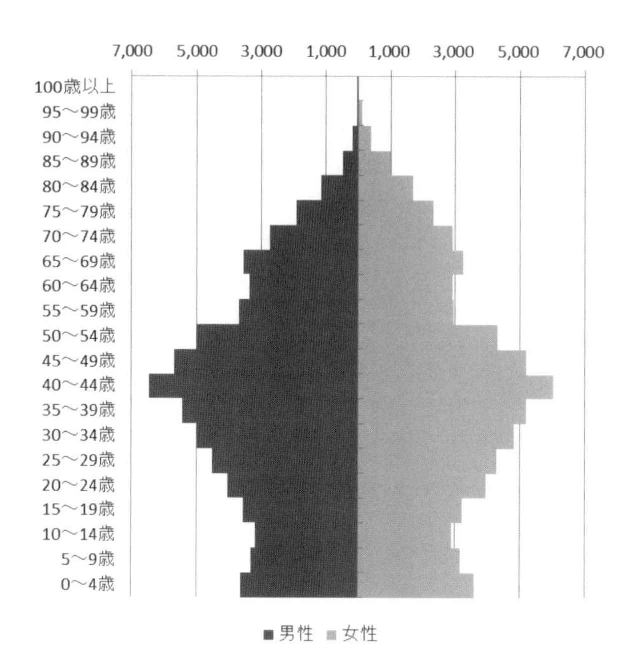

図表 1－2－7　戸田市の人口ピラミッド（5 歳階級・2015 年）

出典）国勢調査より作成

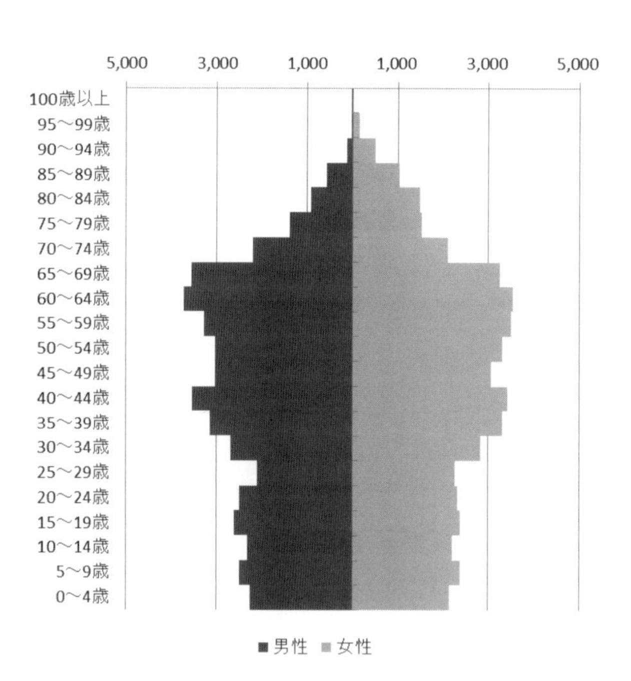

図表 1－2－8　印西市の人口ピラミッド（5 歳階級・2015 年）

出典）国勢調査より作成

両市とも人口増の自治体であるが、その人口構成は両市で大きく異なる。戸田市は第 2 次ベビーブーム世代前後が突出して多くなっている。やや変形的ではあるが「星型」の人口構成であるといえよう。一方、印西市は第 1 次および第 2 次ベビーブーム世代が多く、比較的全国平均に近い「つぼ型」の人口構成といえる。

なお、2018 年 4 月 1 日現在の両市の平均年齢は、戸田市が 40.05 歳[6]、印西市が 43.7 歳[7]で、ともに県下では平均年齢が低い自治体となる。

（イ）人口動態

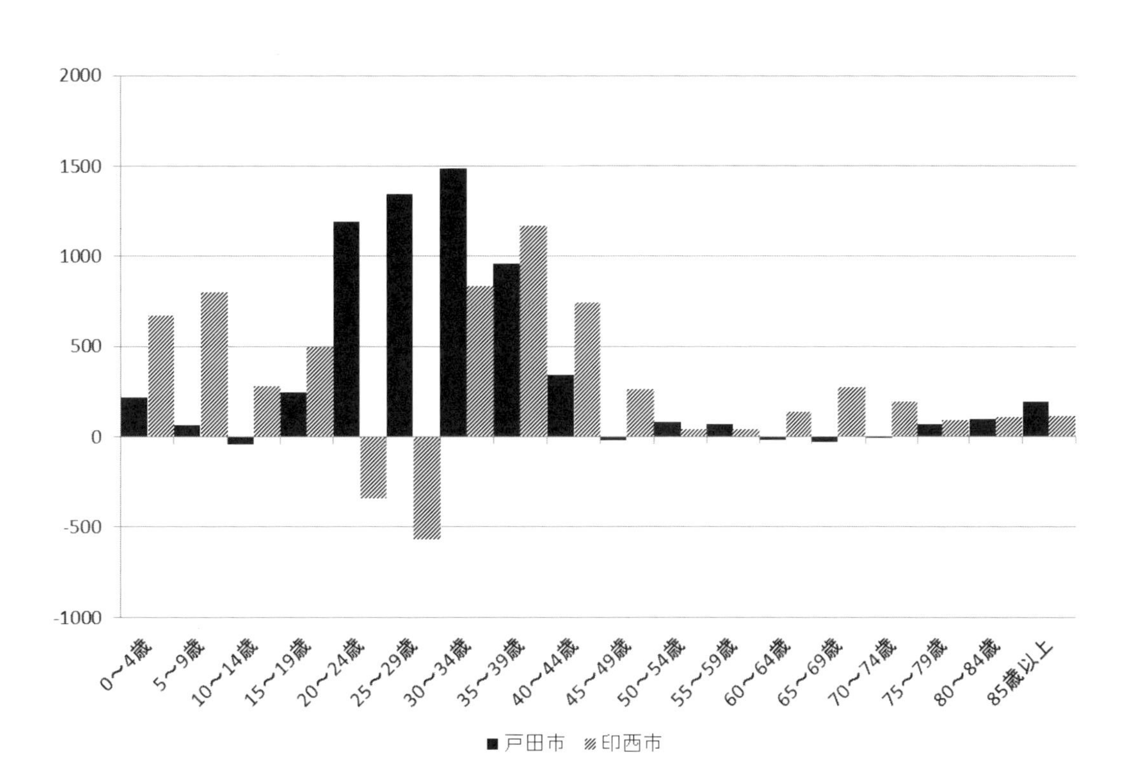

図表 1－2－9　戸田市および印西市の年齢別純移動数
（5 歳階級・5 年前の常住地比較）
出典）国勢調査より作成

2 市の転出入による社会増減を年齢別で比較すると、より特徴的である。戸田市は 20 歳台から 30 歳台の社会増が中心であるのに対して、印西市は 30 歳台から 40 歳台前半および 10 歳台未満の社会増が目立つ。そして印西市では 20 歳台は社会減となっている。

これは、先述した 2 市の持ち家率の特徴と無関係ではないと考えられる。すなわち、持ち家率の高い印西市は、比較的経済的余裕が生まれてくる 30 歳台に家やマンションを購入し、夫婦または子とともに転入してくる傾向があると推測される。20 歳台の社会減は、進学や就職に伴う転出が主となるだろう。一方、戸田

---

6 戸田市・人口統計速報
（https://www.city.toda.saitama.jp/site/opendata/jinkou-2018.html）

7 千葉県年齢別・町丁字別人口平成 30 年度
（https://www.pref.chiba.lg.jp/toukei/toukeidata/nenreibetsu/h30/h30-index.html）

市は賃貸住宅が豊富で、また都心へのアクセスも良いため、比較的若い転入者が多く、社会増を形成していると考えられる。また、人口流動性も戸田市のほうが高い。同データにおける転出入者の総数を比較すると、戸田市では転入が 23,475 人、転出が 17,218 人であるのに対して、印西市は転入 14,001 人、転出が 8,644 人に留まる[8]。

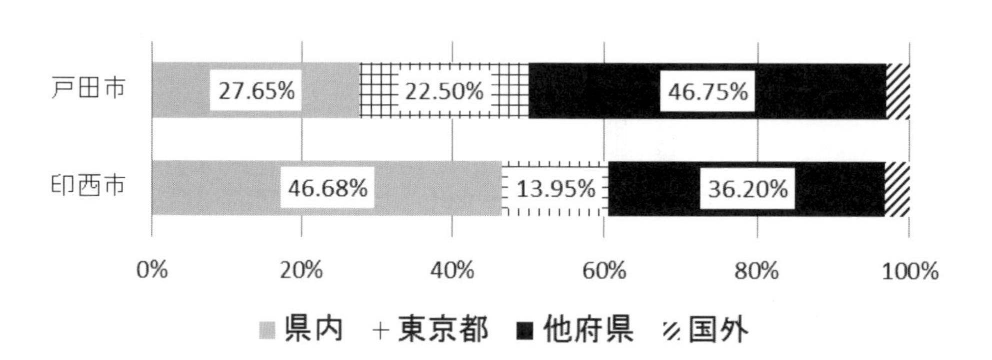

図表 1－2－10　戸田市および印西市の転入 5 年前の常在地割合（2015 年）

出典）国勢調査により作成

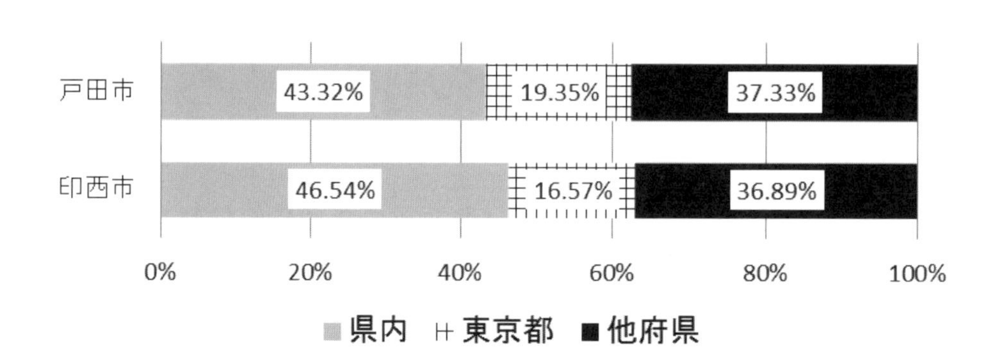

図表 1－2－11　戸田市および印西市からの転出先割合（2015 年）

出典）国勢調査により作成

転入元および転出先に関しては、両市について同様の傾向が見られる。戸田市は東京都および他府県からの転入者割合が多いが、他府県について具体的に見ると全国各地からの転入していることがわかる。なお、両市ともに自市内での移動も少なくない。

---

[8] ただし、同国勢調査において移動状況が「不詳」であるのは、戸田市が 20,166 人に対して、印西市は 2,200 人であり、戸田市がひときわ高い点は留意する必要がある。

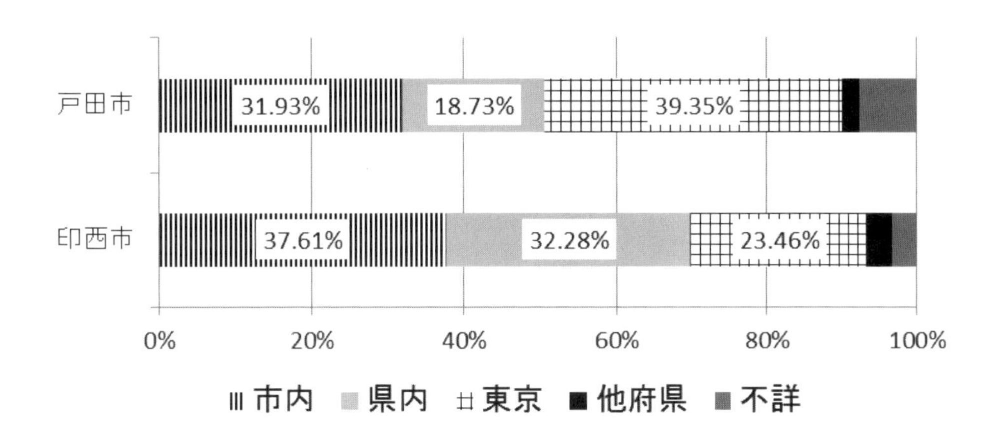

図表 1－2－12　戸田市および印西市在住者の通勤・通学先割合（2015 年）

出典）国勢調査より作成

通勤・通学先については、戸田市在住者が東京都内を通勤・通学先としているのが目立つ。一方、ニュータウン事業により人口増加を見た印西市ではそれほど東京への通勤・通学は多くないといえるが、これは都心への距離および時間を考慮する必要があるだろう。

参考文献

鷲敷町編『鷲敷町史』、鷲敷町、1981 年
鷲敷町史編さん委員会編『鷲敷町史　続編』、那賀町、2009 年
相生町誌編纂委員会編『相生町誌』、相生町、1973 年
相生町誌編纂委員会編『相生町誌　続編』、相生町役場、2005 年
上那賀町編『上那賀町誌』、上那賀町、1982 年
上那賀町誌編纂委員会編『上那賀町誌　続編』、上那賀町、2005 年
木沢村誌編纂委員会編『木沢村誌』、木沢村誌編纂委員会、1976
木沢村誌編纂委員会編『木沢村誌　後編』、木沢村、2005 年
木頭村編『木頭村誌』、木頭村、1961 年
木頭村誌編纂委員会編『木頭村誌　続編』、那賀町、2006 年
県・市町村合同研究ニュークリエイト塾阿南那賀部会編『阿南市・那賀郡の市町村合併問題を考える　平成 12 年度県・市町村合同研究（ニュークリエイト塾）報告書』、県・市町村合同研究ニュークリエイト塾阿南那賀部会、2001 年
助岡克則『20 年の軌跡　山あいの町長まちづくり奮戦記』、助岡克則、2004 年
戸田市編『戸田市史』通史編下、戸田市、1987 年
戸田市教育委員会編『戸田市史　昭和から平成へ』、戸田市、2016 年
埼玉県地方課編『埼玉県市町村合併史』、埼玉県、1962 年
印西市教育委員会編『印西市歴史読本』近代・現代編、印西市教育委員会、2011

年
本埜村教育委員会編『本埜の歴史　印旛沼に育まれたある農村の物語』、本埜村教育委員会、2008 年
印旛村史編さん委員会編『印旛村史』通史 II、印旛村、1990 年
印西市行政管理課編『新「印西市」誕生　印西市・印旛村・本埜村合併の記録』、印西市行政管理課、2010 年
千葉県地方課編『千葉県町村合併史』、葵書房、1957 年
千葉県総務部市町村課編『千葉県市町村合併史　平成の市町村合併の記録』第 2 版、千葉県、2010 年
千葉ニュータウン 25 周年記念事業実行委員会編『ラーバン千葉 21　人間文化圏をめざして 千葉ニュータウン 25 周年記念誌』、千葉ニュータウン 25 周年記念事業実行委員会、1995 年
千葉県企業庁・都市再生機構首都圏ニュータウン本部千葉業務部編『千葉ニュータウン事業記録　late stage 1995-2015』、千葉県企業庁、2016 年

第2章　行政組織・政治

1　はじめに

本報告書が対象とする那賀町・戸田市・印西市の3自治体は、いずれも人口の大きな変動を経験した自治体である。人口の急減あるいは急増は、地域に大きな変化をもたらし、新たな政策課題や行政需要を発生させる。では、地域の変化は、直ちに自治体の行政・政治にも変化をもたらすのであろうか。あるいは、2つの変化の間には時間的なずれがあり、自治体は、その行政・政治のありようを大きく変えないまま、地域の新たな政策課題・行政需要への対応を図るのであろうか。

さらに言えば、那賀町および印西市は、「平成の市町村合併」を経験した自治体であり、人口の大きな変動にとどまらず、自治体の枠組そのものを変化させてきた。那賀町が誕生する以前の鷲敷町・相生町・上那賀町・木沢村・木頭村や、印西市に編入される以前の印旛村・本埜村においては、それぞれ行政・政治が営まれてきたわけであるが、公的意思決定・執行の単位であったこれらの旧町村は、自治体内部の地域となってからも、合併後の自治体の行政・政治に何らかの影響を残しているのであろうか。

以上の問題意識に基づき、本章では、那賀町・戸田市・印西市の近年の行政・政治について、町役場・市役所組織、職員数・職員配置と職員人事、特別職、各種選挙の結果、町議会・市議会を取り上げ、具体的に分析する。

2　町役場・市役所組織[1]

（1）本庁・分庁組織

那賀町では、旧鷲敷町内に町役場本庁が、旧相生町内に分庁が、それぞれ置かれている。 那賀町は課制を採っているが、合併直後の2005年4月1日時点で、鷲敷本庁に置かれていた課（課相当の組織を含む）は、総務課、企画情報課、地域防災課[2]、商工地籍課、環境課、税務課、住民課、出納室、議会事務局、教育委

---

[1] 本節の記述は、那賀町の各年度の「主要な施策とその成果（事務報告書）」（町長が決算を町議会の認定に付するにあたって提出するもの［地方自治法233条5項］）、「戸田市行政組織図」「印西市行政組織図」（各年度版）、広報誌『広報なか』『広報戸田市』『広報いんざい』各号、および、戸田市・印西市からの提供資料に掲載された情報に基づいている。無論、次節以降の記述も含め、情報の解釈は筆者の責任において行っている。

[2] 合併直前の2004年7月末から8月にかけての台風10号に伴う豪雨で、旧上那賀町・旧木沢村が大きな被害を受けた経験を踏まえ、新たに設けられた（『徳島新聞』2005年3月2日朝刊30面）。

員会事務局であり、相生分庁に置かれていた課は、健康福祉課、農林振興課、建設課であった。

2016 年 4 月 1 日、那賀町は行政組織改革を行ったが、その結果、鷲敷本庁には、総務課、まち・ひと・しごと戦略課、にぎわい推進課、ケーブルテレビ課、税務保険課、防災課、住民課、すこやか子育て課、環境課、会計課、議会事務局、監査委員事務局、教育委員会事務局が置かれ、相生分庁には、保健医療福祉課、建設課、農業振興課、林業振興課が置かれることとなった。この間、小規模な組織再編はあったものの、農業・林業を担当する課、建設を担当する課は、一貫して相生分庁に置かれている。また、保健・福祉を担当する課は、2014・2015 年度は鷲敷本庁に置かれていたが、それ以外の期間は相生分庁に置かれている。

戸田市役所には、2013 年度以降、部および部相当の組織が合計 14 置かれている。具体的には、総務部、財務部、市民生活部、環境経済部[3]、福祉部、こども青少年部、都市整備部、市民医療センター、会計管理者、消防、議会事務局、教育委員会事務局、行政委員会事務局（選挙管理委員会・監査委員・公平委員会・固定資産評価審査委員会の事務局を統合したもの）、上下水道部である。その他、部長職として、2013 年度から危機管理監が置かれており（2016 年度のみ次長職）、部に属さない組織として、政策秘書室がある。

印西市役所には、印旛村・本埜村を編入した 2010 年以降、部および部相当の組織が合計 10 置かれている。具体的には、総務部、企画財政部、市民部、環境経済部[4]、健康福祉部、都市建設部、会計管理者、水道部、議会事務局、教育委員会教育部である。その他、事務局長に部長級もしくは参事級の職員が就いている組織として、選挙管理委員会事務局、監査委員事務局、農業委員会事務局がある。

（２）支所等の出先機関

那賀町では、旧相生町内に分庁とともに支所が置かれており、旧上那賀町内・旧木沢村内・旧木頭村内にはそれぞれ支所が置かれている。なお、本庁内にも、旧鷲敷町域における支所機能を果たす組織が置かれている。

丹生谷合併協議会における協議の結果、相生・上那賀・木沢・木頭の旧 4 町村については総合支所方式が採用された。合併直後、鷲敷を含む各支所には地域振興室、住民福祉室が置かれ、それに加えて、相生・上那賀および木頭支所には環境室が、上那賀および木沢支所には災害対策室が置かれた。支所のトップとして、上那賀・木沢・木頭支所には、各室長の上に参事兼支所長が置かれた[5]。

---

[3] それまで市民生活部と都市整備部に置かれていた 4 課室の業務を統合し、環境経済部が新設された。

[4] それまでの市民経済部が市民部と環境経済部に分割されるとともに、市民税・資産税業務を企画財政部から市民部に移管した。

[5] なお、鷲敷本庁には参事兼総務課長兼鷲敷支所長が、相生分庁には参事兼健康福祉課長兼相生支所長がそれぞれ置かれた。

しかし、その後、支所の内部組織の統合および職員の兼務が徐々に進行していく。2011 年度には、支所長が支所内のすべての室の室長を兼務する体制となり、その下に新たに 1 名もしくは複数名の副支所長が置かれることとなった。2012 年度からは、各支所は名実ともに地域振興室の 1 室体制となり、それまで各支所に存在していた教育委員会分室も廃止された。だが、支所の職員数を極小化して窓口業務に特化することはなされず、総合支所方式自体は現在でも維持されている。2018 年度には、上那賀・木沢・木頭の 3 支所では支所長と地域振興室長が別々に置かれることとなった[6]。

また、現在、支所長は本庁・分庁の課長と同格であるが、町議会の議場では、いわゆる理事者席の最前列に特別職（町長・副町長）と 4 名の支所長が座るようになっており、支所の重要性を視覚的にアピールする工夫が凝らされている。

戸田市には、窓口業務を行う出先機関として、美笹支所（美女木）、戸田公園駅前出張所（上戸田）、東部連絡所（下戸田）の合計 3 つが設置されている。美笹支所は、1957 年の旧戸田町と旧美笹村の合併の際、旧美笹村役場を支所としたものであり、本庁と同等の窓口機能を有している。戸田公園駅前出張所は、通勤・通学者への利便性の向上を図るため、2010 年に開所しており、戸籍に関する事務は取り扱わないが、本庁にはないパスポート事務を取り扱っている。東部連絡所は、国道 17 号以東に在住の市民の利便性を考慮し、1975 年に下戸田地区の東部福祉センター内に開所したものであり、住民票の写し、戸籍謄本・抄本、印鑑登録証明書等の交付を行っている。

印西市は、2010 年の印旛村・本埜村編入の際に、印旛支所・本埜支所を設置した。両支所は、2013 年度までは本庁総務部の下に置かれ、総務課・市民福祉課・地域づくり課の 3 課体制であった。管理職として、参事級の支所長 1 名と課長 3 名[7]が勤務していた。2014 年度からは本庁市民部の下に支所が移管され、市民サービス課の 1 課体制となっている。管理職として、参事級の支所長 1 名と課長 1 名が勤務していたが、2018 年度は両支所とも支所長が市民サービス課長を兼務しており、2019 年度は市民サービス課長が新たに配属される一方で市民部長が両支所長を兼務することとなったため、近年は実質的に管理職 1 名体制となっている。

また、印西市には、支所以外にも、窓口業務を行う出先機関として、ニュータウン地区に中央駅前出張所（旧印西市）・牧の原出張所（旧印西市）・滝野出張所（旧本埜村）、非ニュータウン地区に船穂出張所（旧印西市）・小林出張所（旧印西市）・岩戸出張所（旧印旛村）・平賀出張所（旧印旛村）、以上合計 7 つの出張所が設置されている。

---

[6] 地域振興室長に就いたのは、いずれも、それまでの副支所長である。

[7] 2013 年度、本埜支所では支所長が総務課長を兼務した。

3　職員数・職員配置と職員人事[8]

（1）職員数の変遷・職員の地理的配置状況

那賀町内には、本庁・分庁・支所以外にも、保育所・デイサービス施設、保健・医療・福祉施設、ごみ処理施設・し尿処理施設、小・中学校、給食センター、消防など、さまざまな町の施設（出先機関）が存在する。庁舎にせよ施設にせよ、そこには町職員が勤務している。では、広大な那賀町のどの場所で町職員が勤務しているのか。そこに地理的な偏りはないのか。これは、いざというときに頼りになる存在である町職員が地元にどのくらいいるのか、過疎地域における貴重な働き口である公務員の職が地元にどのくらいあるのかという切実な問題にも直結する論点である。

合併後の那賀町における職員数（庁舎・施設の双方を含む）を、旧町村域別に集計した結果が、図表２－３－１である。合併直後は減少を続けていた総職員数は、2010 年度を底に増加に転じているが[9]、これを旧町村域別に見ると、旧鷲敷町域では減少期も減少幅が小さいのに対し、旧木沢村域では大幅減が生じているなど、かなりの差がある。少なくとも、職員の地理的配置に関して言えば、合併後、「奥」（那賀川上流部の上那賀・木沢・木頭）から「下」（中流部の鷲敷・相生）へという大きな流れが生じていることは否めない。

[8] 本節の記述は、特に断りのない限り、那賀町の各年度の「主要な施策とその成果（事務報告書）」、「戸田市人事行政の運営等の状況」「印西市人事行政の運営等の状況」（各年度版）、総務省「地方公共団体定員管理調査結果」（各年度版）、『広報なか』『広報戸田市』『広報いんざい』、合併前の旧町村の広報誌『広報わじき』『広報あいおい』『広報かみなか』『広報きさわ』『広報木頭』『広報いんば』『広報もとの』、および、戸田市・印西市からの提供資料に掲載された情報に基づいている。

[9] ただし、2014 年度の総職員数増加については、2014 年４月に那賀町が海部消防組合から独立し、那賀町消防本部が設立されたことの影響が大きい。

図表 2－3－1　那賀町職員数の変遷

年度		2005	2006	2007	2008	2009	2010	2011	2012	2013	2014	2015	2016	2017
鷲敷	正規職員	74	71	83	81	82	77	76	78	78	110	112	111	114
	臨時職員	16	8	10	8	11	11	16	18	24	25	27	30	33
	その他	1	1	1	1	1	3	3	3	2	3	1	1	2
	合計	91	80	94	90	94	91	95	99	104	138	140	142	149
相生	正規職員	71	77	75	72	68	74	78	81	84	76	75	80	82
	臨時職員	34	23	25	24	28	24	29	32	32	30	36	37	40
	その他	0	0	0	0	0	0	0	0	0	1	1	0	0
	合計	105	100	100	96	96	98	107	113	116	107	112	117	122
上那賀	正規職員	104	101	89	85	83	79	79	87	91	80	79	76	74
	臨時職員	20	16	18	17	16	20	26	26	25	31	30	26	25
	その他	0	0	0	0	0	0	0	0	1	1	0	1	0
	合計	124	117	107	102	99	99	105	113	117	112	109	103	99
木沢	正規職員	30	27	22	18	17	15	15	14	11	10	10	11	10
	臨時職員	7	4	2	4	3	2	3	6	5	6	4	6	8
	その他	0	0	0	0	0	0	0	0	0	0	0	0	0
	合計	37	31	24	22	20	17	18	20	16	16	14	17	18
木頭	正規職員	39	36	32	28	27	26	23	23	20	21	22	20	18
	臨時職員	18	10	6	7	7	3	6	7	12	10	8	10	9
	その他	0	0	0	0	0	0	0	0	0	0	0	0	1
	合計	57	46	38	35	34	29	29	30	32	31	30	30	28
那賀町全体	正規職員	318	312	301	284	277	271	271	283	284	297	298	298	298
	臨時職員	95	61	61	60	65	60	80	89	98	102	105	109	115
	その他	1	1	1	1	1	3	3	3	3	5	2	2	3
	合計	414	374	363	345	343	334	354	375	385	404	405	409	416

＊2016 年度より地域おこし協力隊・移住定住支援員を計上。

戸田市の近年の正規職員数は、図表 2－3－2 の通り推移している。市では、1995 年度以降、第 1 次から第 4 次までの定員適正化計画を策定し、職員数の削減を図ってきた。しかし、人口増加や権限移譲等に伴う業務量の増大により、これ以上の削減は難しいとの判断から、2014 年度に削減を中止し、2013 年度計画値である職員数 898 名を確保することを基本に、現在は増員に転じている。また、非正規職員数は、2017 年 7 月現在、非常勤職員 517 名、臨時職員 68 名、パートタイマー120 名の合計 705 名である。

図表 2－3－2　戸田市正規職員数の変遷（部門別）

年度	2009	2010	2011	2012	2013	2014	2015	2016	2017	2018
一般行政	567	565	569	568	566	563	562	565	572	603
教育	107	103	98	99	93	95	94	95	99	95
消防	137	138	139	139	139	139	139	139	139	139
公営企業等会計	110	108	103	102	100	100	98	95	90	59
合計	921	914	909	908	898	897	893	894	900	896

印西市の合併前後の時期から現在までの正規職員数は、図表 2－3－3 の通り推移している。市では、合併後、2010 年度から 2014 年度までを計画期間とした定員管理計画により、職員数を削減してきた。しかし、更なる行政需要の増加や人口増加などに対応するため、2015 年度から 2020 年度までを計画期間とした新たな定員管理計画に基づき、2020 年 4 月までに職員数を 15 名増やす予定である。

また、非正規職員数は、2017年3月現在、非常勤職員356名である。

図表2－3－3　印西市正規職員数の変遷（部門別）

年度	*2009				2010	2011	2012	2013	2014	2015	2016	2017	2018
	印西	印旛	本埜	計									
一般行政	364	87	59	510	506	493	488	485	483	479	477	486	491
教育	108	35	22	165	145	143	142	136	134	131	131	130	131
公営企業等会計	38	15	9	62	52	53	53	50	49	49	49	47	46
合計	510	137	90	737	703	689	683	671	666	659	657	663	668

＊2009年度については、合併前の旧印西市・旧印旛村・旧本埜村の職員数とその合計を示した。

前節でも述べた通り、印西市には2つの支所が設置されているが、両支所の正規職員数は、2010年度の印旛支所31名、本埜支所23名から、2017年度には印旛支所17名、本埜支所14名へと減少した。

（2）職員人事

那賀町の誕生後、すでに10年以上が経過したが、那賀町役場における執務の中核を担っているのは、合併前の旧5町村役場での勤務経験を有する職員である。これらの職員は、出身町村の地元の事情に精通しており、そのことが、職務を遂行する上で大きな力となる場合もあると考えられる。では、職員人事を出身町村との関係で分析すると、どのような傾向が見えてくるであろうか。

まず、相生・上那賀・木沢・木頭の4支所の支所長の人事であるが、2007年度には旧鷲敷町役場出身者が木頭支所長に、2008年度には旧鷲敷町役場出身者が相生支所長（健康福祉課長兼務）、旧上那賀町役場出身者が木沢支所長にそれぞれ就いた例はあるものの、それ以外の支所長は、すべて地元町村役場出身者である。地元出身者を支所長に据えるという明確な方針があるわけではないが、長年暮らして得た昔からの知識・経験は、短期間では身につけるのが難しいため、やはり生え抜きの職員が支所長になるのが一番安定するようである[10]。

続いて、4支所の職員人事を出身町村との関係で分析した結果が、図表2－3－4～7である[11]。地元町村役場出身者が常に半数以上を占めていることがわかる。特に、木頭支所においては、すべての職員が旧木頭村役場出身者であるという状態が長く続き、合併後に採用された職員が配属されたのも2017年度が初めてであった。

---

[10] 那賀町職員へのヒアリングによる。

[11] 集計の対象としたのは、支所および教育委員会分室の一般事務職員（正規職員）であるが、一般事務職員が通常就くポストに一般事務以外の職員が就いている場合は、それも含む。職員の出身町村情報は、合併前の旧5町村の広報誌に掲載された2004年度の職員名簿に基づく。

図表 2－3－4　相生支所一般事務職員（正規職員）の出身町村

	旧相生町	旧他 4 町村	合併後採用	計
2005 年度	13	1	0	14
2006 年度	11	1	0	12
2007 年度	5	4	0	9
2008 年度	4	4	0	8
2009 年度	5	2	0	7
2010 年度	6	1	0	7
2011 年度	5	1	1	7
2012 年度	5	2	0	7
2013 年度	4	2	1	7
2014 年度	6	1	1	8
2015 年度	5	1	2	8
2016 年度	5	0	2	7
2017 年度	4	1	2	7
2018 年度	4	1	2	7

図表 2－3－5　上那賀支所一般事務職員（正規職員）の出身町村

	旧上那賀町	旧他 4 町村	合併後採用	計
2005 年度	18	1	0	19
2006 年度	19	0	0	19
2007 年度	8	3	0	11
2008 年度	11	1	0	12
2009 年度	10	1	0	11
2010 年度	8	1	1	10
2011 年度	9	4	0	13
2012 年度	8	3	0	11
2013 年度	8	2	0	10
2014 年度	8	1	0	9
2015 年度	7	0	1	8
2016 年度	7	0	1	8
2017 年度	7	0	1	8
2018 年度	7	0	1	8

図表 2－3－6　木沢支所一般事務職員（正規職員）の出身町村

	旧木沢村	旧他 4 町村	合併後採用	計
2005 年度	17	1	0	18
2006 年度	12	4	0	16
2007 年度	8	4	0	12
2008 年度	7	4	0	11
2009 年度	7	2	1	10
2010 年度	8	1	1	10
2011 年度	6	2	1	9
2012 年度	6	2	1	9
2013 年度	5	2	1	8
2014 年度	5	2	1	8
2015 年度	5	1	2	8
2016 年度	6	1	1	8
2017 年度	6	1	1	8
2018 年度	6	1	1	8

図表 2－3－7　木頭支所一般事務職員（正規職員）の出身町村

	旧木頭村	旧他4町村	合併後採用	計
2005年度	18	0	0	18
2006年度	18	0	0	18
2007年度	10	3	0	13
2008年度	12	0	0	12
2009年度	13	0	0	13
2010年度	13	0	0	13
2011年度	11	0	0	11
2012年度	11	0	0	11
2013年度	9	0	0	9
2014年度	10	0	0	10
2015年度	10	0	0	10
2016年度	10	0	0	10
2017年度	9	0	1	10
2018年度	8	1	1	10

個々の職員レベルで見ると、合併後、他部署に異動せず地元の支所に配属され続けている職員は、木沢支所の1名のみであり、ほとんどの支所職員は、他部署への異動を経験している。したがって、支所に地元町村役場出身者が多いのは、職員が交代で地元の支所に配属されているからである。そこには、地元の事情に通じているという理由だけでなく、職員本人の異動希望も反映されているであろう。おおまかに言えば、7対3で出身地域の支所にいたいという職員が多いとのことである[12]。

2009年度以降、旧鷲敷町役場出身者は4支所に配属されていない。また、同じく2009年度以降、旧相生町役場出身で上那賀・木沢・木頭の3支所に配属された職員は1名にとどまる（上那賀支所に2011年度から2年間）。これに対し、旧木頭村役場出身者が相生・上那賀・木沢の3支所に配属される例は現在に至るまで散見され、ここでも、「奥」から「下」への職員の動きが見られる。

次に、鷲敷本庁および相生分庁の課長人事を出身町村との関係で分析した結果が、図表2－3－8である[13]。年度ごとの変動はあるものの、旧鷲敷町役場・旧相生町役場出身者の人数が相対的に多いことが見てとれる。

---

12 那賀町職員へのヒアリングによる。

13 集計の対象には、議会事務局長・監査委員事務局長・出納室長・教育委員会教育次長を含む。兼務の場合は1名と数える。

図表 2－3－8　鷲敷本庁・相生分庁課長の出身町村

	旧鷲敷町	旧相生町	旧上那賀町	旧木沢村	旧木頭村	計
2005 年度	6	4	1	1	1	13
2006 年度	5	6	1	1	1	14
2007 年度	5	6	1	1	2	15
2008 年度	4	6	3	1	1	15
2009 年度	4	6	2	1	2	15
2010 年度	4	6	1	1	3	15
2011 年度	5	7	0	1	2	15
2012 年度	5	6	0	1	3	15
2013 年度	7	3	0	2	3	15
2014 年度	7	3	0	3	2	15
2015 年度	7	5	0	2	1	15
2016 年度	7	4	1	3	1	16
2017 年度	5	3	4	3	1	16
2018 年度	8	3	1	3	1	16

町役場・市役所の総務・企画・財政部局を担当する部課長として、那賀町には総務課長とまち・ひと・しごと戦略課長（2015 年度までは企画情報課長）が、戸田市には総務部長と財務部長が、印西市には総務部長と企画財政部長が、それぞれ置かれている。

那賀町の 2005 年度から 2018 年度までの歴代総務課長と企画情報課長／まち・ひと・しごと戦略課長のキャリアパスは、図表 2－3－9・10 の通りである。課長に至るまでのルートは多様であるが、企画情報課長／まち・ひと・しごと戦略課長については課長補佐からの昇任が見られるのに対し、総務課長に登用されているのは既に課長としての職務経験を積んでいる職員である。また、総務課長退任後は特別職に就く例が多い。

図表 2－3－9　那賀町総務課長（2005～2018 年度）の経歴

	経歴
職員 1	総務課長（2017～2018 年度）←にぎわい推進課長←商工地籍課長←上那賀病院事務長←鷲敷支所地域振興室長←【合併前】鷲敷町教育委員会次長
職員 2	教育長←環境課参与←総務課長（2015～2016 年度）←環境課長←企画情報課長←建設課長←【合併前】鷲敷町参事兼健康福祉課長
職員 3	副町長←総務課長（2009～2014 年度）←企画情報課長←地域防災課長←【合併前】木沢村総務課長
職員 4	（退職）←副町長←参事兼総務課長（2006～2008 年度）←参事兼健康福祉課長←【合併前】相生町総務課長
職員 5	（退職）←教育長←参事兼総務課長（2005 年度）←【合併前】鷲敷町参事

図表 2－3－10　那賀町企画情報課長／まち・ひと・しごと戦略課長（2005～2018 年度）の経歴

	経歴
職員 6	まち・ひと・しごと戦略課長（2016～2018 年度）←企画情報課課長補佐←企画情報課係長←企画情報課プロジェクト推進室係長←相生支所住民福祉室・環境室係長←農林振興課係長←【合併前】相生町教育委員会係長
職員 7	ケーブルテレビ課長←企画情報課長（2015 年度）←総務課課長補佐←健康福祉課課長補佐←税務課課長補佐←健康福祉課課長補佐←【合併前】相生町建設課係長
職員 8	環境センター長←環境課長←企画情報課長（2013～2014 年度）←地域振興室長←住民課課長補佐←地域振興室室長補佐←住民課課長補佐←【合併前】鷲敷町町民課課長補佐
職員 2	教育長←環境課参与←総務課長←環境課長←企画情報課長（2010～2012 年度）←建設課長←【合併前】鷲敷町参事兼健康福祉課長
職員 9	（退職）←建設課長←企画情報課長（2009 年度）←企画情報課プロジェクト推進室長←地域振興室長←木頭支所地域振興室長←【合併前】木頭村建設課長
職員 3	副町長←総務課長←企画情報課長（2007～2008 年度）←地域防災課長←【合併前】木沢村総務課長
職員 10	（退職）←林業振興課長←木頭支所地域振興室副支所長←木頭支所地域振興室長←地域防災課長←企画情報課長（2005～2006 年度）←【合併前】木頭村企画室長

戸田市の 2009 年度から 2018 年度までの歴代総務部長・財務部長のキャリアパスは、図表 2－3－11・12 の通りである。主幹から課長への昇任の際は、同一課内での「持ち上がり」が多く、そうでない場合も含め、いずれも（部に属さない政策秘書室を含めた）総務・企画・財政部局の枠内での昇任である。それ以降、総務部長・財務部長に至るまでのルートは、総務・企画・財政部局の枠内で異動するパターンと、事業部局を経由するパターンに二分されるが、後者については、教育委員会事務局を経由する例が多い。

図表 2－3－11　戸田市総務部長（2009～2018 年度）の経歴

	経歴
職員 11	総務部長（2017～2018 年度）←上下水道部長←教育部長←政策秘書室長←政策秘書室担当課長←総合政策部秘書広報課主幹
職員 12	会計管理者（再任用）←総務部長（2013～2016 年度）←教育部長←教育委員会事務局次長←総務部次長←総務部副参事←総務部人事課長←総務部人事課主幹
職員 13	（退職）←総務部長（2011～2012 年度）←財務部長←総務部次長←総務部副参事←総務部人事課長←総務部人事課主幹
職員 14	（退職）←総務部長（2009～2010 年度）←総務部次長←教育委員会事務局副参事←総務部管財課長←総務部管財課主幹

図表 2－3－12　戸田市財務部長（2009～2018 年度）の経歴

	経歴
職員 15	財務部長（2017～2018 年度）←財務部次長兼財政課長←財務部財政課長←財務部財政課主幹
職員 16	総務部次長（再任用）←財務部長（2013～2016 年度）←福祉部長←福祉部副参事兼長寿福祉課長←総務部経営企画課長←総務部庶務課主幹
職員 17	（退職）←行政委員会事務局長←財務部長（2011～2012 年度）←総務部次長←財務部収税推進室担当課長←総合政策部秘書広報課主幹
職員 13	（退職）←総務部長←財務部長（2008～2010 年度）←総務部次長←総務部副参事←総務部人事課長←総務部人事課主幹

印西市の 2010 年度から 2018 年度までの歴代総務部長･企画財政部長のキャリアパスは、図表 2－3－13･14 の通りである。合併から日が浅いこともあってか、総務部長・企画財政部長に至るまでのルートは多様であり、明確なパターンが現れているとは言い難い。

図表 2－3－13　印西市総務部長（2010～2018 年度）の経歴

	経歴
職員 18	総務部長（2018 年度）←企画財政部長←都市建設部参事（都市計画課長事務取扱）←市民部市民税課長←市民部市民税課主幹←【合併前】本埜村総務課課長補佐
職員 19	（退職）←総務部長（2017 年度）←監査委員事務局長←議会事務局長←総務部参事（総務課長事務取扱･選挙管理委員会事務局長併任）←企画財政部財政課長←【合併前】企画財政部財政課長
職員 20	副市長←総務部長（2016 年度）←総務部参事（印西地区環境整備事業組合事務局長）←議会事務局参事←議会事務局次長←【合併前】議会事務局主幹
職員 21	（退職）←総務部長（2015 年度）←環境経済部長←教育部長←環境経済部経済政策課長←【合併前】本埜村総務課長
職員 22	（退職）←総務部長（2014 年度）←監査委員事務局次長←監査委員事務局長（課長級）←【合併前】教育部生涯学習課長
職員 23	（退職）←総務部長（2012 年度途中～2013 年度）←市民部長←【合併前】印旛村議会事務局長
職員 24	（退職）←市民部長←総務部長（2010 年度～2012 年度途中）←【合併前】総務部参事（総務課長事務取扱）

図表 2－3－14　印西市企画財政部長（2010～2018 年度）の経歴

	経歴
職員 25	企画財政部長（2018 年度）←企画財政部参事（企画政策課長事務取扱）←健康福祉部健康増進課長←企画財政部主幹
職員 18	総務部長←企画財政部長（2017 年度）←都市建設部参事（都市計画課長事務取扱）←市民部市民税課長←市民部市民税課主幹←【合併前】本埜村総務課課長補佐
職員 26	（退職）←企画財政部長（2014～2016 年度）←環境経済部参事←環境経済部経済政策課長←総務部管財課長←【合併前】印西市・印旛村・本埜村合併協議会事務局長
職員 27	（退職）←議会事務局長←教育部長←企画財政部長（2012 年度途中～2013 年度）←総務部参事（印西地区環境整備事業組合事務局長）←市民部市民税課長←【合併前】市民経済部産業振興課長
職員 28	（退職）←農業委員会事務局長←企画財政部長（2011～2012 年度途中）←総務部参事（印西地区環境整備事業組合事務局長）←【合併前】総務部参事（印西地区環境整備事業組合事務局長）
職員 29	企画財政部長（2009～2010 年度）←総務省（頑張る地方応援プログラムに係る出向）

続いて、他団体からの出向人事であるが、戸田市では、市民生活部防犯くらし交通課課長ポストに埼玉県警察本部職員が 2 年交代で出向しており、「指定席」化している。また、2017 年度には、これまで生え抜きの職員が就いていた都市整備部長ポストに埼玉県から職員を迎えた。印西市は、2013 年度、条例による事務処理特例制度に基づき千葉県から開発許可等の事務を移譲され、都市建設部に開発指導課・建築指導課が新設されたが、開発指導課長・建築指導課長の両ポストには千葉県職員が 2 年交代で出向しており、「指定席」化している[14]。また、図表 2－3－14 にも示した通り、過去には、総務省から企画財政部長を迎えたこともある。

戸田市では、過去に一時新規採用を抑制した時期があり、現在、50 歳前後の職員の層が薄くなっている状況である。このため、若手職員の管理職登用を進めるとともに、定年退職した職員の再任用に関して、これまではごく限られた場合のみとしていた管理職への任用を行うようになっている[15]。

印西市では、合併に伴い、旧印旛村・旧本埜村役場出身者が新たに市役所に加わった。両村役場出身職員の職位・給与は印西市に合わせて統一し、編入された側の職員を格下げすることはしなかった。図表 2－3－13・14 にも一端を示した通り、旧印旛村・旧本埜村役場出身の部長も複数名誕生している。支所の人事については、合併当初は地元村役場出身者が支所長に就いていたが、現在の支所長は地元出身者ではない。合併当初から、特に区別なく旧 3 市村の職員の異動を行

[14] 県からの事務移譲に備え、2012 年度には、都市建設部建築課に開発指導準備室・建築指導準備室が設けられたが、両室の室長も千葉県からの出向であり、翌 2013 年度、開発指導課長・建築指導課長に横滑りした。

[15] 2017 年度は、前総務部長を会計管理者に、前財務部長を総務部次長に、前都市整備部長を都市整備部次長に、前議会事務局長を行政委員会事務局長に、それぞれ再任用した。

っている。地理的な優位性を理由に、支所にある程度の数の地元出身者を残すということはあっても、基本は適材適所で職員を配置している[16]。

（3）職員採用

合併後しばらくの間、那賀町に新規採用された職員は医師のみであったが、2008年度から、一般事務職員の新規採用が開始された。各年度の一般事務職員（正規職員）採用数は、図表 2－3－15 の通りである。新規採用された職員は、主事補としてさまざまな部署に配属される。原則として 5 年目には主事に昇任し、さらに、初期に採用された職員の中には係長に昇任する者も出ている。旧町村役場での勤務経験を有しないこれらの職員は、旧町村意識よりも那賀町全体という意識をより強く持ち得る。今後、合併後に採用された職員が増加し、昇任するにつれて、那賀町役場の運営のあり方がどのように変化していくか、注目に値する。

図表 2－3－15　那賀町一般事務職員（正規職員）の新規採用

	採用人数
2005 年度	0
2006 年度	0
2007 年度	0
2008 年度	2（うち係長採用 1）
2009 年度	2（うち 10 月 1 日付採用 1）
2010 年度	2
2011 年度	2（うち医療事務 1）
2012 年度	1
2013 年度	4
2014 年度	5
2015 年度	6
2016 年度	10
2017 年度	6
2018 年度	2

戸田市の各年度の正規職員新規採用数は、図表 2－3－16 の通りである。近年では、2012 年度に採用のピークがあったが、その後の採用数は比較的安定している。現在、採用試験は、事務職および技術職については上級のみ実施している[17]。

---

[16] 印西市職員へのヒアリングによる。
[17] 保育士については上級・中級に区分して、また、消防については上級・中級・初級に区分して、それぞれ採用試験を実施している。

図表 2－3－16　戸田市正規職員新規採用数

年度	2009	2010	2011	2012	2013	2014	2015	2016	2017	2018
事務職	19	19	24	32	13	19	16	16	19	22
技術職	2	3	4	5	6	4	7	5	4	6
保育士	0	1	8	5	5	6	1	2	2	2
看護師	0	0	3	3	2	1	1	1	2	0
保健師	0	1	0	0	3	4	0	0	1	0
臨床検査技師	0	0	1	0	0	0	0	0	0	0
理学療法士	0	0	0	0	0	0	0	2	0	0
消防	8	7	6	4	5	7	5	5	7	3
医師	0	0	0	0	0	0	2	0	0	0
合計	29	31	46	49	34	41	32	31	35	33

印西市の各年度の正規職員採用試験合格者数は、図表２－３－17の通りである。合併後しばらく抑制されていた一般行政職の合格者数が増加に転じるとともに、上級職（大卒程度）と初級職（短大・高卒程度）の両方を採用するようになっている。戸田市が単独で採用試験を実施しているのに対し、印西市は印旛郡市広域市町村圏事務組合[18]が実施する職員採用共同試験に参加している。1 次試験は共通の問題が出題され、2 次試験は自治体別に行われるが、最初の受験申込の時点で就職を希望する自治体名を願書に記入する方式となっている。

図表 2－3－17　印西市正規職員採用試験合格者数

年度	2009	2010	2011	2012	2013	2014	2015	2016	2017
一般行政職（上級）	8	2	6	8	23	25	14	22	21
技術職土木（上級）	0	1	2	2	2	1	1	1	1
技術職建築（上級）	0	2	3	1	1	1	0	1	1
技術職電気（上級）	0	0	0	0	0	0	0	0	2
技術職機械（上級）	0	1	1	0	0	0	0	0	0
一般行政職（初級）	0	0	0	0	0	4	2	6	5
保育士	0	4	3	0	0	2	2	4	2
保健師	0	0	1	0	0	0	0	4	1
社会福祉士	0	0	0	0	3	0	2	0	3
理学療法士	0	0	0	0	0	0	0	0	2
精神保健福祉士	0	0	0	0	0	0	0	0	1
言語聴覚士	1	0	0	0	0	0	1	0	0
学芸員	0	0	0	0	0	0	0	0	1
一般行政職（上級）*被災者対象	0	0	2	0	0	0	0	0	0
合計	9	10	18	11	29	33	22	38	40

＊東日本大震災の被災者を対象に試験を実施したもの。

[18] 成田市・佐倉市・四街道市・八街市・印西市・白井市・富里市・酒々井町・栄町の 7 市 2 町により構成される一部事務組合。

4　特別職[19]

（1）町長・市長

2005年4月、合併後の那賀町の初代町長に就任したのは、旧鷲敷町の前町長であった日下正隆である。日下は、1964年に旧鷲敷町職員となり、総務課長、教育長、収入役などを経て、2002年12月に旧鷲敷町長に初当選し、翌2003年1月から合併直前まで1期務めた。この間、2004年1月から2005年2月まで、丹生谷合併協議会会長を務めた。しかし、2007年3月、公金の不正流用が発覚する。日下は、旧鷲敷町収入役時代に町の資金を先物取引に流用し、その損失を補てんするため、旧鷲敷町長就任後に理事長を兼務した旧鷲敷町土地開発公社名義で多額の借り入れを行っていた。合併後も、この借入金を返済するため、那賀町長の立場を利用して、別の金融機関から新たな借り入れを行い、返済に充てていたのであった。

日下の辞職後、2007年4月、那賀町の第2代町長に就任したのは、前副町長の坂口博文である。坂口は、1968年に旧木沢村職員となり、総務課長、参事兼産業建設課長などを務めた。合併後は、那賀町参事兼木沢支所長に就き、2005年12月からは助役・副町長を務めていた。坂口はその後も当選を重ね、現在は4期目に入っている。

戸田市では、これまで、市長の長期在任が続いてきた。1963年に戸田町長に就任し、1966年の市制施行に伴い初代市長となった野口政吉は、3期目途中の1974年2月に死去したが、同年3月の市長選挙で初当選した斎藤純忠は、以後、6期24年にわたって市長を務めた。斎藤は新曽出身であり、日蓮宗の僧門の家系に生まれ、1947年に戸田町役場に就職したのち、市長室長、助役などを歴任した。市長在任中は、道路・下水道整備、公共施設建設、埼京線3駅の誘致などに取り組んだが、3駅周辺の整備は必ずしも進まなかった。

斎藤の引退後、1998年3月の市長選挙では、弁護士で前埼玉県議会議員の神保国男が初当選し、以後、5期20年にわたって市長を務めた。神保は下戸田出身であり、1967年に司法試験に合格し、1975年に浦和に法律事務所を開設した。1987年からは県議会議員を計3期務めた。市長在任中は、隣接3市と合併せずに単独で市制を継続することを選択するとともに、中学生までの医療費無料化、戸田市自治基本条例の策定などに取り組んだ。

神保の引退後、2018年3月の市長選挙では、前埼玉県議会議員の菅原文仁が初当選した。菅原は美女木出身であり、2005年に戸田市議会議員に初当選したのち、市議会議員を2期6年、県議会議員を2期7年務めた。

印西市が1996年4月に市制を施行したときの初代市長は、印西町長を1982

---

[19] 町長・市長、助役・副町長・副市長および教育長の経歴については、主に『徳島新聞』『埼玉新聞』『千葉日報』による。

年の初当選後4期務めてきた伊藤利明であったが、直後の1996年6月に死去した。これに伴い同年7月に行われた市長選挙で初当選したのが、前市議会議員で造園業の海老原栄である。海老原は泉（非ニュータウン地区）出身であり、1975年に印西町議会議員に初当選したのち、町議・市議を計5期務めた。2期8年の市長在任中は、市内全駅圏への公民館配置、図書館・福祉センター設置などに取り組んだ。

海老原の引退後、2004年7月の市長選挙では、元市議会議員で造園会社社員の山﨑山洋が初当選し、以後2期8年務めた。山﨑は浦部（非ニュータウン地区）出身であり、1983年に印西町議会議員に初当選したのち、町議・市議を計6期務めた。市長在任中は、印旛村・本埜村との合併を実現するとともに、北総線の運賃引き下げなどに取り組んだ。

2012年7月の市長選挙で山﨑を破り、市長に就任したのが、元市議会議員で農業の板倉正直であり、現在2期目である。板倉は別所（非ニュータウン地区）出身であり、父親はかつて印西町長を務めた人物である。1975年に印西町議会議員に初当選したのち、町議・市議を計10期務めた。1994年には印西町長選挙に立候補し、伊藤に惜敗した経験を持つ。市長就任後、板倉は、山﨑市政の下で推進されてきた「印西クリーンセンター」（ごみ処理施設）のニュータウン住宅街近くへの移転・建て替え計画を白紙撤回した。その後、公募方式による新候補地の選定が行われ、名乗りを挙げた吉田地区（旧印旛村・非ニュータウン地区）の地元町内会である吉田区と事業主体である印西地区環境整備事業組合[20]との間で、2017年3月、「次期中間処理施設整備事業の施行に関する整備協定書」が調印された。

（２）助役・副町長・副市長

那賀町の発足後、助役ポストは9か月余り空席となっていたが、前述の通り、2005年12月、のちに町長となる坂口博文が助役に任命された。旧鷲敷町では、日下の町長就任以降、行革の一環であるとして、2003年4月に収入役が、同年5月に助役が相次いで廃止されていた。その結果、町長である日下が土地開発公社の運営を一手に引き受けることとなり、不正の発覚を遅らせる一因となっていた。坂口の登用について、日下は、「合併に貢献し、新町においても行政手腕に優れ住民から深い信頼を得ているなど適任者であると判断した」[21]と説明したが、その1年後、予算編成作業の中で土地開発公社の不明金の存在に最初に気づいたのは坂口であった。

坂口の町長選挙立候補により、副町長ポストは2007年4月から空席となったが、町長に当選した坂口は、同年6月の町議会において、「副町長人事は、今後

[20] 印西市・白井市・栄町により構成される一部事務組合。
[21] 『徳島新聞』2005年12月22日朝刊23面。

の町の立て直しについて相談している県に派遣をお願いするのが妥当」[22]であるとの意向を示し、同年7月、徳島県職員で、企画総務部総合政策局課長補佐、教育委員会学校政策課課長補佐、商工労働部にぎわいづくり課課長補佐などを歴任した新居正志を副町長に任命した。新居は、2009年3月まで副町長を務め、徳島県に戻った。

2009年4月には、前総務課長の稲澤弘一が副町長に任命された。稲澤は、1974年に旧相生町職員となり、建設課長、総務課長などを務めた。合併後は、那賀町健康福祉課長を経て、2006年から総務課長を務めていた。2013年4月に再任されたが、2期目途中の2015年3月、一身上の都合により副町長を辞職した。稲澤は、2014年7月まで自身が社長を兼務していた町の第三セクター「もみじ川温泉」の赤字の経営責任などをめぐり、町議会から厳しい追及を受けていた[23]。

その後、2015年4月の坂口町長3選を経て、同年7月、新たに2名の副町長が任命された。1人は、前総務課長の峯田繁廣である。峯田は、1978年に旧木沢村職員となり、総務課長などを務めた。合併後は、那賀町地域防災課長などを経て、2009年から総務課長を務めていた。奇しくも、旧5町村の中で最も人口の少ない旧木沢村が、町長と副町長を同時に輩出することになったわけである。2019年6月に再任され、現在は2期目である。もう1人は、農林水産省（林野庁）職員の草留一久である。草留の前職は、林野庁四国森林管理局計画保全部専門官であり、林業振興専門の副町長として、国の地方創生人材支援制度に基づき、2017年3月までの申し合わせで登用された。草留の退任後、2017年4月からの2年間は、元徳島県農林水産部林業飛躍局長、前県森林組合連合会代表理事専務の伊藤晴夫が林業担当の副町長を務めた。

近年の戸田市の助役・副市長は、前歴という点でも在任期間という点でも多様である。神保の市長初当選後、助役ポストは1998年5月から11か月間空席となっていたが、1999年4月、埼玉県職員で前県健康福祉部看護福祉系大学設立準備室長の永峰治久が助役に就任した。永峰は、1968年に県採用となり、県福祉部主席主幹、県比企福祉事務所長などを経て1996年から県看護福祉系大学設立準備室長を務めていた。

2001年4月、2年で退任した永峰に代わり、前議会事務局長の日中健機智が助役に就任した。日中は、1966年に戸田町（当時）採用となり、秘書課長、秘書室長などを経て1999年から議会事務局長を務めていた。

2005年4月、任期が満了した日中の後任として、前収入役の永井武雄が助役に就任した。永井は、総合政策部総合政策室長、医療保健センター事務長、総合政策部長、副収入役などを歴任し、2003年から収入役を務めていた。

2007年4月、2年で退任した永井に代わり、前収入役で元埼玉県職員の二瓶孝

---

[22] 『徳島新聞』2007年6月19日朝刊21面。
[23] 『徳島新聞』2015年3月20日朝刊19面。

雄が副市長に就任した[24]。二瓶は、1962 年に県採用となり、県健康福祉部参事、県総務部次長、県健康づくり事業団部長付参与などを歴任し、2005 年から収入役を務めていた。

2008 年 4 月、1 年で退任した二瓶に代わり、前総合政策部参与の山田一彦が副市長に就任し、以後 2 期 8 年務めた。山田は、1970 年に戸田市に入り、秘書課長、総合政策部長、議会事務局長などを歴任し、2007 年から総合政策部参与を務めていた。

2016 年 4 月、任期が満了した山田の後任として、前埼玉県北本市長の石津賢治が副市長に就任した。石津は、北本市議会議員を経て、2003 年から 2015 年まで北本市長を 3 期 12 年務めた。神保は、石津が北本市長時代にグリコ工場を誘致した実績などを評価するとともに、政策的に共感できる部分があるため、起用に至ったという[25]。市議会の選任同意を得る際には、他市の市長経験者の起用に疑問を抱く共産党会派の 3 名が採決を退席した。その後、石津は、2017 年 9 月末をもって一身上の理由により副市長を退任し、後述する翌年の市長選挙立候補へと至った。

菅原の市長初当選後、2018 年 7 月、前埼玉県秩父地域振興センター副所長の秋山純が副市長に就任し、現在に至っている。秋山は、1997 年に県庁に入り、県企画財政部改革推進課、県広報広聴課、県産業労働部就業支援課でそれぞれ主幹を務め、2015 年から県医療整備課副課長、2017 年から県秩父地域振興センター副所長を務めていた。

印西市では、以前は、現役の千葉県職員（課長級）が短期間交代で出向し、助役に就任していた。市制施行前年の 1995 年 4 月からの 3 年間は前県商工労働部職業能力開発課長の磯貝正尚が、1998 年 4 月からの 2 年間は前県商工労働部職業能力開発課長の飯島正道が[26]、2000 年 4 月からの 2 年間は前県職員研修所第一課長の元橋重之が、2002 年 4 月からの 2 年間は前県地方労働委員会事務局調整課長の加藤幸廣が、それぞれ助役を務めた。

その後、山﨑の市長初当選を挟んだ 2004 年 4 月からの 1 年間は助役ポストは空席であったが、2005 年 4 月、国土交通省の関連団体である日本建築センターの伊藤圭子が助役に就任した（2007 年 4 月からは副市長）。印西市では初の女性助役であった。伊藤は、1980 年に旧建設省に入り、同省大臣官房総括監察官付監察官、住宅・都市整備公団住宅都市総合研究所調査研究課長、都市基盤整備公団総合研究所まちづくり研究室長などを経て、2002 年から日本建築センター建築技術研究所国際部長を務めていた。その後、伊藤は、2009 年 4 月に副市長に再任されたが、2 期目途中、山﨑から板倉への市長交代直後の 2012 年 8 月、一身上の都

---

[24] 地方自治法改正に伴い、2007 年 4 月から助役に代えて副市長が置かれ、収入役は廃止された。

[25] 『埼玉新聞』2016 年 3 月 26 日朝刊 2 面。

[26] なお、飯島は、助役退任後、県企業庁ニュータウン整備部管理課長を務めた。

合を理由に退任し、国土交通省大臣官房付として復職した。

4か月余りの副市長不在期間を経て、2013年1月、元千葉県職員の高橋諭が副市長に就任した。高橋は、1973年に県庁に入り、県港湾振興課長、県企業庁工業用水部長などを歴任した。2009年の定年退職後は、県国民健康保険団体連合会常務理事、県消防協会専務理事を歴任していた。

高橋の任期満了後、2017年1月から再び副市長ポストは空席となったが、同年5月、前総務部長の杉山甚一が副市長に就任し、現在に至っている。生え抜きの職員が助役もしくは副市長に就くのは、市制施行後初である。

（３）教育長

2005年3月、合併後の那賀町の初代教育長に就任したのは、前鷲敷町教育長の島田直毅である。島田は、中学校教員、鷲敷小学校校長などを経て、2001年から旧鷲敷町教育長を務めていた。2006年5月には、前参事兼総務課長の尾崎隆敏が教育長に就任し、3期12年にわたり務めた。尾崎は、1970年に旧鷲敷町職員となり、教育委員会教育次長、参事などを務めた。合併後は、那賀町参事兼総務課長に就いていた。2018年5月には、前環境課参与の岡川雅裕が教育長に就任し、現在に至っている。岡川は、1980年に旧鷲敷町職員となり、合併後の那賀町では総務課長などを務めた。2017年の定年退職後は再任用で参与に就いていた。

戸田市と印西市の現在の教育長は、いずれも元教員である。2015年4月から戸田市教育長を務める戸ヶ﨑勤は、戸田中学校教頭、戸田市教育委員会指導課長、同教育部長などを歴任し、2012年からは笹目中学校校長を務めていた。2012年10月から印西市教育長を務める大木弘は、印西市教育委員会教育部学校教育課長、印西中学校校長などを歴任してきた。

５　各種選挙の結果[27]

（１）町長・市長選挙

合併直後の2005年4月に行われた那賀町長選挙では、旧鷲敷町の前町長であった日下正隆が、旧上那賀町長を6期務めた和田淳二と、前那賀町議会議員・元相生町議会議員の清水幸助を破り、初当選した。前木沢村長の中東利延を選挙事務長に迎えた日下は、旧5町村の一体感の重要性を訴えて支持を広げた。和田は、町機能の「下」への集中を懸念する上流域の声をもとに健闘したものの、支持を集め切れなかった。清水は、出馬表明の出遅れを取り戻せなかった[28]。

---

27 各種選挙データについては、『徳島新聞』『埼玉新聞』『千葉日報』『朝日新聞』によるとともに、戸田市・印西市の『議会だより』により情報を補完した。
28 『徳島新聞』2005年4月18日朝刊1面・25面。

当　4,408　日下正隆　59　無所属　新
　　3,482　和田淳二　63　無所属　新
　　　482　清水幸助　54　無所属（民主推薦）　新
当日有権者数　9,809
投票率　86.04％

日下の辞職を受けて行われた2007年4月の町長選挙では、前副町長の坂口博文が、元徳島中央テレビ小松島局長で桜谷（旧上那賀町）在住の山﨑篤史（現那賀町議会議員）を僅差で破り、初当選した。選挙では、日下による公金不正流用問題の解決策が争点となった。坂口は、問題の徹底解明と情報公開を主張したが、しがらみのなさと若さで町政刷新を訴える山﨑に猛追され、薄氷の勝利となった[29]。

当　3,799　坂口博文　58　無所属　新
　　3,562　山﨑篤史　30　無所属　新
当日有権者数　9,466
投票率　78.38％

2011年4月の町長選挙では、現職の坂口が元那賀町議会議員・元相生町助役の川原武志を大差で破り、再選を果たした。1期目の町政において、行財政改革で一定の成果を挙げるとともに、上流域の救急隊新設や介護施設の整備といった要望が強い事業にめどを付けた坂口は、地元の旧木沢村域を含む那賀川上流域で手堅く集票し、役場本庁舎のある旧鷲敷町域でも支持を広げた。川原は、地元の旧相生町域で幅広い支持を集めたが、他地区への浸透に限界があった[30]。

当　4,247　坂口博文　62　無所属　現
　　2,500　川原武志　65　無所属　新
当日有権者数　8,817
投票率　77.26％

2015年4月の町長選挙では、現職の坂口が無投票で3選を果たした。地方債残高を削減し、新ごみ処理施設の建設に道筋を付けたことなどにより、多くの町民が町政の継続を求め、現町政に批判的な町議会議員らも対抗馬を擁立できなかった[31]。

2019年4月の町長選挙では、現職の坂口が前回に続く無投票で4選を決めた。

---

[29] 『徳島新聞』2007年4月23日朝刊1面・22面。
[30] 『徳島新聞』2011年4月25日朝刊1面・13面。
[31] 『徳島新聞』2015年4月22日朝刊1面・14面。

坂口は、3 期 12 年の実績として町道やトンネルなどのインフラ整備を挙げ、徳島県が旧鷲敷町域で進める浸水対策工事では自身も家々を回って必要性を説いた。建設業や林業など地域の基幹産業の従事者から支持が厚く、町議会議員の大半とも良好な関係を築いた。人口の多い旧鷲敷町域では、無投票を問題視した元町議会議員らが地元から対抗馬を出そうとしたものの、擁立には至らなかった[32]。

斎藤純忠が 6 選を果たした 1994 年 3 月の戸田市長選挙は、のちに市長となる前埼玉県議会議員の神保国男を含めた 3 新人との争いとなった。他候補から多選批判を受けた斎藤は、保守系市議会議員・町会などで構成された「誇り高き戸田市をつくる会」をバックに、初めての全市ローラー作戦や、町会単位でのミニ集会をまめに展開し、実績を訴え各層の支持を集めた。さらに、連合・医師会など市内 20 団体の推薦も取り付け着実に組織票を固めた。神保は、情報公開制度やオンブズマン制度導入など開かれた市政の実現を打ち出した。かつて市長選挙で斎藤の参謀を務めたこともある元市議会議長の細田徳治は、埼京線 3 駅周辺の整備の推進を訴えた。両者は、若い層やサラリーマン層に食い込んだものの、現職の知名度や実績には及ばなかった。革新市政の実現を目指した元市議会議員の丸山利男は、福祉の充実を訴え、高齢者層を中心に巻き返しを図ったが、出馬の遅れが最後まで響いた[33]。

当	11,466	斎藤純忠	75	無所属（自民・民社推薦）	現
	10,811	神保国男	51	無所属	新
	6,488	細田徳治	45	無所属	新
	2,576	丸山利男	57	無所属（共産推薦）	新

当日有権者数　68,074
投票率　46.33%

1998 年 3 月の市長選挙は、斎藤の引退を受けて 3 新人により争われたが、2 度目の挑戦となる神保が、前埼玉県議会議員の細田米蔵と共産党埼玉中央地区委員長の伊藤岳を破り、初当選を果たした。前回に続き、情報公開制度やオンブズマン制度導入を公約した神保は、自らを支援する市議会議員が 4 名にとどまるなど、組織の人数は細田陣営に劣ったものの、6 枚の政策ビラや、対話を重視したローラー作戦で票を積み重ねた。地盤の大票田、下戸田地区で新住民に支持を広げ、弁護士の知的なイメージが無党派層にも受けた。細田は、斎藤を選対本部長に迎え、斎藤の後継を狙ったが、旧住民以外に支持が浸透しなかった。前回出馬した細田徳治との一本化に手間取り、出足が遅れたのも響いた。伊藤は、唯一の革新候補として、市単独の市民病院建設や公共料金への消費税転嫁廃止などを訴えた

[32]『徳島新聞』2019 年 4 月 17 日朝刊 1 面・14 面。
[33]『埼玉新聞』1994 年 3 月 28 日朝刊 1 面。

が、及ばなかった[34]。

当　14,224　神保国男　55　無所属　新
　　12,847　細田米蔵　63　無所属（自民推薦）　新
　　 3,697　伊藤岳　　38　共産　新
　当日有権者数　78,593
　投票率　39.71％

2002年3月の市長選挙では、神保が、選挙公報とポスターのみで政策を訴える新人候補を大差で破り、再選された。2006年3月の市長選挙では、神保が無投票で3選を果たした。

2010年3月の市長選挙は、現新4候補の争いとなったが、神保が、民主党の推薦する前市議会議員の高橋秀樹[35]、弁護士の大塚信雄、会社役員の今家元治を破り、4選を果たした。3新人は神保に対して多選批判を展開し、高橋は市民税1割減税、大塚は中学生まで医療費の無料化、今家は中小企業向け制度融資拡充や保育所の定員拡大をそれぞれ訴えたが、神保は3期12年の実績をアピールし、他候補に大差をつけた[36]。

当　20,619　神保国男　67　無所属　現
　　 6,839　高橋秀樹　63　無所属（民主・連合埼玉推薦）　新
　　 6,535　大塚信雄　53　無所属　新
　　 1,164　今家元治　70　無所属　新
　当日有権者数　91,804
　投票率　38.58％

2014年3月の市長選挙では、神保が、元埼玉県議会議員の峯岸光夫を破り、5選を果たした。峯岸は多選批判を激しく展開したが、神保は4期16年の実績をアピールし、支持を浸透させた。市議会議員は、共産党（4名）を除く全会派（4会派22名）が神保支持を表明し、選挙運動を担った。これに対し、峯岸陣営は、元民主党県議会議員が応援しただけで苦戦を強いられた[37]。

当　20,610　神保国男　71　無所属　現
　　 9,640　峯岸光夫　66　無所属　新
　当日有権者数　98,334

34 『埼玉新聞』1998年3月23日朝刊1面。
35 高橋はその後、2013年に市議会議員に復帰した。
36 『埼玉新聞』2010年3月22日朝刊1面。
37 『埼玉新聞』2014年3月24日朝刊1面。

投票率　31.18％

2018 年 3 月の市長選挙は、神保の引退を受けて 3 新人により争われたが、前埼玉県議会議員の菅原文仁が、前副市長で元埼玉県北本市長の石津賢治と元市議会議員の望月久晴を破り、初当選した。菅原は、地元で 4 回選挙を戦ったことによる知名度の高さを生かし、優位に選挙戦を展開した。「戸田型 15 年教育」の推進や待機児童対策推進、町会と行政の役割分担の見直し、高齢者の健康格差対策推進などを公約に掲げ、子育て世代中心に幅広い層から支持を集めた。石津は、神保から後継指名を受け、行政のトップとしての経験をアピールするとともに、「暮らし続けたい戸田市を実現する 100 の政策」を公約に掲げたが、支持を広げることができなかった。望月は、支持基盤である共産党の推薦を断り、幅広い支持層への浸透を狙ったが、出馬の出遅れが響き、及ばなかった[38]。

当　26,029　菅原文仁　42　無所属　新
　　10,163　石津賢治　53　無所属（自民推薦）　新
　　 4,055　望月久晴　70　無所属　新
　当日有権者数　106,363
　投票率　38.19％

印西市では、市制施行直後の 1996 年 7 月、現職市長であった伊藤利明の死去に伴い行われた市長選挙において、前市議会議員の海老原栄が、塾経営の平松武彦を破り、初当選した。ニュータウン地区の有権者数が非ニュータウン地区を初めて上回った首長選挙であったが、伊藤市政継承を掲げ、市議会内最大会派から擁立された海老原を、市議会議員の大半が支持した。海老原は、既成政党の推薦も取り付け、非ニュータウン地区を中心とした幅広い人脈と、組織力を最大限に生かした運動を展開し、非ニュータウン地区の基礎票に、市政の継続を期待する浮動票を上乗せした。ニュータウン地区からの初の首長候補となった平松は、市政の変革を旗印に、サラリーマン、主婦らボランティア運動員による草の根選挙を展開し、激しい追い込みを見せたが、地元ニュータウン地区の投票率が伸びず、一歩及ばなかった[39]。

当　11,570　海老原栄　64　無所属（自民・新進推薦）　新
　　 8,012　平松武彦　58　無所属　新
　当日有権者数　40,120
　投票率　49.65％

---

[38] 『埼玉新聞』2018 年 3 月 26 日朝刊 1 面。
[39] 『千葉日報』1996 年 7 月 29 日朝刊 1 面。

2000年7月の市長選挙では、海老原が、経営コンサルタント会社社長の大橋義行と、元プロ野球選手で食品販売会社社長の千田啓介を破り、再選を果たした。ニュータウン地区の2新人が現職に挑む構図となったが、海老原は、先に立候補を表明していた保守系市議会議員との候補調整を図り、一本化に成功したのち、政党や労組、20団体以上の推薦、公明党を含む大半の市議会議員の支持を得た。選挙戦でも、地元県議会議員や自前の後援会などをフル稼働した組織戦で他陣営を圧倒した。大橋は合併促進などの政策を訴え、千田は野球人脈の支持者らを動員したイメージ選挙を展開したが、新旧両地区の批判票を2人で分け合ってしまい、組織力で勝る現職の壁を崩せなかった[40]。

当	11,545	海老原栄	68	無所属（自民・社民推薦）	現
	4,568	大橋義行	58	無所属	新
	3,864	千田啓介	57	無所属	新

当日有権者数　43,065
投票率　47.01％

2004年7月の市長選挙は、海老原の引退を受けて、町時代を含めても最多となる5新人による激戦となったが、元市議会議員の山﨑山洋が、元市議会議員の板橋睦、元市議会議員の金丸和史[41]、2度目の挑戦となる大橋、市民団体代表の土山道之を破り、初当選を果たした。非ニュータウン地区から山﨑・板橋の2名、ニュータウン地区から金丸・大橋・土山の3名が出馬し、5候補とも白井市・印旛村・本埜村との合併賛成、北総線の高運賃是正、子育て支援の拡充を公約に掲げる選挙戦であったが、山﨑は、地盤の非ニュータウン地区の自民党支持層を固める一方で、陣営の市議会議員の強力なバックアップもあり、ニュータウン地区でも幅広く得票した。山﨑と地盤が重なる板橋は、民主党などの推薦を背景にニュータウン地区での支持拡大を狙ったが、これが本来基盤とする非ニュータウン地区の自民党系支持層の反発を招いた面もあり、浸透し切れなかった。若さと行動力をアピールした金丸は、大橋・土山と地元が競合したこともあり、票が伸び悩んだ。大橋と土山は、支援態勢などが脆弱で、支持が広がらなかった[42]。

当	9,199	山﨑山洋	53	無所属	新
	7,898	板橋睦	52	無所属（民主・社民推薦）	新
	4,634	金丸和史	44	無所属	新
	3,127	大橋義行	62	無所属	新

40 『千葉日報』2000年7月17日朝刊1面。
41 板橋と金丸はその後、2007年に市議会議員に復帰した。
42 『千葉日報』2004年7月5日朝刊13面、2004年7月12日朝刊20面、2004年7月13日朝刊14面。

2,793　土山道之　66　無所属　新
当日有権者数　45,268
投票率　63.92％

2008年7月の市長選挙では、山﨑が無投票で再選された。町時代を含め、首長選挙では初めての無投票であった。

合併後初となる2012年7月の市長選挙では、元市議会議員の板倉正直が、3選を目指した現職の山﨑を破り、初当選を果たした。非ニュータウン地区の2候補による選挙戦となったが、ごみ処理施設移転計画の白紙撤回を公約の柱とし、激しい現職批判を展開した板倉は、旧印旛村・旧本埜村を含む非ニュータウン地区をくまなく歩く一方、ニュータウン地区ではチラシ配布とつじ立ちで浸透を図る「都市型選挙と、どぶ板選挙をミックスした作戦」（選対幹部）が功を奏し、現市政への批判票を集約した。山﨑は、2期8年の実績を強調した上で市政継続を訴え、市議会議員16名の応援を受けるなど組織戦を展開したが、支持を固め切れなかった[43]。

当　20,725　板倉正直　65　無所属　新
　　14,252　山﨑山洋　61　無所属　現
当日有権者数　71,288
投票率　49.71％

2016年7月の市長選挙では、板倉が、自民党公認の元市議会議員の中沢俊介を破り、再選を果たした。前回と同じく、非ニュータウン地区の2候補による選挙戦となったが、板倉は、ごみ処理施設移転計画を白紙撤回した1期目の実績を強調し、ニュータウン地区住民の票の取り込みに成功した。政党推薦は受けなかったが、共産党が支持を決め、民進党の国会議員・市議会議員の応援も受けた。非ニュータウン地区を中心に、自民党支持者の判断は分かれ、板倉の応援に回った保守層も少なくなかった。県内の首長選挙では異例の自民党公認候補となった中沢は、地元選出の自民党国会議員や公明党の支援を受け、子育て施策を公約の柱として訴えたほか、政権与党の立場から国・県とのパイプを強調したが、及ばなかった[44]。

当　23,592　板倉正直　69　無所属　現
　　20,954　中沢俊介　49　自民（公明推薦）　新
当日有権者数　76,298

---

43 『千葉日報』2012年7月10日朝刊8面。
44 『千葉日報』2016年7月11日朝刊1面・10面。

投票率　59.31％

（２）町議会・市議会議員選挙

那賀町議会議員選挙の結果概要は、図表２－５－１の通りである。合併前の旧５町村では、計 52 名の町村議会議員が選出されていたが、これらの議員に対しては、合併特例法の在任特例の規定が適用され、合併後８か月間、引き続き那賀町議会議員として在任することとなった。在任特例の任期満了に伴い、2005 年 10 月、合併後初の議員選挙が行われた。この回に限り、旧町村単位の選挙区が設けられた。各選挙区の定数は、鷲敷５、相生５、上那賀４、木沢２、木頭３であった。周辺地区に手厚い議席配分となった反面、鷲敷選挙区では、木沢選挙区のトップ当選者より得票が多かったにもかかわらず落選する候補者が出るなどの現象も発生した。

2009 年選挙は、全町１区、定数 16（前回から３減）で行われた。2013 年選挙は、同じく定数 16 で行われたが、無投票となった。告示直前まで計 17 名が立候補を表明していたが、旧木頭村域から立候補を予定していた新人 １ 名が、「議員でない立場でも町のためにできることがあると判断した」との理由により、出馬を見送った[45]。

2013 年３月定例会において議員定数をさらに２名削減する案が議員提案され、採決の結果、賛成反対が同数となり、議長裁決により否決となった。その後、2015 年５月に開催された議会改革調査特別委員会において、定数を削減する意見が多数を占め（削減７名、現状維持２名）、同年６月定例会において、２名削減案が可決された。議員定数削減推進の大きな理由として挙げられたのが、無投票の阻止であった。しかし、定数が減少すれば（特に新人の）当選可能性も低下し、ますます立候補が抑制されてしまうのではないかとの懸念もあり、議会内でも賛否が分かれることとなった。2017 年選挙は、定数 14 で行われた。なり手不足のため定数割れの可能性も出ていたが[46]、最終的に定数を３名上回る選挙戦となった。

図表２－５－１　那賀町議会議員選挙結果

	当日有権者数	投票率	最下位当選者得票数	当選者数内訳			当選者数合計	候補者数合計
				現職	元職	新人		
2005 年	9,815	85.63％	*225	19	0	0	19	29
2009 年	9,104	83.14％	304	11	1	4	16	18
2013 年	－	－	－	13	0	3	16	16
2017 年	7,759	72.08％	166	12	0	2	14	17

＊木頭選挙区の最下位当選者の得票数。なお、他の４選挙区においては、鷲敷 298、相生 311、上那賀 312、木沢 243 であった。

45 『徳島新聞』2013 年 10 月 23 日朝刊 19 面。
46 『徳島新聞』2017 年 10 月 18 日朝刊 17 面、2017 年 10 月 21 日朝刊 19 面。

那賀町議会議員選挙の地区別当選者数は、図表2－5－2の通りである。全町1区となってからの3回の選挙では、いずれも、有権者数が旧5町村中3位である旧上那賀町域が最も多くの議員を輩出している。その一方で、有権者数の最も少ない旧木沢村域は、2017年選挙では立候補者を出すことができなかった。

合併前の旧町村時代は、地域の集落組織の役職者の合議でその地域からの立候補者を決定し、現職議員が引退する際も後継者について地域の有力者に相談する、いわゆる地域推薦・地区推薦が存在したが、現在はほぼ消滅している。依然として地縁・血縁による集票が基本ではあるものの、合併による選挙区の拡大の結果、例えば、「奥」（上那賀・木沢・木頭）から「下」（鷲敷・相生）へと移住した有権者が、出身地である「奥」の候補者に投票するという現象も見られるとのことであり、地縁・血縁に基づく働きかけが、旧町村の境界を越えて行われている[47]。2017年選挙では、旧上那賀町域から立候補した新人候補が、かつて小学校長を務めた旧木沢町域で票を掘り起こし、当選を果たした[48]。

図表2－5－2　那賀町議会議員選挙の地区別当選者数

	鷲敷	相生	上那賀	木沢	木頭	合計
2005年	5	5	4	2	3	19
2009年	3	4	5	2	2	16
2013年	3	3	6	2	2	16
2017年	4	1	7	0	2	14

1990年代以降の戸田市議会議員選挙の結果概要は、図表2－5－3の通りである。有権者数が急増する一方で、議員定数は徐々に削減されており、これらは当選ラインを押し上げる要因として働くが、その反面、投票率は低落傾向にあり、結果として、最下位当選者得票数は、1997年選挙以降、900票台から1,000票台を上下している。2009年選挙を除き、当選者の約2～3割を新人候補が占めており、議員の入れ替わりは着実に進んでいる。

市議会議員は、もともと地域代表的な性格を有していた。30～40年前とは違い、町内会が選挙の際に動くことはなくなったが、ベテラン議員は、地域に根ざした後援会組織を持ち、票を集めている。これに対し、若手議員は、駅前のつじ立ちなどで新住民にアピールし、特定の地域にとらわれずに票を集めている。あるベテラン議員は、このような若手議員の選挙運動を「都市型選挙」と称したが、新住民の流入が続く中で、選挙を勝ち抜くためには、ベテラン議員も「都市型選挙」の手法を取り入れなければならなくなっている[49]。

---

47 那賀町議会議員複数名へのヒアリングによる。
48 『徳島新聞』2017年10月23日朝刊17面。
49 戸田市議会議員複数名へのヒアリングによる。

図表 2−5−3　戸田市議会議員選挙結果

	当日有権者数	投票率	最下位当選者得票数	当選者数内訳			当選者数合計	候補者数合計
				現職	元職	新人		
1993 年	66,987	51.52%	804	22	0	6	28	29
1997 年	76,124	48.76%	928	21	0	7	28	32
2001 年	81,540	49.05%	900	20	0	8	28	34
2005 年	86,575	47.17%	1,018	19	0	8	27	33
2009 年	90,872	47.09%	990	24	0	2	26	31
2013 年	96,346	44.61%	1,005	17	1	8	26	36
2017 年	105,542	39.59%	948	18	1	7	26	31

戸田市議会議員選挙の地区別当選者数は、図表 2−5−4 の通りである。かつて多数の議員を輩出してきた下戸田地区であるが、近年、その比重は低下している。

図表 2−5−4　戸田市議会議員選挙の地区別当選者数

	下戸田	上戸田	新曽	笹目	美女木	合計
1993 年	12	6	4	4	2	28
1997 年	12	3	5	5	3	28
2001 年	12	2	7	4	3	28
2005 年	8	5	6	4	4	27
2009 年	8	5	6	3	4	26
2013 年	7	6	7	3	3	26
2017 年	6	9	4	5	2	26

市制施行以降の印西市議会議員選挙の結果概要は、図表 2−5−5 の通りである。2010 年の合併の際、旧印旛村・旧本埜村議会議員に対して合併特例法の在任特例の規定が適用され、議員数は一時的に 44 名となったが、翌 2011 年選挙では合併特例が終了し、議員定数は元の 24 名に戻った。この選挙から有権者数は急増し、当選ラインも大幅に上昇した。現職候補の生き残りを賭けた選挙戦の末、他の年とは異なり、新人候補は全く当選しなかった。

図表 2−5−5　印西市議会議員選挙結果

	当日有権者数	投票率	最下位当選者得票数	当選者数内訳			当選者数合計	候補者数合計
				現職	元職	新人		
1999 年	42,248	58.24%	669	18	0	6	24	26
2003 年	44,877	55.25%	581	18	0	6	24	29
2007 年	46,828	51.57%	404	14	2	8	24	28
2011 年	69,956	52.44%	745	23	1	0	24	40
2015 年	72,743	47.31%	884	15	2	5	22	30
2019 年	79,373	42.73%	559	17	1	4	22	24

印西市議会議員選挙の地区別当選者数は、図表 2−5−6 の通りである。ニュータウン地区と非ニュータウン地区の勢力比は、2010 年の合併前後では変化しなかったが、議員定数が削減された 2015 年選挙以降、非ニュータウン地区の議員数

は減少傾向にある。

非ニュータウン地区では、地元の町内会等の推薦を得て立候補した議員が少なくない。そこでは、地縁・血縁による集票が基本となる。ニュータウン地区の議員も、PTA活動や自治会活動など、地域での活動をきっかけに立候補へと至る例が多く、その意味では地域を基盤としているが、そこで行われるのは、地域活動を通して形成された個人的な人間関係・つながりに基づく集票であり、地域との関係のあり方が非ニュータウン地区の議員とは異なる。一方、非ニュータウン地区の議員も、地元人口の減少や結束のほころびなどで、当選に必要な票数を集めることが容易でない場合は、ニュータウン地区住民との個人的なつながりを生かして票数を上乗せすることが重要となる[50]。

図表2－5－6　印西市議会議員選挙の地区別当選者数

	印西NT	印西非NT	印旛NT	印旛非NT	本埜NT	本埜非NT	印西計	印旛計	本埜計	NT計	非NT計	合計
1999年	9	15	−	−	−	−	24	−	−	9	15	24
2003年	8	16	−	−	−	−	24	−	−	8	16	24
2007年	9	15	−	−	−	−	24	−	−	9	15	24
2011年	7	*10	0	4	2	1	17	4	3	9	15	24
2015年	7	8	0	4	2	1	15	4	3	9	13	22
2019年	9	8	0	3	1	1	17	3	2	10	12	22

NT：ニュータウン地区
非NT：非ニュータウン地区
*2011年の印西・非ニュータウン地区の当選者のうち1名は、同地区に印旛・ニュータウン地区から転居した元印旛村議会議員である。

（3）県議会議員選挙

那賀町の誕生以前から、徳島県議会議員選挙の選挙区の1つとして、現在の那賀町域を区域とする定数1の那賀第二選挙区が設けられていた。町村合併後、選挙区の名称は那賀選挙区に変更されたものの、区域および定数の変更はなく、現在に至っている。この選挙区から選出されている県議会議員は、海川（旧上那賀町）在住の杉本直樹（自民党）であり、現在7期目である。

当選を続けてきた杉本も、1度だけ、2003年4月の県議会議員選挙において、元鷲敷町議会議員の宮本公博に敗北を喫している。この選挙で、宮本は、有権者の多い鷲敷町・相生町で現職批判票を取り込み、杉本を大きく引き離した。杉本は、出身地の上那賀町を中心に木沢村・木頭村でも宮本を圧倒したが、合併問題のしこりで町村間の足並みが乱れたことが減票につながった[51]。

[50] 印西市議会議員複数名へのヒアリングによる。
[51] 『徳島新聞』2003年4月14日朝刊1面・3面。

						鷲敷	相生	上那賀	木沢	木頭
当	4,116	宮本公博	57	無所属	新	1,756	1,238	458	186	478
	3,846	杉本直樹	61	自民	現	467	951	1,155	461	812

前回と同じ顔合わせとなった2007年4月の県議会議員選挙では、杉本が雪辱を果たした。杉本は、地元の旧上那賀町、旧木沢村、旧木頭村の前町村長や町議会議員の支援を受け、手堅くこれらの地区をまとめた上で、前回水をあけられた旧相生町域、旧鷲敷町域で重点的に活動し、相手地盤の一部を切り崩した。宮本は、地元の旧鷲敷町域などで得票したが、現職の存在感を十分に示せなかった[52]。

当	3,972	杉本直樹	65	自民	元
	3,373	宮本公博	61	無所属	現

（開票は那賀町全体で行われたため、旧町村別の得票数は不明。）

那賀町の人口は、2010年国勢調査の時点で徳島県全県の議員1人当たり人口の半数を下回り、那賀選挙区は隣接市町村との合区が必要な状況となったが（公職選挙法15条1項・2項）、1966年以前に設けられていた選挙区であることから、その後も特例選挙区（公職選挙法271条）として維持されている。2018年の県議会議員定数・選挙区見直しの際にも那賀選挙区の取扱いが検討され、中山間地域における地域代表の必要性や那賀郡の広大な面積を理由に那賀選挙区の存続を求める意見、人口が基本であるから他の選挙区と合区すべきという意見など、さまざまな意見があったが、協議の結果、最終的に特例選挙区として存続することとなった[53]。

埼玉県議会には、戸田市を区域とする定数2の選挙区が設けられている。選挙区の名称は、現在は「南第20区　戸田市」であるが、これまで、県全体の区割りの見直しに伴い、選挙区番号はしばしば変更されてきた。

かつては、自民党公認もしくは推薦候補がこの2議席を分け合ってきた。1991年および1995年の埼玉県議会議員一般選挙では、細田米蔵（氷川町［新曽地区］）と神保国男（下戸田）の自民党系2候補が当選した。細田と神保が戸田市長選挙に立候補したことに伴い行われた1998年4月の補欠選挙では、細田徳治（氷川町［新曽地区］）と峯岸光夫（美女木）の自民党系2新人が当選し、以後、両者は、1999年および2003年の一般選挙でも当選を重ねた。

しかし、近年では、自民党系候補の2議席独占は崩れている。2007年の一般選挙では、峯岸は当選したものの、もう1議席は、民主党公認の元市議会議員の中島浩一（喜沢南［下戸田地区］）が細田を破り、初当選を果たした。2011年の一

52 『徳島新聞』2007年4月9日朝刊1面・3面。
53 『徳島県議会選挙区等検討委員会結果報告書』2018年3月。

般選挙では、非自民・非民主系無所属の元市議会議員の菅原文仁（美女木）が初当選を果たし、元職の細田が返り咲く一方で、現職の峯岸と中島はともに落選する結果となった。2015年の一般選挙では、菅原が再選され、細田徳治の息子である自民党公認の会社役員・元国会議員秘書の細田善則（氷川町［新曽地区］）が初当選を果たした。2019年の一般選挙では、細田が再選され、無所属の元市議会議員の金野桃子（本町［上戸田地区］）が初当選を果たした。市議会議員時代に後述する会派「戸田の会」に所属していた金野は、戸田市長に転身した菅原の後継者と目されている。

千葉県議会には、かつて、定数3の印旛郡選挙区が設けられていたが、印西町の市制施行に伴い、1999年の千葉県議会議員一般選挙からは、定数1の印西市選挙区と定数2の印旛郡選挙区[54]に分割された。また、2010年の1市2村の合併に伴い、2011年の一般選挙からは、旧印旛村・旧本埜村の区域も印西市選挙区に編入された。2019年の一般選挙からは、再び選挙区割りが変更され、定数2の印西市・印旛郡栄町選挙区が誕生した。

1999年の一般選挙では、前回印旛郡選挙区から初当選した自民党公認の大野克己（戸神［非ニュータウン地区］）が、ニュータウン地区から立候補した新人を破り、再選された。大野は、2003年の一般選挙で無投票で3選を果たしたが、2006年7月に死去した。

大野の死去に伴い行われた2006年8月の補欠選挙と、翌2007年の一般選挙は、ともに元市議会議員である民主党公認の軍司俊紀（西の原［ニュータウン地区］）と自民党公認の滝田敏幸（大森［非ニュータウン地区］）の一騎討ちとなり、2006年は軍司が僅差で勝利し、2007年は滝田が雪辱を果たした[55]。滝田はその後、2011年および2015年の一般選挙でも新人を大差で破った。2019年の一般選挙では、滝田が4選を果たすとともに、これまで印旛郡選挙区から立候補していた無所属の岩井泰憲（元栄町議会議員）が3選された。

（４）衆議院議員選挙

衆議院に小選挙区比例代表並立制が導入された当初、現在の那賀町域は徳島県第3区（小松島市・阿南市・勝浦郡・名西郡・那賀郡・海部郡・麻植郡[56]）に属していた。1996年の総選挙では岩浅嘉仁（新進党）が当選したが、2000年の総選挙では後藤田正純（自民党）が岩浅らを破って初当選を果たし、国政を引退した岩浅は阿南市長に転身した。後藤田は、その後の総選挙においても当選を重ね[57]、2013年の区割り変更により徳島県第3区が廃止されて以降は、徳島県第1区（徳

---

54 その後、2003年の一般選挙からは、印旛郡選挙区は定数1（1減）となった。
55 軍司はその後、2011年に市議会議員に復帰した。
56 その後、2002年の区割り変更に伴い、新たに美馬郡が徳島県第3区に加わった。
57 なお、2009年の総選挙では、仁木博文（民主党）が比例四国ブロックで復活当選した。

島市・小松島市・阿南市・勝浦郡・名東郡・名西郡・那賀郡・海部郡）から立候補し、議席を守っている。岩浅・後藤田はいずれも阿南市在住である。

戸田市が当初属していた小選挙区は、埼玉県第4区（戸田市・朝霞市・志木市・和光市・新座市）である。1996年および2000年の総選挙では、のちに埼玉県知事となる上田清司（新進党→民主党）が当選した。当時、上田は志木市在住であった。

2002年の区割り変更に伴い、戸田市は新設された埼玉県第15区（さいたま市桜区・さいたま市南区・蕨市・戸田市[58]）に編入された。以後は、高山智司（民主党→民進党→希望の党）と田中良生（自民党）を中心とする選挙戦が続いている。2003年・2009年の総選挙では高山が、2005年・2012年・2014年・2017年の総選挙では田中が、それぞれ当選した[59]。高山は2003年・2005年の総選挙時は戸田市在住であったが、その後はさいたま市南区在住であり、田中は蕨市在住である。

印西市が当初属していた小選挙区は、千葉県第9区（佐倉市・四街道市・八街市・印西市・印旛郡）である。1996年の総選挙では実川幸夫（新進党）が、2000年の総選挙では水野賢一（自民党）が、それぞれ当選した。

2002年の区割り変更に伴い、印西市は新設された千葉県第13区（柏市［旧沼南町］・鎌ケ谷市・印西市・白井市・富里市・印旛郡[60]）に編入された。以後3回の総選挙は、自民党に復党した実川幸夫と民主党の若井康彦を中心とする戦いとなった。2003年・2005年の総選挙では実川が、2009年の総選挙では若井が、それぞれ当選した[61]。実川は富里市在住であり、若井は佐倉市出身・白井市在住で、鎌ケ谷市に事務所を構えていた。

2009年の総選挙での落選後、実川は政界を引退したが、その後継者となったのが自民党の白須賀貴樹である。白須賀は流山市出身であるが、現在は印西市在住で、木下南（非ニュータウン地区）に事務所を構えている。2012年の総選挙で若井らを破り、初当選を果たした白須賀は、その後も、2014年・2017年の総選挙において当選を重ねている[62]。

---

58 その後、2017年の区割り変更に伴い、新たに川口市の一部が埼玉県第15区に加わった。

59 なお、2005年の総選挙では、高山も比例北関東ブロックで復活当選した。

60 その後、2013年および2017年の区割り変更に伴い、新たに船橋市の一部が千葉県第13区に加わった。

61 なお、2003年の総選挙では、若井も比例南関東ブロックで復活当選した。

62 なお、2012年の総選挙では若井および椎木保（日本維新の会）が、2017年の総選挙では宮川伸（立憲民主党）が、それぞれ比例南関東ブロックで復活当選した。

6　町議会・市議会

（1）議員活動

那賀町では、後述する議会改革の動きの中で、議員発議による条例の制定・改正など、議員による政策立案が行われるようになっている。その一方で、地域住民の要望・相談を受けることも、議員の重要な役割と捉えられている。地域推薦・地区推薦が廃れたとは言え、住民にとって、地元の議員は依然として行政に要望を伝えるルートであり続けている。もっとも、議員を通さず住民が直接行政に接触することも増えているようである。住民の要望の伝達先として、支所と本庁・分庁という選択肢があるが、どちらを選ぶかは議員によってさまざまである。権限を持っている本庁・分庁に行くほうが手っ取り早いと考える議員もいるようであるが、頭越しに本庁からトップダウンで物事を済ませるようでは地域が疲弊すると考え、地域の課題についてはまず支所に持っていき、支所長を中心に具体的な画を描いてもらうようにしていると語る議員もいる。また、単に住民の要望を行政に伝えるだけでなく、議員自身が行政の事業実施に先立って地域の利害調整（事業用地取得のための住民への説明・説得など）を行う実例も現れている[63]。

戸田市議会では、議員の世代交代が進んでいる。高学歴の若手議員が増え、議会質問に活気が生まれるとともに、議会のICT化が進もうとしている。反面、ベテラン議員の目には、若手議員は地域の声を聞く活動が足りないと映っているようである。議員が地域住民の要望を受け取る機会は、個人的に相談を受けた際や、地域の各種会合に参加した際など、数多い。これらの要望については、市役所担当部局の課長等に伝えて対応を求めることもあれば、議会の一般質問・代表質問で取り上げることもある。このように、地域の御用聞き的な議員活動のスタイルが（若手議員を含め）定着している一方で、ある若手議員は「政策は地盤がなくても全然実現できる」と語り、周辺自治体の先進事例を参照して理詰めで政策導入を図っているとのことである[64]。

印西市においても、地域住民の要望への対応は、議員活動の大きな割合を占めている。住民と直接会った際に相談を受けることや、電子メール等で要望を受け取ることももちろんあるが、町内会等から要望書を出してもらうようにしているという証言が、複数の議員から聞かれた。住民の要望の伝達先は多様である。ある議員は、基本的には責任者である担当部課長に伝えるが、異動してきたばかりで状況がわかっていない場合は、担当課長に断った上でわかる担当者に直接言う場合もあるとのことである。別の議員は、現場の職員に成長してほしいので、窓口に出る機会のある若手の職員に伝え、上に伝えてもらうとのことである。さらに別の議員は、支所管内の問題であれば要望書を支所に持っていき、必要に応じ

---

63 那賀町議会議員複数名へのヒアリングによる。
64 戸田市議会議員複数名へのヒアリングによる。

て支所から本庁に回してもらうと語った。また、旧印旛村・旧本埜村の議員は、地元である印旛・本埜のために活動するという意識が旧印西市の議員よりも強い[65]。

（２）会派構成

那賀町議会には会派は存在しないが、戸田市議会・印西市議会は会派制を採っている。

戸田市議会は、2019 年 5 月現在、みらいの会[66]（6 名）、令和会[67]（5 名）、公明党（5 名）、戸田の会（4 名）、日本共産党戸田市議団（4 名）、無所属（1 名）の各会派により構成されており、議員数は合計 25 名（欠員 1）である。このうち、令和会は前市長の神保に近い会派であり、戸田の会は現市長の菅原に近い会派である。

印西市議会は、2019 年 5 月現在、至誠（7 名）、創進（4 名）、響（ひびき）（3 名）、公明党（2 名）、新政（2 名）、日本共産党（2 名）の各会派と無所属議員 2 名（うち 1 名は議長）により構成されており、議員数は合計 22 名である。このうち、新政は現市長の板倉が市議会議員時代に所属していた会派であり、共産党は市長選挙で板倉を支援した。ニュータウン地区の議員と非ニュータウン地区の議員が別々に会派を構成しているわけではなく、同一会派内に両地区の議員が混在している。また、議員同士の人間関係も会派構成に影響を与えているようである[68]。

（３）議会改革の取り組み

那賀町議会は、2012 年 9 月に議会改革調査特別委員会を設置し、議会活性化のためのさまざまな改革に取り組んでいる。2017 年 9 月に可決された「那賀町議会基本条例」は、議員が自らの活動目標を設定し、1 年ごとに目標達成状況の検証を行うこと、町長等に反問・反論権を付与すること、定例会の開催されない時期でも町長等に対し文書質問を実施できることなどを定めている。2014 年 12 月には、町議会議員と町内の各種団体との意見交換会が開始され、2016 年 6 月からは、地域住民との意見交換会も実施されている。これらの意見交換会は「那賀町議会車座会議」と称されており、2018 年度末までに、計 23 回の車座会議が開催された[69]。早稲田大学マニフェスト研究所が全国の自治体議会を対象に実施している

---

[65] 印西市議会議員複数名へのヒアリングによる。
[66] 2017 年 12 月に、会派名を「戸田未来の会」から変更した。
[67] 2019 年 5 月に、会派名を「平成会」から変更した。
[68] 印西市議会議員複数名へのヒアリングによる。
[69] 車座会議に対する町議会議員自身の評価は、住民の声を聞くよい機会である、議員に頼んだのに物事が実現しなかったという失望感を持たれることが心配だ、単なるパフォーマンスに過ぎない、など、さまざまである（那賀町議会議員複数名へのヒアリングによる）。

議会改革度調査によれば、2018年のランキングにおいて、那賀町議会は、調査に回答した全国の1,447自治体議会のうち100位であり、町村だけに限れば全国600町村議会のうち16位であった。この調査は、議会の改革度合を情報共有・住民参加・議会機能強化の3つの観点から数値化し[70]、ランキングを示すものであるが、那賀町議会は、議会機能強化の分野で全国17位となった。

戸田市議会は、2003年2月に議会改革特別委員会を設置し、議会が担うべき機能の充実を図ってきた。これまで、一般質問における一問一答方式、インターネットによる本会議ライブ中継・録画配信、議長選挙に係る所信表明の実施、議会モニター制度などが実現している。2010年6月からは、「戸田市議会基本条例」の制定に向けた議論を始め、2012年2月に条例が全会一致で可決された。

印西市議会は、2011年6月に議会改革推進特別委員会を設置し、改革に取り組んできた。これまで、一般質問での発言回数制限の廃止・一問一答方式の導入、押しボタン式表決システムの導入、執行部への反問権の付与、インターネットによる本議会の生中継・録画中継、政務活動費収支報告書・領収書・視察報告書等のインターネットでの公開などが実現している。議会基本条例については、条例という形はなくとも、その内容に相当することは既に実施しているという思いがあり、制定していない[71]。

7　行政組織・政治から見た「自治」の特徴

（1）行政・政治体制の安定と変化

戸田市では、これまで、市長の長期在任が続いてきた。本章が主に分析の対象としたのは神保市政期であるが、神保は、選挙を重ねる中で自らを支持する市議会議員の数を増やし、盤石の体制を築いた。当初は短期での交代が続いていた副市長についても、2期8年在任の事例が現れた。総務・企画・財政部局の幹部人事についても、キャリアパスが比較的パターン化されていた。このように、特に神保市政の後半期については、安定した行政・政治体制が形成されていたと言える。戸田市は、行政・政治のありようを大きく変えないまま、人口急増に伴う近年の政策課題に対応してきたのである。しかし、神保が引退し、2018年の市長選挙で神保が後継指名した候補者を破った菅原が市長に就任したことにより、この

[70] 情報共有については、本会議や委員会の議事録・動画・資料、議案に対する賛否の結果と理由、政務活動費、視察結果などの公開状況、および、公開した結果どうなったかについてなどの検証の実施状況を、住民参加については、議会傍聴のしやすさ、議会報告会等の実施、住民からの意見受付などの状況を、議会機能強化については、議会基本条例の制定、議決事項の追加、事務局要員の増強、政策型議員提案条例の制定、ICTの活用など、議会本来の権限・能力を発揮するための機能強化の状況を、それぞれ調査し、数値化している。

[71] 印西市議会議員複数名へのヒアリングによる。

安定状況には変化が生じる可能性がある。菅原市政の下でこれからどのような行政・政治体制が形成されていくかは本章の分析の射程外であるが、神保市政期の行政・政治体制の特徴のどの部分が菅原市政に引き継がれ、どの部分が変化するのか、また、市長の長期在任傾向は継続するのか、それとも市長選挙の結果が流動化していくのか、今後も注意深く見守る必要があろう。

那賀町と印西市は、いずれも、合併後2年余りで首長の交代を経験した。自治体の枠組そのものの変化と自治体トップの変化という、人口急減・人口急増に起因するとは言い難い2種類の変化が相次いで生じたのである。那賀町では、現職町長の不祥事による辞職という予期せぬ事態の中、当時副町長であった坂口が町長となり、長期町政を築いた。町長交代による仕切り直しを経て、行政・政治体制の安定化が始まったと言えよう。印西市では、ごみ処理施設移転計画が争点となり、現職市長を破った新市長の板倉が計画を撤回した。選挙の結果が政策の転換をもたらしたのである。

（2）旧自治体の存在感の濃淡

合併時、那賀町と印西市は、旧町村単位に支所を設置した。その後、両自治体とも支所の職員数および管理職ポストの削減を図ったが、最近の動きとして、那賀町では「奥」の3支所において支所長と地域振興室長の兼務を取り止めたのに対し、印西市では本庁の市民部長が2支所長を兼務する体制を導入した。那賀町が支所に地元町村役場出身者を多く配属しているのに対し、印西市ではそのような傾向は弱い。課室統合後の支所内組織の名称は、那賀町では「地域振興室」、印西市では「行政サービス課」であり、前者のほうが総合支所であることをより強くアピールする名称となっている。以上を総合すると、旧町村役場としての支所の存在感は、那賀町においてより大きいと言えよう。広大な面積を擁する那賀町においては、町役場本庁から遠い住民に対して行政サービスを提供し、地域の要望を受け止める主体としての支所の重要性が高いということが、この結果をもたらしていると考えられる。また、印西市においては、ニュータウン地区と非ニュータウン地区という旧自治体の境界とは別の原理による地域区分が存在し、このことが旧自治体の意義を相対化しているとも捉えられる。

（3）人口と「自治」

那賀町で最も人口の多いのは旧鷲敷町域である。印西市ではニュータウン地区の人口が非ニュータウン地区を上回ってから久しい。しかし、両自治体とも、人口の多い地区が町政・市政において必ずしも主導権を握っているわけではない。那賀町では、旧鷲敷町出身の初代町長の不祥事という予期せぬ事態が引き金となったとは言え、現在の町長と副町長はともに旧5町村の中で最も人口の少ない旧木沢村出身であり、人口が旧5町村中3位である旧上那賀町域が最も多くの町議会議員を輩出している。印西市では、市長選挙において非ニュータウン地区の候補者が当選を続けており、近年はニュータウン地区からの立候補も途絶えている。市議会では、ニュータウン地区の議員が増加しているものの、依然として非ニュータウン地区の議員が過半数を占めている。このように、人口の多い地区への権力集中が抑制され、ある種のバランスが保たれているのが、両自治体の現在の政治秩序の特色である。「奥」（那賀川上流部の上那賀・木沢・木頭）や非ニュータウン地区において、住民の行政サービスへの依存度がより高いのであるとすれば、これらの地区の住民が地元の代表者を出すことに熱心になり、それが投票行動・選挙結果に反映されてこのような政治秩序が出現することは合理的な帰結であると言えよう。

しかし、このバランスが今後も持続するとは限らない。高齢化の進展などの結果、人口の多い地区においても住民の行政サービスへの依存度が高まれば、どの地区の住民も同じように地元の代表者を出すことに熱心になり、人口の多い地区から首長や多数の議員が選出されるようになる可能性もある。また、住民の転出によるさらなる人口減、あるいは多数の転入と転出が重畳することによる人口構成の変化も、その地区別の影響の方向性は一概には言えないものの、選挙結果に反映されるであろう。長期的に見れば、人口増減および人口構成の変化は、自治体の「自治」の根幹に関わる要素であり、選挙を通じて、自治体の行政・政治体制にも大きな影響を与え得るのである。

第３章　財政

１　はじめに

人口減少・少子高齢化が進む中、自治体財政の持続可能性が危ぶまれている。2014 年に発表された増田寛也編著（2014）『地方消滅』（中公新書）では、消滅可能性都市が 800 を超えることが多くの自治体にとって衝撃を持って迎えられた。その後、政府は都市部の人口一極集中を止めるために「地方創生」事業を展開していった。拡大する財政力格差を縮小させ、安定化した地方税体系を構築するための様々な税源偏在是正措置が実施されてきた。だが、税源偏在是正措置に対して都市部の自治体は、財政需要などを反映できないことや「地方分権」に逆行することから強く反発している。東京以外の都市部でも、いずれ人口減少が進むことが懸念されている。将来的には都市部対地方部の財源の奪い合い、すなわちゼロサムゲームでは自治体財政の持続可能性を担保することはできないだろう。日本には 1700 を超える自治体があり、自治体財政にも多様性があることを踏まえなければならない。例えば、都市部のベットタウンや人口規模が一定数ある過疎地域などの財政運営の持続可能性はどう担保されるべきか。それは財政の自治を保障しうるのか。

そこで本稿では、埼玉県戸田市、千葉県印西市、徳島県那賀町の３市町の財政分析を通じて、過疎地域だけでなく、都市財政の持続可能性をも担保するための手がかりを探りたい。具体的には、「人口が集中する自治体」と「人口が急減する自治体」が抱える課題を比較することで、財政力指数だけでは還元できない自治体財政の多様な側面を明らかにしたい。分析を通じて、近年の地方財政・地方自治をめぐる議論についても検討を行いたい[1]。

本稿の構成は以下の通りである。第２節では３市町の財政問題を整理し、第３節では３市町の財政計画の概要をみる。最後に第４節では、人口減少下の地方財政制度に内在する課題を検討し、自治体財政の持続可能性のために必要な方針について考察を行う。

２　那賀町、戸田市、印西市の財政問題

（１）那賀町の財政問題

徳島県那賀町は、過疎地域の一つであり、近年著しい人口減少に直面する自治

[1] 本稿は、倉地（2017）、倉地（2018a）における徳島県那賀町、埼玉県戸田市、千葉県印西市の財政分析での記述をもとにしている。

体である。人口の社会減を反映して那賀町の財政力指数は、類似団体平均よりも低い。ただし、2004年に合併を実施してから、財政状況は改善傾向にある。

那賀町の低い財政力指数の要因には、低い自主財源比率がある。地方税収を支えるのが固定資産税や法人住民税であり、町内に立地されている大塚製薬、大塚テクノの工場からの税収が重要な財源となっている。

自主財源比率は低い水準にあるものの、地方債残高は抑制的に推移しており、いわゆるイエローカードと呼ばれる「早期健全化基準」やレッドカードと呼ばれる「財政再生基準」に該当しているわけではない。そのため、自主財源比率の低さがすぐさま財政危機を招来するわけではない。

しかしながら、那賀町が広い市域を持ち、旧合併地区ごとに多様性を持つことから行政サービスの運営において困難を抱えている。実際、周囲に山々が連なる高低差の大きい地形となっていることから、行政サービス機能の集約化や行政効率の改善が難しく、相対的に消防や総務などの管理費が多くかかってしまうことがあげられる。

那賀町では合併後、合併特例債を活用して基金の積立やの建て替え、道路、庁舎、河川、水路等、廃棄物処理施設[2]などの行政施設やインフラ整備のために起債が進められた。

合併に伴う財政支援措置（合併特例債や交付税の合併算定替え制度）などは、合併から一定期間を経過すると段階的に縮小、廃止されることになっている。これらの合併に伴う国の財政支援措置は、合併後の市町村が行財政運営を効率化させ、同時に行政運営の一体化を進めることが狙いとされた。那賀町役場のある職員によれば、近年合併から 10 年以上経過したことから、以前よりも一体的な財政運営ができるようになったという。

しかし、合併から 10 年経過した現在においても、那賀町行政、特に予算の使われ方に関して住民間のコンセンサスが十分に取れているとはいえない。本研究所が実施した「那賀町生活実態調査」によれば、ある住民は「町の財政をほとんど元町に使わず前町外に使われていて不満である」、「木頭や木沢のほうばかり力をいれて、鷲敷のほうはおいてけぼりになっている様に思う」など、合併前後での地区ごとの予算分配について不満を持っているという。また、「エリアが細長く100km 近くある。上那賀、木沢、木通は1つの行政とするべきだ。人口も少ないのに奥の方と合併は不都合がでる。災害も奥の方が多いために、経費も多くかかる。一つの台風で災害復旧に多大な経費がかかる」など、広い町域ゆえに行政サービスの非効率性も指摘されている。

「那賀町は鷲敷と木沢だけではない木頭も上那賀も那賀町です」という意見が

---

[2] 那賀町では、ごみ処理施設の老朽化により、更新の時期が迫っていたことから、2016年に蔭谷地区に「那賀町クリーンセンター（仮称）」の整備計画が決定した。（那賀町 HP「那賀町クリーンセンター建設事業について」より http://www.town.tokushima-naka.lg.jp/gyosei/docs/3806.html）

象徴しているように、いかに町内で分断がみられようとも、どの地域も那賀町であることには変わりはない。今後、那賀町としていかに連帯していくかが問われている。

ところで、那賀町住民の税・社会保険料の負担に関して、「那賀町生活実態調査」では、負担が重いと回答する割合が他の給付・サービスに対する不満の割合よりも高かった。同調査の自由記述でも、税・社会保険料の負担に関して以下のような意見もみられた。例えば「住民税や介護保険料が他町村に比べ高すぎると思います。田舎に住んでいるメリットがあまりない。」、「税、社会保険料が重すぎるので生活が苦しいです。」、といった負担感に関するコメントや、「小学校が近いという利点があり、家を建てたが廃校となり、浸水被害に遭ったにもかかわらず固定資産税は高い。」といったように、過疎化が進む中で税負担が過大になっていったという声も寄せられた。

このように合併によって那賀町の姿や住民の暮らしの形が変わっていく中で、税・社会保険料の負担が那賀町行政の給付・サービスや生活の水準に見合ったものになっていないと考えられている可能性がある。

（２）戸田市の財政問題

埼玉県戸田市は、近年の流入人口増を背景に高い財政力を維持する自治体であり、一般的に「財政が豊か」な自治体として知られる。

1980年代初頭までは厳しい財政状況下にあったが、都市基盤の整備や公共施設の建設などのハード整備が盛んに行われた。そして埼京線が1985年に開通する数年前から固定資産税収が安定的に増加し、継続的な人口流入増加によって歳入が増加し、財政運営が安定することになった。その後、バブル崩壊の後遺症で、工場受注機会の減少や個人消費・設備投資が低調に推移し、財政力指数は県内1位であったものの、財政状況も悪化していった。その中で、神保国男市政のもとでは、経常経費比率が80%を超えていたことから財政健全化へ向けた取り組みが行われた（戸田市、2016:18-19,105）。2000年代初頭以降、戸田市の財政力指数はさらに伸び続けている。2006年度から2009年度まで1.4超えを記録した。しかし、2010年度から財政力指数は低下し、2012年以降1.2台に収束した。

財政力指数が高い要因は豊富な自主財源（2016年度は67.7%）の存在である。それを支えるのが、一つは流入人口の増加による豊富な地方税収（固定資産税や市民税）の存在である。いま一つは「ボートレース戸田」という競艇の存在である。競艇の収入は、一部が競艇配分金として戸田市、川口市、蕨市の三市の自治体歳入の諸収入に繰り入れられることになっている。ただし、近年は、競艇人気の低迷を背景に、競艇配分金が減少してきている。実際、2000年度には戸田競艇場の収益分配金が減少し、新年度事業に影響が生じるなどの問題が発生している[3]。

[3]「戸田競艇の売上高減少で新年度事業に影響」『朝日新聞』2000年2月23日、p.31。

だが、かつて歳入の多くを占めていた競艇配分金の影響は、標準を超えた高いサービス水準を維持する圧力として存在し続けている。というのも、とある職員によれば、財政が現在よりも豊かだった時代を知る住民が、現状よりも潤沢な財源が未だに存在するという印象を抱いてしまい、市に対して、より高い水準のサービスを求めてしまうことが理由の一つにある。それに加え、市内 50 か所ある「ちびっこプール」や全ての町会に町内館があるといったように、競艇配分金が多かった時代の公共施設が市内に残存しており、それの管理維持費が歳出増圧力の一因となっている。

戸田市は財政力指数が 1.0 を超えるため、「不交付団体」である。しかし、基準財政需要額は「標準」的なサービス水準を想定して行政需要を積み上げた数値であり、戸田市が「標準」を超えるサービス水準を提供しているかぎり、不交付団体であったとしても、「基準財政需要額自体は想定上の数値であり、実態としてはニーズが増えている状況」(財政課ヒアリング) であり、決して潤沢な財政運営ができているわけではないという認識である。

一方、行政サービスの歳出構造をみると、戸田市の財政は硬直化しつつある。歳出に占める扶助費の割合は、2005 年は 15.7%であったが、その後増加し続け、2015 年度には 26.8%まで増加し、裁量的経費に回せる財源が圧迫されている。これは保育園の増設に伴う児童福祉関連費と生活保護費（医療扶助）が大幅に増加したことが原因であり、今後も扶助費の増加が続くと考えられる[4]。

特に 2009 年度以降、扶助費の経常収支比率が増加傾向にあり、財政力指数は高くとも財政構造の弾力性は失われつつある。これは、民間保育所事業運営費等・公債費の増加によるものである。保育園増設に関して戸田市の負担増が際立っているのは、保育園の公定価格を決める際に戸田市特有の事情があることが分かった。実は、民間保育所運営委託料の一部について、戸田市の保育単価は地場産業の賃金の影響で近隣市町村よりも低くなっている。そのため、その差額分を戸田市の一般財源から追加で拠出するしかないのである。蕨市・川口市などの近隣市町村も同様に、保育園誘致・保育士確保のために競って引き上げている状況にある[5]。その結果、戸田市も保育士の給与水準をさらに引き上げることになり、今後も扶助費の増加が続くと考えられる。

戸田市では、行政改革プランの「定員管理の適正化」にのっとって職員数を削減し、人件費を削減していくことで、財政硬直化を食い止めようとしている。だが、戸田市では流入人口増加と高齢化が進む中で、行政サービス需要の多様化・

---

[4] 同様に、目的別経費でみると、民生費（住民一人あたり）は類似団体平均よりも高い。

[5] 戸田市は 2017 年 7 月に保育所用地に対する固定資産税等の減免を開始したが、その後 10 月に近隣の川口市が同様の施策を実施することを発表した。(川口市 HP「保育所等用地に係る固定資産税減免制度について」（https://www.city.kawaguchi.lg.jp/jigyoshamuke/7/hoiku/12974.html）)

増加が進んでいる。これに対して既存の公務員数で対応するには限界があり、公民館などハード面で充実している戸田市の町内会でさえも、慢性的な人手不足・役員の後継者不足に悩まされている。

（３）印西市の財政問題

千葉県印西市も埼玉県戸田市と同様に財政力指数が 1.0 を超え、「財政が豊かな」自治体といえる。印西市内の千葉ニュータウンの計画が策定されたのは 1967 年、入居が開始されたのが 1984 年のことであった。それ以降、市内の人口が増加し続け、特に 2010 年に京成成田スカイアクセス線、2017 年に北千葉道路の開通以降、都市部への通勤が容易になってきた。2019 年度以降は、市内への流入人口増やニュータウン地域には郵貯や三井住友銀行などの大型データセンターによって市税収（住民税や固定資産税）が増加し、不交付団体となった。

印西市も戸田市と同様に流入人口が増加するベットタウンである。しかし、印西市が戸田市と異なるのは、2011 年 3 月に合併を経験して誕生したということである。合併に伴い印西市、印旛村、本埜村の 2 村 1 市が合併したことで、旧印西市時代より市域は大きく拡大することになった。

旧 2 村 1 市にはもともと財政力格差があり、旧印西市の財政力指数は 2 村の 2 倍近くあった。もっとも、財政状況の著しい悪化が合併の直接的な原因ではなかった。

だが、合併によって旧 2 村・1 市で市民サービスは最も高い水準に調整されたので、旧 2 村の財政負担を 1 市が肩代わりしていることを懸念する市民もいるという[6]。板倉市長によれば「行政が遠くなった」という住民の声もあり、「行政サービスは低下していないと思うが、旧 2 村の市民には敷居が高くなったと感じている人も多い」と述べている[7]。また、合併から 1 年後に発生した東日本大震災の影響により、震災復旧による財政需要で合併後の体制の整備に遅れが生じている[8]。合併自治体に対する国の財政支援として、普通交付税の算定替え分が交付されたが、2015 年度より措置分の段階的縮小が始まっており、2020 年度には算定替え分はなくなり、一本算定のみとなり、施設の再編などに伴い財政的な厳しさが増す可能性が高い。

戸田市と異なり、印西市は行政サービスによる財政の硬直化はそれほど進んでいない。確かに増加傾向にあるものの、印西市の場合はすべての性質において住民一人あたりのコストが類似団体平均を下回っている。保育園数の増加や生活保

---

[6] 「開発で進む市内二極化　一体感ある地域づくり鍵　印西市（上）　【検証ちば　平成の大合併】（２８）」『千葉日報』2016 年 2 月 4 日。
[7] 「企業誘致で好循環期待　高齢化問題、対応に苦慮　板倉正直市長に聞く　印西市（下）　【検証ちば　平成の大合併】（３０）」『千葉日報』2016 年 2 月 5 日。
[8] 「企業誘致で好循環期待　高齢化問題、対応に苦慮　板倉正直市長に聞く　印西市（下）　【検証ちば　平成の大合併】（３０）」『千葉日報』2016 年 2 月 5 日。

護事業費増などによる扶助費の増加が進んでいるものの、これもまた戸田市と比較すると依然として大きなウェイトを占めていない。印西市に流入してくる人口は、千葉ニュータウン周辺に在住する者が多く、所得階層からみても（これからなるケースも含めて）生活保護等の福祉依存者の割合はそれほど多くないと考えられる。印西市の生活保護世帯受給率（2015年度）は千人あたり3.7%と千葉県平均13.4%と比較して非常に低いことが特徴的である（千葉県、2010）。また、高齢化率が全国的にみて低いことからも、福祉系サービスの需要が比較的小さく、他にも一人あたりの病院数や介護施設などが全国平均よりも少ない。他方で、投資的経費については2016年度が牧の原小学校新設、道路・公園及び給食センター整備事業などにより普通建設事業費が増加傾向にある。

このように「財政が豊か」といいながら、戸田市と印西市では財政を取り巻く事情が大きく異なり、それぞれに都市特有の課題がある。都市部には地方部のような共同体が希薄であるから、共同作業や相互扶助を代替する公共サービスの供給水準が不足すれば、都市社会の秩序も統合も破壊するリスクがある。そのため、大内兵衛がかつて述べたように、「都市の経済は豊かだけれども、都市の経営は苦しい」のである（神野、1995）。

3　那賀町、戸田市、印西市の将来計画

（1）那賀町の将来計画

那賀町で合併が検討されていた当時、仮に合併しなかった場合、旧合併自治体の自治体財政が人口減少によって行き詰まることが共通認識となっていた。合併後は合併財政支援措置による歳入増と経費削減による歳出減少によって那賀町財政の持続可能性を高めようとしてきた。

これまで那賀町は町村合併に伴い、旧町村が策定した行政改革大綱に則って行財政改革に取り組んできた。その背景には、合併時と同じ時期に実施された三位一体改革による地方交付税削減の影響で、那賀町財政が予想以上に悪化していたことがある。行政改革（集中改革）プランによれば、10年後の合併後の財政支援縮小が予想されることから、行政改革をしないまま歳出規模を継続した場合、2005年度から2009年度の5年間で約50億円の財源不足が生じるとされた。当時の基金残高は2005年度時点で19億円ほどしかなく、もし不足分を基金で補おうとした場合、2年間で基金が底をつくという状況だった。したがって那賀町では、行政改革による歳出の効率化と歳入の確保を行いながら、積極的に基金を積むことが必要だったのである（那賀町、2010b）。

具体的には、歳出面において職員の定員・給与見直しによる人件費の大幅削減（定員適正化計画に基づく職員数削減、民間委託の推進）、物件費・投資的経費の大幅な削減という目標が提示された。特に人件費については、那賀町の職員数は

類似団体に比べて 146 人多く、1000 人当たり職員数でも類似団体の約 2 倍の人数になっていたからである。歳入については、鷲敷工業団地への企業誘致を積極的に行い、法人住民税・固定資産税の増収を図ることや公有財産の売却（「阿井ビレッジ」と「日浦団地」）などによって確保することが目指された[9]。

・那賀町の公共施設維持管理計画

国土交通省によれば、高度経済成長期以降に整備された公共インフラなどの建設後 50 年以上経過する施設の割合が急増し、2032 年には道路橋、河川施設、港湾施設の過半数を占めるという（インフラ老朽化対策の推進に関する関係省庁連絡会議、2013）。

那賀町でも同様に、1981 年以前の旧耐震基準で建築された割合が 34.2%に及び、トンネルや道路などの生活インフラの老朽化が進んでいる。那賀町が策定した「公共施設維持管理計画」では 2017 年から 2026 年度の 10 年間で行い、2014 年度から 3 年間にわたり特別交付税措置（措置率 1／2）が行われた。計画に基づく公共施設などの除去については地方債の特例措置（地方債の充当率 75%）が設置された（那賀町、2017）。

・那賀町の基金

先述したとおり、那賀町では行財政改革による歳出削減を進めながら、基金残高の積み上げを行ってきた。合併時に財政調整基金を大きく取り崩して急減してから、その後毎年積み上げ、2012 年度には約 100 億円に達している。

那賀町では人口減少による将来的な財政状況の悪化（財政再生団体になる可能性）を見越して、行政改革の方針のもと、基金の積立、地方債の整理、そして個別政策のコスト効率化に努めてきた。しかし、これらの将来への対策は、とある職員によれば、中長期的な財政計画に基づいているというより、単年度の歳出項目を効率化させ、「できる限りは積めるものがあれば積んでおく」というやり方が中心的であるという。

もっとも、池上（2017）が指摘するように、基金を積み増すことと、地方交付税による財源保障との制度的関係はない。財政力指数が悪化すれば、その分地方交付税による標準的な保障が行われるし、それが基金積み増しと紐付いてるわけではないからである。それでもなお、那賀町が基金を積み増そうとするのは、将来の地方消滅や地方交付税改革に対する財源保障への「不安感」のためであると考えられる。

---

[9] 行政改革の結果、歳出削減については、大幅な職員減・給与抑制によって目標をおおむね達成することができた。また、公債費管理についても、減債基金を積極的に積み立てながら、起債残高を少しずつ減らした。歳入確保については、公有財産の売り払いを行い、木質バイオマス関連事業の実証実験を実施しながら工業団地への企業誘致を積極的に進めたといわれる（那賀町、2010a）

（２）戸田市の将来計画

埼玉県戸田市は、徳島県那賀町とは対照的に「財政が豊かな」自治体ではあるが、それが財政の持続可能性を担保しているわけではないと考えられる。

戸田市では、今後の歳入・歳出の動向を捉え、中期的な健全財政を堅持するための計画として、財務部財政課が５カ年の中期財政計画に関して、毎年度ローリングを行って公表している。中期財政計画は、「各課からの見込み等に基づく歳入、歳出推計を基礎」とし、財務部財政課が財政計画（総括表）を作成する。計画は、「財政運営の健全性を堅持するための指針の一環」とすることを目的の一つとする。

中期財政計画によると、歳入については、それぞれの科目について推計方法が示されている。詳細は割愛するが、市税に関しては、次年度分を前年度等の過去のパターンや景気動向などから見込み額を推計し、次年度以降は同額としている（税制改革の影響も加味）。また国庫支出金なども、当年度の伸び率を勘案して、次年度以降の推計値を出している。このように基本的に歳入推計は、次年度の見込み額を過去のパターンから推計し、それ以降は同額あるいは同率の変化が続くとしている。

歳出に関しては、今後は、扶助費の増加、国民健康保険、介護保険、区画整理事業などの特別会計への繰出金増加、公債費の増加によって経常的経費の増加が見込まれる。同時に、公共施設回収や都市基盤整備などに用いる臨時政策的経費に必要な財源も増えるのだが、計画によれば財源不足が生じる。そこで計画では、一定基準の削減を目標として設定し、臨時・政策的経費に配分できる財源を確保する。

主な削減項目としては、①経常的経費の削減、②都市基盤整備事業費の抑制、③その他の臨時・政策的経費の維持などとし、基金残高の維持を目指す。計画の策定の際には、各担当課に見込みをヒアリングするが、その際各担当課は前年度の伸び率を前提として要求を行う。しかし、これらの要求を合算すると、過去の実際の伸び率を超えて歳出規模が過度に大きくなってしまう。そこで財政課が過年度の実際の伸び率を超えないように調整を行う。とある職員によれば、次年度の歳出見込みに関しては実態に基づいたものにし、それ以降の年度の見込みについては戸田市財政の厳しさを示すという狙いが計画策定当初からあったという。

中期保全計画によれば、地方債残高は、小中学校、文化会館などの公共施設改修により、新規借入がピークを迎えることから、2020 年度まで増加し、2021 年度から 2022 年度まで減少する見込みである。元利償還金は 2020 年度において 30 億円台に達することが見込まれている。また、将来負担率についても、地方債残高と連動する形で 2020 年度にかけて上昇するが、2021 年度以降は減少する見込みである。

中期財政計画の課題としては、「臨時・政策的経費をこれまでのように計上した場合、大幅な財源不足に陥」り、「財源不足額に対しては地方債と基金を充当することとなるが、地方債は適債性のある事業のみにしか起債できず、また事業費の全額を起債できるわけではない」ので、「実質的には基金繰入額の上限によって、臨時・政策的経費の上限が左右される」ということである（戸田市、2017:8)。しかし、将来的に公共施設の老朽化による大規模修繕・建て替えによる多額の経費を賄う必要があり、一定水準の基金残高を確保する必要があるだろう。

続いて戸田市が発表した「戸田市まち・ひと・しごと創生総合戦略に係る人口ビジョン」では、将来の人口変化が地域の将来に与える影響が分析されている。報告によれば、市税収は固定資産税の占める割合が大きいことが特徴であり、景気や減税の影響を受けにくい。だが、長期的には生産年齢人口減少による減収が見込まれ、2010 年度に 83.7 億円だった個人市民税が、2040 年度には 74.7 億円、2060 年度には 63.6 億円に減少する見込みである。また、歳出については、扶助費、国民健康保険、介護保険、後期高齢者医療保険の市負担分の増加が見込まれる（戸田市政策研究所、2009)。

また、戸田市が発表した「公共施設維持管理計画」によれば、他市町村と同様に、戸田市でも人口増加に伴って公的インフラ整備を集中的に進めてきたが、近年は公共施設のインフラフの老朽化によって既存施設をどう維持していくかが課題となっている。更新費用の総額は 50 年間で約 1174 億円に及び、年度あたり平均費用は約 23.5 億円となっている。また、「戸田市公共施設再編方針」によれば、今後 30 年間の将来更新費は約 547 億円に及び、年度あたり平均費用は約 18.2 億円となる。施設の維持・運営・更新の将来費用は年度あたり約 99.9 億円となる（戸田市政策研究所、2009)。

以上のような将来計画や財政上の見通しは、ヒアリングによれば、必ずしも戸田市議会全体で共有されているとは言えない状況であった。会派 A では、国や県の補助金を積極的に活用するよう働きかけることを重視していた。会派 B では、市長の健全財政路線を踏襲していた。また会派 C は、様々な事業の補助金に無駄があり、とりわけ行政職員がオーバーワークの一方で委託料が多すぎることを批判していた。対照的に会派 D では、高齢者などのサービス縮小や負担増加を批判し、積極財政路線を主張している。将来的な高齢化に対しても税収の安定的な増加が見込めると主張していた。

他にも基金に関しては、会派によって「積みすぎだ」という声もあれば、基金残高を維持すべきというスタンスもみられた。またインフラ維持管理についても、計画的に対策をしてはいるが、見積もりが正しいかどうかを疑問視する声もあった。新住民と旧住民の間で予算を巡って地域ごとに対立が起こっているという指摘もあった。

（３）印西市の将来計画

千葉県印西市も埼玉県戸田市と同様に「財政が豊かな」自治体ではあるが、同じく財政運営の持続可能性が懸念されている。

印西市における財政計画を確認しよう。印西市が発表している財政計画は、後期計画・第二次基本計画に盛り込まれた施策の実施計画の一部である。そのため、独立した（あるいは総合計画を補完するような）中期財政計画というわけではなく、毎年度のローリングを実施するわけではない。

では財政計画と予算編成の関係はどのようなものか。印西市の毎年度の予算編成のスケジュールは、10 月頭に編成方針を発表し、10 月中旬に各課で上がった概算要求を各部 7 名の担当をつけヒアリングをして査定し、1 次の内示を示すのが 11 月中頃、その後 2、3 日後までに復活要求をし、それを査定後、2 次内示を出し、最終復活のヒアリングを市長・副市長を交えて行う。12 月の中頃から 1 月の上旬にかけて議会に上程し、3 月に議会で承認を出す、というスケジュールになっている。このように毎年度の予算編成のスケジュールは、過密な日程で組まれており、現時点でここに中期財政計画の変更・評価等を予算編成過程に組み込むことは難しいと考えられる。

中期財政計画での目標値は以下のように定められている。経常収支比率は 90%以下維持、実質公債費率は 10%以下維持、将来負担比率は 10%以下維持、地方債残高は 2022 年末までに 135 億円程度に減らすこと、財政調整基金残高は標準財政規模の 20%程度を確保、特定目的基金残高は 70 億円以上維持、職員数は 2022 度までに 675 人（2015 年度 660 人）まで増やすことを目標としている。

財政課によれば、中期財政改革の目標値は以前から同一であり、経常収支比率を最も重要視しているという。通常 90%、10%を投資的経費に回すことを目安としている。もっとも目標を設定すること自体が、機動的な財政運営を縛ってしまう恐れがあるので、実現のできない目標ではなく、クリアできる目標を立てている。また、基金に関しては、現在のところ新規に創設・廃止の計画はなく、標準財政規模の 20%水準維持を目安とし、決算剰余金の 2 分の 1 を積むことを目標にしている。

2020 年度までの財政収支の見通しについては、「先行き不透明な経済情勢の中で安易な伸びは見込まないこと」、今年度の当初予算額をベースとし、一昨年度の決算、昨年度の予算・決算を参考にし、第二次基本計画の中で見込んだ人口をもとに算出している。税制改革の影響や普通交付税の算定替え縮小の影響も加味している。

地方債残高については、市債残高が 2015 年度の約 179 億円から、5 年後・2020 年度までに約 134 億円まで減少すること（実質公債費比率 10%以下を維持）、あわせて将来債務残高合計が約 105 億円から約 50 億円まで減少することを見通している。一方で基金残高も 129 億円から 79 億円まで減少（このうち財政調整基金が 14 億円程度減少）することを見込んでいる。

以上の見通しを踏まえて、収支試算における今後の課題と取り組みについては、①市税などの一般財源確保、②経常的経費の抑制、③投資的経費の取捨選択と充当財源の確保、④基金の適正管理をあげている。今後、市税の大幅な増収が見込めない中、老朽化した施設の維持管理費・教育施設費用の増加、単独事業による整備費用の増加など、将来的な財政ニーズに対して計画的に対応していくことが課題となっているのである。

印西市が直面する問題として、広い市域に点在する公共インフラの老朽化への対策があげられる。印西市が 2017 年 3 月に公表した「印西市公共施設総合管理計画」では、計画期間を 2017 年度から 34 年間とし、人口数の将来見通しや高齢化率を踏まえてシミュレーションが行われている。試算によれば公共施設・インフラの更新などに今後必要な額は約 55 億円であり、今後 34 年間で毎年度平均 33 億円程度の不足が見込まれている。そのため、公共施設の延床面積を、現行の水準から 34 年間かけて 34%分の施設を減らしていく必要があるという[10]。近年、施設縮減の影響を抑えるため、跡地などの未利用地の売却、指定管理者制度の導入、PFI 手法の活用、国庫補助・地方財政措置、広域連携の検討などといったソフト面の取り組みが行われている（印西市、2017）。

これに対して、34 年で 34%減らすことの実現可能性への疑問や「資産管理の手段と窓口に関する組織の大幅な変更・改変を視野にいれているか」、「老朽化して維持費がかかるという分析だけでなく、30 年経って利用実態がどう変わってきているか」といった質問も出ている[11]。

以上のように、財政状況の良し悪しにかかわらず、いずれの市町でも将来の財政計画に対して深刻な課題を抱えていることが分かった。ただし、その課題は自治体の財政状況だけでなく、人口構成や地理的状況に大きく左右されている。

4　一極集中・人口減少時代における地方財政の見通しと自治の難しさ

本調査で明らかになったのは、人口減少地域と人口増加地域に共通する財政運営の見通しの困難さである。以下では、財政の将来見通しに関わる課題を整理した上で、人口減少時代における財政の自治のあり方について検討を行う。

（1）中期財政計画の課題

予算論の研究で知られる加藤芳太郎は、計画と予算が企画部局と財政部局の異なる行動様式として現れる点で本質的に異なることから、この違いを「計画・予算ジレンマ」と名付けた。そして、このジレンマを解消する橋渡しとして「中期財政計画」を位置付けた。それは単なる歳出計画や財政フレームとも異なる。ま

---

[10] 2017 年度から企画財政部が担当し、試算経営課がファシリティマネジメント同士で連携を行う予定である。

[11] 印西市議会『議会だより』No.181、p.8
；印西市議会『議会だより』No.177，p.2。
http://www.city.inzai.lg.jp/cmsfiles/contents/0000006/6104/kaigiroku.pdf

た、毎年度のローリングの作業だけでは不十分であり、予測から見通し、計画にいたる方法の評価と意思決定、その基準の考え方の再評価を絶えず行う必要があるという。したがって、加藤のいう「中期財政計画」では、長期で自由な「計画」と短期で保守的な「予算」の間で整合性を保ちながら、予算循環に絶えず反映させ、ジレンマを解消することが理想である（加藤、2008；加藤、1982；加藤一明・加藤芳太郎・渡辺、1973：203－205）。

しかし、本稿で取り上げた市町の中期財政計画では、毎年度実施するローリングや改定によって経済状況の変化を反映させていたとしても、過去の見通しを評価し、毎年度の予算運営に反映させることは十分にできていない（あるいは、その必要がない）。

加藤の指摘するような形で中期財政計画を立てることが難しいのは、人口減少・少子高齢社会における地方財政が抱える困難によるものだと考えられる。以下では理由を3つ述べる[12]。

第一の問題は、中期財政計画を立てるための人的・時間的リソースが不足していることである。

調査対象の自治体に限らず、自治体の予算過程において、議会での審議期間が短く、十分な議論が行えていないことが指摘されている[13]。その結果として、市民の要望を予算過程に反映させる仕組みが十分に設けられていない。3市町のいずれも予算過程において、(パブリックコメントなどを除き) 市民を巻き込んでいくための具体的な取り組みはみられなかった。その背景には予算過程における厳しい人的リソース・時間リソースの制約があると考えられる。

第二の問題は、自治体が独自に中長期財政計画や人口ビジョンを策定することの妥当性である。財政運営の将来推計は景気変動に対する仮定を踏まえ基本的には前年度までの税収や歳出動向が続く事が前提とされる。したがって急な人口増減や景気変動は想定されていないので、将来推計と大幅にズレる可能性がある。特に市域が狭い自治体や再開発が進む自治体では、急にマンションが建ったり、路線の開設などによる近隣自治体からの人口流入などが起こったりするため、予測するのが困難である。

長期の推計においても同様である。例えば戸田市では現在若年層の流入人口が増加しているが、次第に増加幅も減っていき、人口減少と高齢化が同時進むといわれている。だが、この影響で課税所得がどれほど減るのか、地価がどう変化す

---

12 山本（2003）は、自治体財政の見通しの課題として、個々の自治体が地域の将来像を描くことの難しさがあるという。自治体の財政見通しの課題として、人口減少、経済停滞、そして地方財政制度の見通しの3つをあげ、いずれも自治体での対応レベルを超える課題だと論じている。

13 地方自治総合研究所が実施したアンケート全国調査(1342市町村回答)によれば、約77.3%が地方版総合計画の計画策定をコンサルタントやシンクタンクなど外部に委託していたことが分かった。委託理由としては多くの自治体が職員の事務負担軽減をあげていた。

るかを予測するのは困難である。
第三に「未来を縛ってしまうことが、今を縛ってしまう」ということがある。仮に中長期財政計画を立てるリソースを確保し、妥当性を高めることができたとしても、その計画がかえって弊害をもたらす可能性もある。なぜなら、歳入と歳出の自治が確保できていない状況では、将来計画を綿密に立てるほど、現在の財政運営の仔細を縛ってしまい、財政を硬直化させるからである。言い換えれば、現行の中期財政計画は、現行の税制や歳出構造を前提としているため、将来の財政状況に影響を与える増税・減税、あるいは行政サービスの再編成を想定していない。そのため、将来の財政運営のあり得た可能性を縮める、すなわち財政の自治を将来に渡って侵害する可能性がある。
実態として財政課・企画課が策定する中長期財政計画は、当該年度の予算過程で議員の予算要求に対して財政状況の厳しさを客観的に示す指標として用いられていた。その結果、短期的には、中期財政計画や当該年度予算を厳しい想定で設定してしまい、決算時に想定よりも財政状況が好転し、財政調整基金を積みます場合が少なくない。
一方、長期的には将来計画に一定程度幅をもたせることで、当該年度の予算運営を柔軟化できるインセンティブが働く。また、財源保障が確かではない状況では、中期財政計画の想定を絶えず当該年度の予算運営にフィードバックさせるインセンティブはないといえる。すなわち、将来の保障がない状況で財政の自治を考えるならば、未来を厳密に測ってはいけない、ということもできる。
以上を踏まえれば、自治体にとって合理的な中期財政計画とは、厳しい想定のもとで財政状況の厳しさを短期的に示しつつも、中長期的には将来を縛らないように計画そのものを一定程度幅をもたせるような計画である。

（2）財政の自治が発揮できない

人口減少、東京一極集中が進む中、近年政府は自治体に対して「公共施設維持管理計画」や「人口ビジョンの策定」など、中長期計画の策定を課してきた。地方分権改革の進展によって、自治体の権限が強化された一方、自治体財政運営や行政計画の責任が一層問われるようになった。名目的には自治体による自主的な計画策定であるが、実態としては、計画策定が補助金交付の前提であることが多く、強制的に計画を作らざるを得ない状況にある[14]。
中期財政計画を自治体自らが立てることは、財政の自治が発揮されているように思われるが、本稿で指摘したように、中長期的な視点から財政計画を立てることは、個々の自治体にとって容易なことではなく、仮に立案できたとしても、そ

[14] 例えば、礒崎初仁（中央大学）は、2019年12月に開催された全国知事会の研究会で、国が自治体に計画策定を実質的に義務付ける事例が増えてきており、このような統制を「柔らかい手法の統制」と表現している（時事通信社「【中央官庁だより】　◇「柔らかい統制」が多過ぎる？＝地方6団体②」2019年12月23日）。

れが現在の自治体財政の自治を担保するわけではない。それどころか「未来を縛る」ことが「現在を縛る」ことになり、現在の財政の自治を阻害してしまう可能性があるのではないか。

では、財政の自治とはそもそもどのような概念なのか。飛田（2013）は、財政の自治を（1）権限（歳入と歳出の自己決定権）、（2）自律（監査や内部統制などを通じた適切な運営、住民への責任説明、予算編成過程や議会の審議などを通じた適切な資源配分）、（3）参画（国と地方の間の参加、住民の参加）に分けて検討している。

（1）権限に関して、日本の地方財政制度は、集権的分散システムと指摘されるように、地方が執行を担うため歳出規模は大きくても、権限は中央に集中する構造になっている（神野、1998）。国際比較の観点からいえば、日本の地方財政は「3割自治」と揶揄されるように、依存財源の割合が高く、自主財源に乏しい。対照的に、自主財源比率が 7～8 割を維持する北欧諸国では、依存財源率の高さが財政の自治を発揮する制度的基盤になっている。国に対する補助金削減や様々なルールの義務化に対しても強い財政自主権を発揮することで対抗することができる（倉地、2018b）。

とはいえ「3 割自治」といっても、依存財源である地方交付税交付金は、名目的に一般財源であり、地方の固有の財源である。算定方式がミクロの積み上げだったとしても、財源に色はない。であれば地方交付税交付金が地方自治体によってどのような財源の位置づけであるかが重要であろう。すなわち、地方交付税交付金において、（1）権限と（2）自律がどのように担保されているのかを今後検討していくべきだろう。

ここで重要となるのが、地方交付税交付金は自治体の一般財源であると同時に、国による強固な財源保障が不可欠となっている現状である。地方交付税交付金の不足する交付税原資を保障するのが「一般財源保障ルール」である[15]。このルールによって当面の間は自治体に財源保障が行われ、持続可能性を担保することができる。

しかしながら、「一般財源保障ルール」が中長期財政計画、人口ビジョン、「2040年問題」に向けた計画策定と当然リンクしているわけではない。とすれば、自治体の中長期財政計画や人口ビジョンは、不確実な国の財源保障の見通しのもとに計画策定されることになる。また、仮に「総額」の保障がなされたとしても、その中身には十分な関心が払われていないのではないか。国・地方の厳しい財政運営状況を踏まえれば、確実な財源保障を前提にすることは難しいかもしれないが、自治体にとっては中長期財政計画が計画通りにいくかどうかは国次第であり、加藤があげた中期財政計画のあり方からは乖離してしまうだろう。

---

[15] 骨太の方針 2004 年において、地方自治体の安定的な財政運営に必要な一般財源総額確保を目的に、政府の財政方針として「一般財源総額確保」を担保として財源保障が行われている（飛田、2017）。

（3）近年の地方財政を巡る議論と財政の自治

（i）自治体基金問題について

近年の地方財政制度改革は、財政の自治に対してどのような影響を与えるのか。以下では自治体基金問題と税源偏在是正措置をめぐる自治体間の対立を取り上げて論じたい。

2017年度に争点となったのは自治体基金問題であった。本稿で指摘したように、将来を見通した財政運営が重要視されるほど、自治体では基金の積み増し、競争的補助金への依存、税収の奪い合いなど、目先の財政運営の取り組みが重視される傾向にある。将来を見通しているから基金を積み立てるのではなく、見通せないからこそ、基金を積み立てている。

繰り返すが、池上（2017）が指摘するように地方交付税と自治体基金の積み増しには制度的な直接の関係はない。なぜなら、制度上、地方交付税交付金の一般財源保障ルールによって、地方自治体はマクロ・ミクロの財源保障が確保されており、財政調整基金を必要以上に積まなければならない理由はないからである。しかし、たとえ地方交付税の財源保障が基金と制度的には関係がなくとも、（財政力の弱い自治体において）基金積み増しこそが自治体の合理的な財政運営の姿となっている。

これに対して、財務省や民間議員らによって、基金を積みますことは財政運営の余裕の現れだとする議論が展開されている。しかし、このような議論は基金の積立が将来の地方債返済や公共施設の維持管理などを目的としていることを反映してないと総務省や地方団体側は反論する[16]。

対して財務省や民間議員らは、基金が地方財政の余裕の現れとし、基金が多い自治体の地方交付税を削減することも提案している。だが、基金をどう積むかはルール化されているわけではない。交付税削減によって自治体に基金を積ませる／削減させるように誘引付けることは財政の自治を侵害することにほかならないだろう。とはいえ、基金を積み増すことは後年度に財源の使いみちを委ねることを意味する。であれば、その意思決定は現在の納税者の意思が反映されておらず、また単年度に収まらないので、財政民主主義の観点からいえば望ましいとはいえない。今後、基金問題が衆目を集める中で、地方交付税のあり方が問われるだろう。

（ii）地方税の財源調整財源化

自治体基金問題と並列して、税源偏在是正措置をめぐる地方自治体間の対立が2018年以降顕著になってきている。拡大する都市部と地方部の財政力格差を背景に、税源の「偏在」を是正する措置、いわゆる税源偏在是正措置が繰り返し行わ

---

[16] 自治体基金をめぐる地方財政の状況については、『都市問題』2018年2月号「自治体基金の行方」が詳しい。

れてきた。
東京都は、繰り返される税源偏在是正措置によって都の財源が奪われていることを批判し、その論拠として税収格差が地方交付税によって調整されている一方で、首都東京特有の膨大な財政需要（少子高齢化対策、社会資本の老朽化、防災対策、オリンピックなど）が生じていることをあげている（東京都、2017）。
上で述べたように、本来であれば、財政力格差を是正するのは地方税ではなく、地方交付税であるが、地方税を財政力格差のスキームとすることで地方自治体が財源をめぐって対立するように仕向けられている。全国知事会が自治体間の対立のアリーナとなり、「国と地方の協議の場」は形骸化し、一枚岩となって国に交付税原資の拡充を訴えていく政治的パスが閉ざされている状況にある（倉地、2018b）。
戸田市や印西市のような不交付団体は（交付税措置がないことから）「ふるさと納税」による減収分がダイレクトに影響を与える。地方税の財源調整財源化が進めば、地方税の応益原則が損なわれ、住民と自治体サービスの関係性が壊れていくことになるだろう。この意味で財政の自治は「地方税の財源調整財源化」（星野、2019）によって大きく後退していくだろう。

（iii）特定補助金化する地方交付税交付金

もっとも、近年では地方交付税交付金の総額自体は増加傾向にある。これによって財源保障が強化されたように思えるかもしれないが、財源増加分の多くはマクロでは歳出特別枠のような臨時的経費、ミクロでは交付税措置によるものであり、その内容はあまり問題にされていない（飛田、2017）。だが、交付税措置が拡大していけば、一般補助金である地方交付税の性格が特定補助金化していくことを意味する。確かに特定補助金は全国に共通する行政ニーズを補足し、一定の水準を保障するために効率的に機能する側面があるが、それぞれの地域において多様化・増加する財政需要には十分対応できないし、手段が目的化し、予算運営が財政民主主義の理念から乖離する可能性がある。
また、自治体の取り組みを指標化し、自治体の努力を反映させる手法が導入された結果として、一般補助金の特定補助金化が進んでいる。佐藤（2019）は、「国がインセンティブによって地方を統制しようとすればするほど、地方自治の素地が損なわれかねない」ことを指摘する（p.74）。インセンティブ付け行われるほど、内発的動機づけが失われ、住民自治を阻害することに繋がりうるという。
このように地方交付税交付金が総額ベースで増加していく一方で、その内容は変化しつつある。これまでの地方分権改革によって、地方自治体に対する数々の事務・権限移譲や規制緩和が行われてきたが、依然として財源面での分権化が課題として残されている。一方で広がる財政力格差を背景に、国の補助金に依存せざるを得ない自治体がますます増えている。
以上のように、近年の地方財政制度は地方交付税が特定補助金化し、地方税が財源調整財源化するという倒錯的状況にあるといえよう。正に本稿で取り上げた自治体は都市部と地方部の間で、地方財政制度を巡る変動に巻き込まれている。

（iv）今後の展開

地方交付税の財源保障のあり方はここ数年の話だけでなく、2040年といったより長期的スパンで検討すべき懸案であろう。政府は高齢化がピークになり、人手不足が深刻化する時期の問題、いわゆる 2040 年問題の解消に向けて、総務省による「2040 年問題」自治体戦略研究会を発足した。総務省が発表した報告書は、将来の公務員数が半数になり、それを代替するツールとして AI・RPA・ロボットの活用を提案した（自治体戦略 2040 構想研究会、2018)。この提案は多くの自治体にとって衝撃をもって迎えられ、多くの自治体で定型業務を RPA に置き換える取り組みが進んでいる。さらに、「2040 年問題」自治体戦略研究会の報告書を受けて、第 32 次地方制度調査会は、自治体戦略 2040 研究会での第一次・第二次報告を受けて、フルセット主義行政の見直し、圏域行政・共助の法制化などを、自治体へのヒアリングも踏まえながら検討している（第 32 次地方制度調査会、2019)。しかし、地制調の検討方針が分権的な地方財政のあり方と逆行しないか、自治体財政運営の多様性を損なうのではないかという指摘もあり、自治体側の不信感は根強い。

以上のような懸念点はあるものの、今後の地方財政制度改革に向けて、さらなる地方の人口減少、自治体間の連携・関係を前提にすることは、一定程度は避けられないだろう。それにもかかわらず、近年の地方財政制度は、財政の自治を進めるよりも、自治体間の競争・対立を煽る方向へと向かっている。税源偏在是正措置をめぐる全国知事会での対立、ふるさと納税をめぐる自治体間競争・地方の対立は氷山の一角である。単独の自治体だけでは行政ニーズの多様化・複雑化に対応することが難しくなると同時に、地方交付税や地方税が抱える課題も一つの自治体で解消することは難しいと考えられる。

本稿でみてきたように、財政力指数だけでは測ることができない自治体財政の課題は多くあり、それに対応できない状況が財政の自治の後退をもたらしている。分権的な自治体財政とは何か、そのためにはどのような地方交付税制度や補助金行政の形が望ましいのか。これを考える上で財源保障の総額だけでなく、その内実の検討が求められる。

参考文献

池上岳彦（2017)「地方自治体の財源保障と基金」『都市問題』第 109 巻第 2 号、pp.55-63。

印西市（2017)「印西市公共施設等総合管理計画概要版（平成 29 年 3 月)」

インフラ老朽化対策の推進に関する関係省庁連絡会議（2013)「第 1 回参考資料

（平成 25 年 10 月 16 日）」
加藤芳太郎（2008）『予算論研究の歩み』敬文堂。
加藤芳太郎（1982）『自治体の予算改革』東京大学出版会。
加藤一明・加藤芳太郎・渡辺保男（1973）『現代の地方自治―自治体の運営―』東京大学出版会。
倉地真太郎（2017）「徳島県那賀町における『自治』の諸相（7）――財政分析」『都市問題』第 108 巻、12 月号、p.92-105。
倉地真太郎（2018a）「埼玉県戸田市・千葉県印西市における「自治」の諸相（3）――財政分析」後藤・安田記念東京都市研究所『都市問題』2018 年 9 月号、pp.87-103。
倉地真太郎（2018b）「税源偏在是正の構図を読み解く」後藤・安田記念東京都市研究所『都市問題』2018 年 12 月号、pp.65-74。
佐藤一光（2019）「税源移譲の理想と現実―課税自主権行使による地方財源充実の困難性―」『都市とガバナンス』32、pp.64-76。
自治体戦略 2040 構想研究会（2018）『第二次報告』
（https://www.soumu.go.jp/main_sosiki/kenkyu/jichitai2040/index.html）
神野直彦（1998）『システム改革の政治経済学』岩波書店。
神野直彦（1995）「都市経営の破綻から再建へ」『都市を経営する』都市出版、pp.67-138。
第 32 次地方制度調査会（2019）『2040 年頃から逆算し顕在化する地方行政の諸課題とその対応方策についての中間報告』
（https://www.soumu.go.jp/main_sosiki/singi/chihou_seido/singi.html）
千葉県（2016）『千葉県統計年鑑(平成 28 年)』
戸田市（2017）「中期財政計画　（平成 29～33 年度）」
戸田市（2016）『戸田市史　昭和から平成へ』
戸田市政策研究所（2009）「急速な高齢化が戸田市へもたらす影響に関する研究～西暦 2035 年の高齢社会に備え戸田市は何を為すべきか～」
（https://www.city.toda.saitama.jp/uploaded/attachment/13487.pdf）
東京都（2017）「国の不合理な措置に対する東京都の主張 ― 地方消費税の清算基準の見直しに向けた反論 ―」
（http://www.zaimu.metro.tokyo.jp/syukei1/zaisei/291124syutyou.pdf）
飛田博史（2017）「地方交付税制度をめぐる 4 つの論点」『地方財政レポート'16』地方自治総合研究所、pp.153-170
飛田博史（2013）『財政の自治』公人社。
那賀町（2017）「公共施設維持管理計画」
（http://www.town.tokushima-naka.lg.jp/fs/3/9/8/4/7/_/nakachoukoukyousisetutousougoukannrikeikaku.pdf）
那賀町（2010a）「那賀町行政改革プラン 2010」

（http://www.town.tokushima-naka.lg.jp/gyosei/docs/3573.html）
那賀町（2010b）「那賀町行政改革<集中改革プラン>」平成 17 年度～平成 21 年度（http://www.town.tokushima-naka.lg.jp/fs/1/6/6/3/5/_/kaikakuplan.pdf）
星野泉（2019）「財政調整財源化が進む地方税」『生活経済政策』2019 年 2 月号、pp.25-29。
増田寛也編著（2014）『地方消滅 - 東京一極集中が招く人口急減 』（中公新書）
山本清（2003）「自治体の財政戦略―リスク対応と価値創造に向けて―」『地方財務』2003 年 1 月号、pp.22-30。

その他の資料

『朝日新聞』
『いんざい議会だより』
『千葉日報』

第4章　小・中学校

1　はじめに

地方政府の運営に携わる様々な主体（首長、議員、公務員）が行政サービスを供給する態様を考察する場面で、学校教育がその一つの素材となる。地方政府は一般に「地域社会に対する自律性」と「中央政府に対する自律性」の間でバランスを取りながら、自らの政策目標を達成するよう活動する[1]。

学校教育に及ぶ影響のなかでも特に注目されているのが少子化の進展である。少子化の影響によって児童・生徒数が減少することは、学校教育のいわば対象者（顧客）である児童・生徒数が減少することにつながる。これによって学級数の削減が生じると、やがて学校統廃合が実施される[2]。この実施にあたり、自治体は、地域社会との合意形成に向けて取り組むことになる。

他方で、児童・生徒数が増加する自治体では、その児童・生徒数に地域的な偏在が生じている場合、その問題にいかにして対処するかが問われる。地方財政の状況が厳しさを増すなかで、学校を新設することは極めて難しい。そこで、自治体は、児童・生徒やその保護者の意向を尊重しつつも、その偏在に対応しなければならない。

このように、「消滅」と「一極集中」のいずれの場面においても、人々（児童・生徒やその保護者と地域社会）と対話をして活動することが、自治体に求められている。ここでいう対話とは、人々が自身の見解を表明し、そして自治体が説明責任を果たすために適切な理由を提示しながら行う交流を指す。児童・生徒数が増減するなかで、自治体は対話を十分に展開して活動しているか、またその対話を豊かなものにするにはどうすればよいかが問題となる。

そこで本章では、年少人口の長期的な将来推計が異なる那賀町と、戸田市、印西市の小・中学校に関する事例研究を通じて、自治体による対話の現状やその課題を整理し、改善の方向性を示す。学校教育の現状には年少人口が増減する社会の様子が反映されることから、まず各自治体の児童・生徒数や年少人口の推計、学級数や学校数と地域の関係を整理する。それから、分権改革の成果である学校選択制は、教育の新しい動向の一つといわれるところ、戸田市と印西市におけるこの制度のあり方を整理する。そして、学校統廃合過程への地域社会の望ましい関わり方について、那賀町での調査結果をもとに考える。

本章の情報は、断り書きがない限り2019年5月31日現在のものである。また、本章中の組織名や肩書きは調査実施当時のものである。

---

[1] 北村亘、青木栄一、平野淳一『地方自治論――2つの自律性のはざまで』（有斐閣、2017）181頁。

[2] 北村ほか・前掲注（1）182頁。

なお、市・町の教育委員会と県教育委員会の関係については、県教育委員会にヒアリング調査を実施することができなかったため、考察の対象とはしない。また、那賀町における学校統廃合の地域社会への影響、戸田市における外国籍児童・生徒数や就学援助世帯数増加の背景やそれに対する取り組み、そして教育行政に関わる、戸田市の教育委員会改革や印西市の校務情報化の取り組みについては、別稿で取り扱ったことから、本章では取り上げない[3]。

2　年少人口と児童・生徒数

児童・生徒数とそのもととなる年少人口の動向は、那賀町と戸田市、印西市では大きく異なる。年少人口の増減の見込みによって整理をすると、年少人口の著しい減少が生じるのは那賀町、年少人口が若干減少するのは印西市、今後も年少人口が増加するのは戸田市である。

（1）那賀町

国勢調査における那賀町の年少人口は、2005 年に 1,162 人、2010 年に 866 人、2015 年に 698 人と、減少傾向にある。2018 年には、国立社会保障・人口問題研究所が「日本の地域別将来推計人口（平成 30（2018）年 3 月推計）」を公表した。この推計によれば、2020 年は 556 人、2025 年は 445 人、2030 年は 358 人、2035 年は 287 人、2040 年は 230 人、2045 年は 183 人へと減少し続ける。このように 2005 年から 2045 年までの 40 年間で、年少人口が 1,162 人から 183 人へと約 15% まで激減すると予測されている。

那賀町の年少人口の減少に影響を及ぼしているものとしては、自然減にくわえて社会減がある。児童・生徒の保護者の意向のために児童・生徒が町外に流出し、結果として年少人口の社会減がもたらされる。ここでいう保護者の意向は大きく二つに分かれる。一つは、児童・生徒がよりよい場所で団体活動（部活動や少年団活動）を行うことができるよう、そうした活動を行いやすい町外に転出することである。もう一つは、児童・生徒の兄姉が町外の高校に進学することをきっかけとして、家族全員で町外に転出することである。いずれも、子どものよりよい活躍の場を求めて、保護者が家族全員を引き連れて転出するものである。

2017 年 5 月 1 日現在、次節でみるように、那賀町立小・中学校に通う児童数は 285 人であり、生徒数は 160 人である。2016 年 4 月 1 日現在ではそれぞれ 285

---

[3] これらは、和田武士「2016 年度調査研究・中間報告　徳島県那賀町における「自治」の諸相（4）――小・中学校統合」『都市問題』108 巻 9 号（2017）89 頁と和田武士「2017 年度調査研究・中間報告　埼玉県戸田市・千葉県印西市における「自治」の諸相（5）――小中学校の現状」『都市問題』109 巻 10 号（2018）112 頁で取り上げた。本章はこれらの論文を再構成し、最新の情報を反映したものである。

人と 173 人であった。1 年間では児童数は減少せず、生徒数は 13 人減少（8%減）していることから、減少の度合いは直近では緩やかである。

（2）戸田市と印西市

那賀町と対照的に、戸田市では現在と将来の児童・生徒数に関わる年少人口が増加している。国勢調査の結果によると、2005 年から 2015 年までの年少人口の推移は、2005 年に 18,875 人、2010 年に 18,544 人、2015 年に 19,758 人と、年少人口がいったん減少したものの、増加に転じている。2017 年 1 月 1 日現在の年少人口は、21,092 人である。戸田市の場合、児童・生徒数の増加の要因として、一部地域での大型マンションの建設がある。

印西市においても年少人口が増加し続けている。国勢調査の結果では 2005 年に 12,570 人（旧印西市 9,119 人、旧印旛村 1,798 人、旧本埜村 1,653 人の総計）、2010 年に 12,802 人、2015 年に 13,825 人となっている。2016 年 4 月 1 日現在の年少人口は 14,424 人である。

2018 年度現在、戸田市と印西市の市立小・中学校に通う児童・生徒数は、次節でみるように 11,498 人と 8,988 人である。2010 年度から 2018 年度までの 8 年間で、両市ともに児童・生徒数の総計は 1,000 人程度増加している。

児童・生徒数が増加している戸田市と印西市では、質の高い教育を維持するための計画的な教員の配置（教員の増員を含む）が課題となっている。埼玉県教育委員会が法令上の定数を越えて加配する教員数は多くないため、県内の市にはそうした教員があまり加配されていない。このことから、戸田市に隣接する蕨市では、市立小学校全校で市独自の少人数学級を実施するために、2010 年から市費教員の採用を開始している。他方で、戸田市では市費教員の採用を見送ってきた。戸ヶ﨑勤教育長によると、一学級あたりの児童数を減少させることで教育効果が向上する証拠が存在しないためであった。印西市においても市費教員の採用は行われていない。

ただし、将来的な年少人口の増減は両市で異なる。国立社会保障・人口問題研究所「日本の地域別将来推計人口（平成 30（2018）年 3 月推計）」によると、2015 年から 2045 年までの 30 年間で、戸田市では 20,252 人が 21,264 人へと 1,012 人分増加（1.04 倍の伸び率）し、印西市は 13,831 人が 12,626 人へと全体の約 1 割に相当する 1,145 人分減少する。

3　学級数および学校数と地域

（1）那賀町

那賀町では児童・生徒数の地域的偏在が生じており、過疎化がとくに進行した木沢地区においては小学校と中学校が一校も存在していない。那賀町立学校設置条例に明記されている小・中学校の配置は以下の図表の通りである。

図表 4－3－1　那賀町立小・中学校の位置

出典）「国土交通省　国土数値情報（行政区域データ）」を使用し筆者作成

那賀町立学校設置条例中の小学校の名称、閉校の状況、2017 年 5 月 1 日現在の児童数、小学校が設置されている地域（合併前の旧町村）は、以下の図表のとおりである。各地域では、2005 年の自治体合併後に小学校の統廃合が進められてきた[4]。現在の条例上、各地域に小学校が一校は設置されているものの、旧木沢村の木沢小学校と旧木頭村の北川小学校が休校となっている（木沢小学校は 2014 年 4 月 1 日に休校し相生小学校に統合し、北川小学校は 2017 年 4 月 1 日に木頭小学校に統合した）。

[4] 和田（2017）・前掲注（3）90～91 頁。

図表 4－3－2　那賀町立小学校の状況

地域名	学校名	児童数	学級数
鷲敷	鷲敷小学校	147	8
相生	相生小学校	99	7 (8)
上那賀	平谷小学校	13	4
木沢	木沢小学校	0	0
木頭	木頭小学校	26	5
	北川小学校	0	0
合計		285	24 (25)

※表中で背景色があるものは、児童数が最多・最少のものである。
（出典）那賀町立学校設置条例（平成 28 年 6 月 8 日施行）別表第 1（第 2 条関係）。各校の児童数は、那賀町「平成 29 年度　主要な施策とその成果（事務報告書)」の「児童・生徒数・学級数・教職員数（平成 29 年 5 月 1 日現在)」(350 頁）に基づいている。表中の（）内は認可学級を含む学級数である。

那賀町立中学校に関する状況を整理したものが、下記の図表である。旧木沢村には木沢中学校が設置されていたが、合併前年の 2004 年に相生中学校に統合されたため、旧木沢村内に中学校は存在していない。そして、旧上那賀町の上那賀中学校は、2018 年 4 月 1 日に相生中学校に統合された。

図表 4－3－3　那賀町立中学校の状況

地域名	学校名	児童数	学級数
鷲敷	鷲敷中学校	65	5
相生	相生中学校	72	5
上那賀	上那賀中学校	9	2
木頭	木頭中学校	14	3
合計		160	15

※表中で背景色があるものは、児童数が最多・最少のものである。
（出典）那賀町立学校設置条例（平成 28 年 6 月 8 日施行）別表第 1（第 2 条関係）。各校の児童数は、那賀町「平成 29 年度　主要な施策とその成果（事務報告書)」の「児童・生徒数・学級数・教職員数（平成 29 年 5 月 1 日現在)」(350 頁）に基づいている。

各中学校とその通学区域の対応関係（2018 年度以降）は、旧鷲敷町内の生徒が通う鷲敷中学校、旧相生町内、旧上那賀町内および旧木沢村内の生徒が通う相生中学校、旧木頭村の生徒が通う木頭中学校となる。

旧木沢村の生徒が、隣接する旧上那賀町の中学校ではなく旧相生町の相生中学校に通学したのは、旧上那賀町内での学校統合の問題が解消されなかったことに起因する。旧上那賀町では、宮浜地区と平谷地区の住民がいわゆる「庁舎位置決定」をめぐり争い、その後も対立し続けたため、旧上那賀町の宮浜中学校と平谷中学校は上那賀中学校（宮浜地区にて 2004 年に創設）へと迅速に統合されなかった[5]。このことから、当時の旧木沢村が、旧木沢村の生徒に多くの生徒と学ぶ機会を与えるには相生中学校への通学が望ましいと考えた。当時の宮浜中学校生徒数は木沢中学校生徒数の約半数であり、また平谷中学校生徒数は木沢中学校生徒数とほぼ同程度であった。他方、相生中学校生徒数は木沢中学校生徒数の 5 倍以上だった。

これに関して、ある町議会議員によると、上流地域（那賀町を東西に横断する那賀川に着目して、旧上那賀町、旧木沢村、旧木頭村は「上流」、旧鷲敷町と旧相生町は「下流」と称されてきた）に暮らす人々は、上流から下流（さらには那賀川下流に位置する阿南市等）への人口流出を懸念し、人口流出に歯止めをかけるいわゆる「ダム機能」を旧上那賀町に期待していた。仮に旧上那賀町内の中学校統合が進み、旧木沢村の生徒が上那賀中学校に通っていたならば、「ダム機能」が果たされていたとその議員は推測している。

こうした経緯には、地域社会が学校統合に事実上大きな影響を及ぼすこと、ある地域の学校統合が他地域の学校統合にも関わること、そして学校統合が地域社会に一定の影響を及ぼすことが期待されていることが表れている。

そして、那賀町では、学校と地域のつながりを深めるよう「コミュニティ・スクール（学校運営協議会制度）」の取り組みが早くから進められていた。コミュニティ・スクールとは、合議制の機関である学校運営協議会を通して、児童・生徒の保護者や地域住民等が一定の権限をもって学校運営に参画し、教育委員会や校長とともに「地域とともにある学校」づくりを進める仕組み（地方教育行政の組織及び運営に関する法律 47 条の 6）である[6]。那賀町は文部科学省「平成 22 年度コミュニティ・スクールの推進への取組に係る委託事業」に参加し、災害を機に人口の減少に歯止めがかからない木沢地区で、学校運営協議会の組織の立ち上げなどを行った[7]。現在のところ町内において学校運営協議会は設置されておらず、

---

[5] 詳しくは、和田（2017）・前掲注（3）97 頁注（2）。

[6] 文部科学省「コミュニティ・スクール（学校運営協議会制度）」
https://manabi-mirai.mext.go.jp/torikumi/chiiki-gakko/cs.html

[7] 文部科学省「平成 22 年度　コミュニティ・スクールの推進への取組に係る委託事業の成果等について：資料 5 中国・四国地方」（2012 年 2 月）6 頁
https://www.mext.go.jp/component/a_menu/education/micro_detail/__icsFiles/afieldfile/2012/02/14/1316172_05.pdf

コミュニティ・スクールは導入されていない。

（2）戸田市

戸田市立小学校の位置と各学校の児童・生徒数・学級数は図表4－3－4と図表4－3－5のとおりである。児童数に着目すると、1,000名を超える戸田第一小学校や戸田第二小学校と、最も少ない笹目小学校の間には3倍以上の差が生じている。また、東部の小学校は児童数が多く、東部には数百世帯が入居するマンションが存在している。他方で、児童数が少ない小学校はおおむね市域の西部に位置している。

図表4－3－4　戸田市立小学校の通学区域と学校施設の位置

出典）「国土交通省　国土数値情報（小学校区データ）」を使用し筆者作成

図表 4－3－5　戸田市立小学校の児童数および学級数（平成 30 年 4 月 6 日現在）

学校名	児童数	学級数
戸田第一小学校	1,016	34 (5)
戸田第二小学校	1,031	33 (3)
新曽小学校	616	19
美谷本小学校	320	12
笹目小学校	315	15 (3)
戸田東小学校	897	27
戸田南小学校	718	23
喜沢小学校	373	14 (2)
笹目東小学校	744	26 (4)
新曽北小学校	725	26 (5)
美女木小学校	620	22 (2)
芦原小学校	693	22
合計	8,199	273 (24)

※学級数の欄中（）の数は、特別支援学級の学級数で内数である。表中で背景色があるものは、児童数が 1,000 名を超えるものと最少のものである。
出典）戸田市教育委員会『平成 30 年度　教育要覧　戸田市の教育』(2018) p. 21

戸田市立中学校の位置と各学校の児童・生徒数・学級数は図表 4－3－6 と図表 4－3－7 のとおりである。中学校の生徒数も、小学校の児童数と同様に、最多の新曽中学校と最少の美笹中学校ではその開きが約 3 倍となっている。そして、中学校の場所と生徒数の関係についても、小学校と同様に、生徒数が少ない学校は西部にあり、生徒数が多い学校は東部にある。

図表 4－3－6　戸田市立中学校の通学区域と学校施設の位置

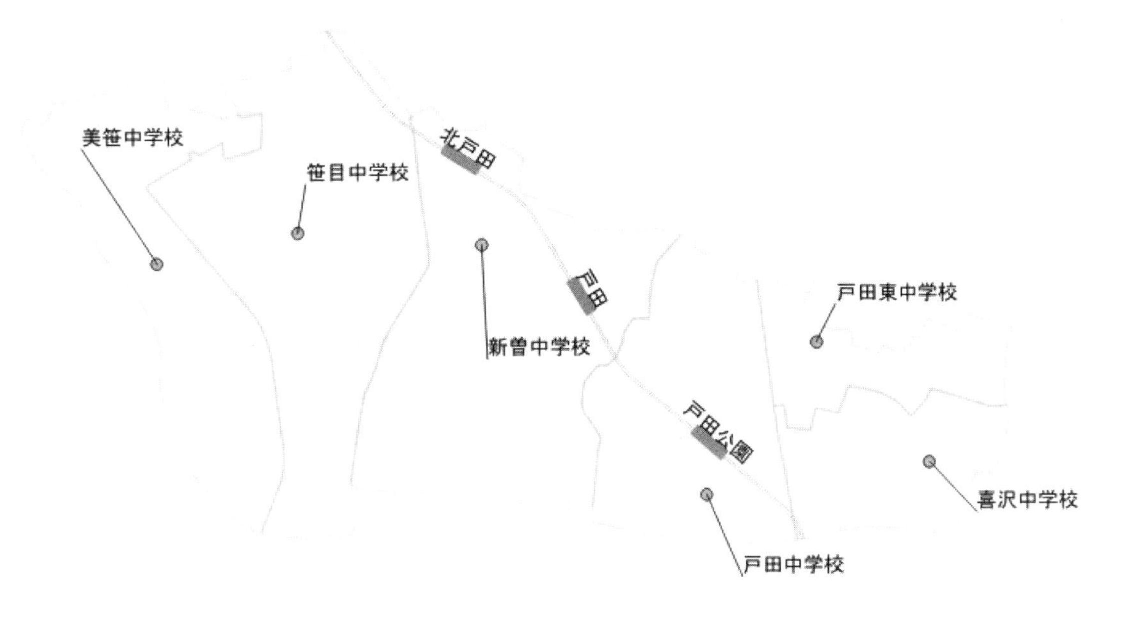

出典)「国土交通省　国土数値情報（中学校区データ)」を使用し筆者作成

図表 4－3－7　戸田市立中学校の生徒数および学級数（平成 30 年 4 月 6 日現在）

学校名	生徒数	学級数
戸田中学校	744	23 (3)
戸田東中学校	351	10
美笹中学校	265	10 (2)
喜沢中学校	475	15 (2)
新曽中学校	861	23
笹目中学校	603	20 (4)
合計	3,299	101 (11)

※学級数の欄中（）の数は、特別支援学級の学級数で内数である。表中で背景色があるものは、児童数が最多・最少のものである。
出典）戸田市教育委員会『平成 30 年度　教育要覧　戸田市の教育』(2018) p. 21

市内小・中学校のうち戸田東小学校・戸田東中学校についてのみ、市教育委員会は小中一貫校とする方針を示している。これは、市が実施した建物健全度調査の結果、両校を建替する優先度が高いと判明したためである。また、建替を推進する他の要因として、戸田東小学校区で児童数が急激に増加しているため、教室不足が生じる見込みであることもある。隣接する両校は同時に建替することとし、

2021 年度に供用が開始される予定である。

2018 年度から全小・中学校に学校運営協議会が設置され、コミュニティ・スクールとなっている。これは学校と地域の連携に特に力を入れたものだと評価できる。

（3）印西市

戸田市と同様に、印西市でも児童・生徒数の地理的な偏在がみられる。印西市立小・中学校の位置と、市内小・中学校学年別の児童・生徒数・学級数は図表 4−3−8 と図表 4−3−9 のとおりである。生徒数は学校間で大きく異なっており、千葉ニュータウン中央駅の北側にある小倉台小学校の生徒数は 1,100 名を上回る一方で、南部の宗像小学校の生徒数は 20 名程度にとどまっている。市内の小中学校では大規模化と小規模化が同時に進行しており、その対策が課題となっている。

図表 4－3－8　印西市立小・中学校の位置

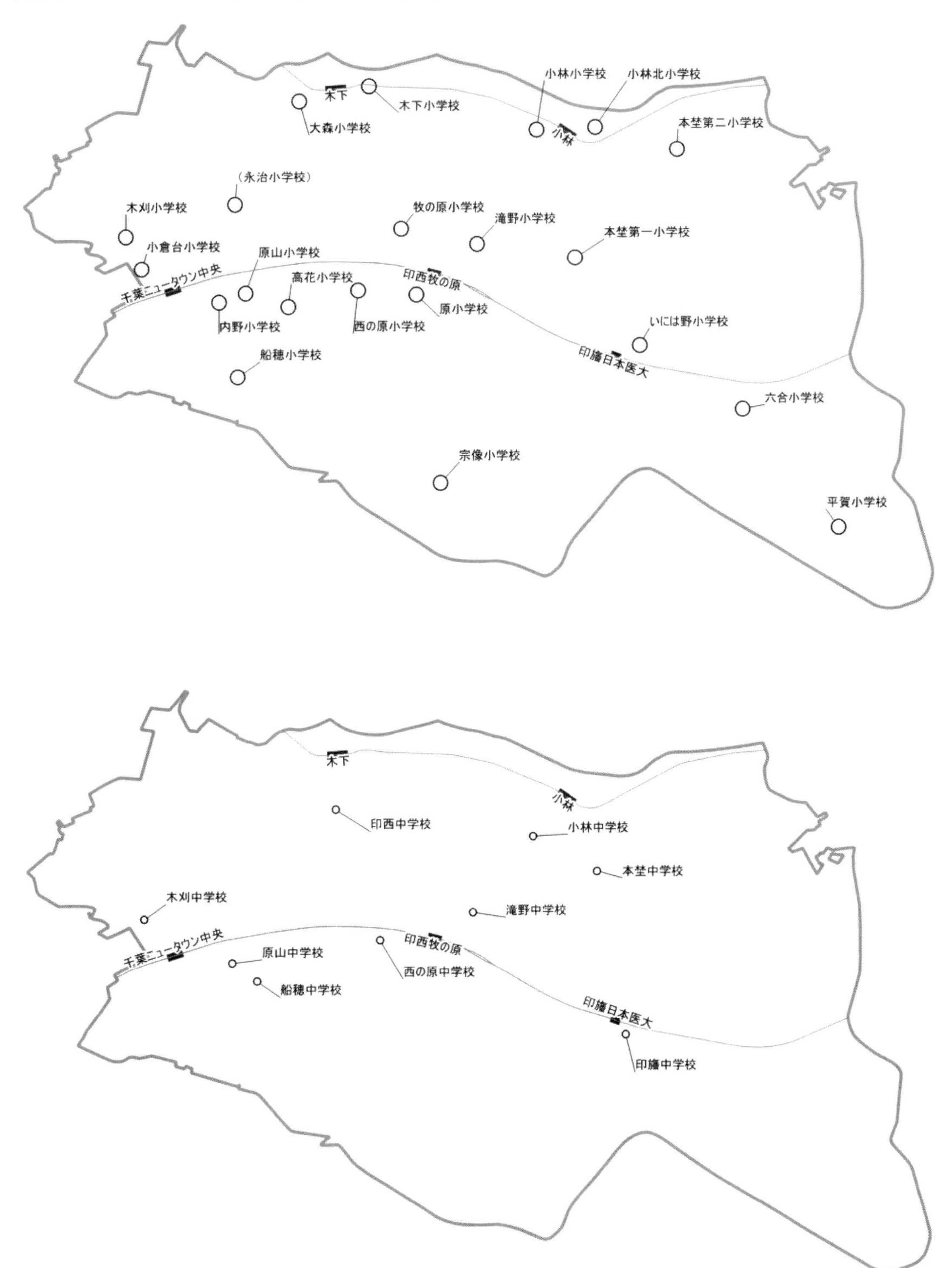

出典)「国土交通省　国土数値情報（行政区域データ)」を使用し筆者作成

図表 4－3－9　印西市立小・中学校の児童・生徒数および学級数
（2018 年 5 月 1 日現在）

学校名	児童数	学級数
木下小学校	329	14 (2)
大森小学校	197	8 (2)
小林小学校	172	9 (2)
小林北小学校	184	8 (2)
木刈小学校	604	20 (2)
小倉台小学校	1,121	36 (3)
内野小学校	399	17 (4)
原山小学校	239	13 (2)
高花小学校	319	14 (2)
船穂小学校	52	7 (1)
牧の原小学校	290	12 (2)
西の原小学校	442	16 (2)
原小学校	853	28 (2)
滝野小学校	386	14 (2)
宗像小学校	21	6 (2)
本埜第一小学校	53	6 (1)
本埜第二小学校	38	6 (2)
いには野小学校	476	19 (3)
六合小学校	94	8 (2)
平賀小学校	110	8 (2)
計	6,379	269 (42)

学校名	生徒数	学級数
印西中学校	315	12 (2)
船穂中学校	161	8 (2)
木刈中学校	533	18 (2)
小林中学校	145	8 (2)
原山中学校	275	11 (2)
西の原中学校	509	17 (2)
印旛中学校	367	13 (2)
本埜中学校	62	4 (1)
滝野中学校	242	10 (2)
計	2,609	101 (17)

※学級数の欄中（）の数は、特別支援学級の学級数で内数である。
※表中で背景色があるものは、児童生徒数が最多・最少のものである。
出典）印西市教育委員会『平成 30 年度　いんざいの教育』p. 11

児童・生徒数による学校規模の差は、1996 年度で小学校が約 11.1 倍、中学校が約 4.9 倍であった。図表 4－3－10 に示すとおり、将来的にはその差が拡大すると予測されており、2022 年度には小学校が約 32.9 倍、中学校が約 18.3 倍に達すると見込まれている。

図表 4－3－10　印西市立小・中学校の児童・生徒数の推移

【小学校】

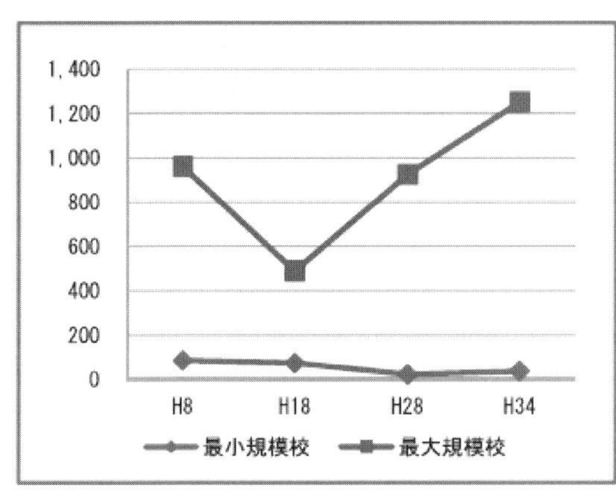

【中学校】

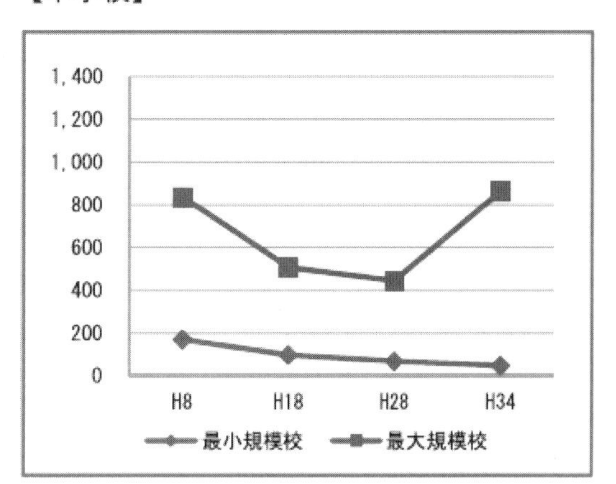

出典）印西市教育委員会「印西市学校適正規模・適正配置基本方針」（2016）p. 9

学校の大規模化が進む要因の一つは宅地開発である。千葉ニュータウン中央駅圏では、独立行政法人都市再生機構（UR 都市機構）の宅地開発の計画が中止されたため、同駅周辺の中央南地区には高層の集合住宅が立ち並ぶようになった。そして、駅からやや離れた場所にある武西学園台地区の場合、小学校用地が独立住宅予定地へと変更されたため、一戸建ての住宅建設が進んだ。中央南地区や武西学園台地区など駅の南側に住む小学生は、駅の北側にある小倉台小学校に通学するため、小倉台小学校の児童数が増加している。

また、印西牧の原駅圏では、戸建住宅を中心とした開発が進められているため、原小学校や牧の原小学校の児童数が見込まれている。

そして、印西市には学校運営協議会は設置されておらず、コミュニティ・スクールは導入されていない。

4　児童・生徒数の地域的偏在と学校選択制

年少人口が増加している戸田市と印西市では、児童・生徒数が地域的に偏在しているという点で共通している一方、いわゆる学校選択制の導入をめぐって異なる対応がとられてきた。学校選択制とは、「市町村教育委員会は、就学校を指定する場合に、就学すべき学校について、あらかじめ保護者の意見を聴取することができる」（学校教育法施行規則第 32 条第 1 項）ところ、市町村教育委員会がこの保護者の意見を踏まえて就学校を指定する仕組みを指す。以下では年少人口が減少している那賀町も含めて、各自治体の対応を見ていく。

（1）那賀町

児童・生徒数が地域的に偏在している那賀町において、学校選択制は導入されてこなかった。一般的に、自治体によって学校や地域の実情、通学の条件などが異なることから、学校選択制は全国一律に導入を促進すべきものとは考えられていない。那賀町教育委員会事務局は、ヒアリング調査で、通学区域外の学校への通学には長時間を要する旨を説明した。通学の条件が厳しいことは、学校選択制の導入を見送った一因であろう。

また、学校選択制の導入を近年取りやめた自治体では、「地域との連携による学校づくりの推進」を取りやめの一因とするものがあるが[8]、那賀町において、これが学校選択制の導入を見送った一因であるかは不明である。

（2）戸田市

戸田市の中学校では 2005 年度から学校選択制が導入されており、小学校の児

[8] 新宿区「学校選択制度の見直し方針」の決定について」（2017 年 4 月 15 日）
https://www.city.shinjuku.lg.jp/kodomo/gakko01_001136.html　新宿区では、2018 年（平成 30 年）度新入学より学校選択制度が廃止されている。

童が中学校進学時に通学区域内の中学校に通わないことがある。選択可能な中学校は市内全6校であり、各校とも定員が設けられている。

戸田市教育委員会が定める「中学校の学校選択制についての基本方針」には、通学区域を維持し、その通学区域内の生徒は優先して受け入れることや、自転車による通学を原則として認めないことなどが定められている[9]。このような学校選択制は、保護者の意見が全面的に受け入れられる「自由選択制」（当該市町村内の全ての学校のうち、希望する学校に就学を認めるもの）と、一部地域の保護者の意見が受け入れられる「特定地域選択制」（従来の通学区域は残したままで、特定の地域に居住する者について、学校選択を認めるもの）の中間に位置する、「隣接区域選択制」（従来の通学区域は残したままで、隣接する区域内の希望する学校に就学を認める）に相当する[10]。

2018 年度の入学対象者希望校申し込み結果は図表 4－4－1 に示すとおりである。各中学校の通学区域外児童の受入定員数として、20 人、25 人、35 人の 3 段階が設けられている。2018 年現在の情報に着目すると、通学区域内で入学を希望する児童数が 300 人を超える場合には通学区域外児童受入定員数が 20 人に設定され（新曽中学校）、前者が 200 人を十分に上回るならば後者は 25 人となり（戸田中学校）、それ以外では通学区域外児童受入定員数が 35 人となる。

通学区域外から入学を希望する児童数は、1 人の美笹中学校から 32 人の笹目中学校まで、各中学校で大きく異なっている。また、戸田中学校については通学区域外からの通学を希望する児童数が受入定員数を超過したため、抽選会が実施された。

---

9 戸田市教育委員会『平成 29 年度　教育要覧　戸田市の教育』（2017）p. 21。
10 文部科学省「よくわかる用語解説」
http://www.mext.go.jp/a_menu/shotou/gakko-sentaku/06041014/002.htm

図表 4−4−1　戸田市立中学校への入学対象者の希望校申込結果
（2018 年 11 月 17 日抽選会実施後）

学校名	通学区域内で希望した児童数（人）	通学区域外から受け入れる児童数（人）	通学区域外児童受入定員数（人）	合計人数（人）
戸田中学校	218	25	25	243
戸田東中学校	125	9	35	134
美笹中学校	123	1	35	124
喜沢中学校	202	14	35	216
新曽中学校	326	17	20	343
笹目中学校	173	32	35	205
戸田中学校（特別支援学級）	10	0	——	10
美笹中学校（特別支援学級）	3	3	——	6
喜沢中学校（特別支援学級）	3	0	——	3
笹目中学校（特別支援学級）	1	4	——	5
合計	1,184	105	——	1,289

※表中で背景色があるものは、通学区域外児童受入数が最多・最少のものである
出典）戸田市教育委員会「戸田市立中学校学校選択制による入学希望校申込結果について」（2018 年 12 月 13 日、戸田市教育委員会定例会平成 30 年第 13 回、報告事項 3）

このように、中学校のなかには通学区域外受入定員数と通学区域外から受け入れる児童数が一致するものもあれば、大きく異なるものもある。児童や保護者が通学区域外から通学を希望する理由が明らかになれば、この原因が解明されるであろう。しかし、戸田市教育委員会は、学校選択の理由を尋ねると自らの選択理由の正当性を強く主張する保護者に不満が生じかねず、またそうした理由から抽選の際に混乱が生じかねないとして、学校選択の理由を尋ねてこなかった[11]。このため、そうした理由は不明なままとなっている。

---

[11] 文部科学省「公立小学校・中学校における学校選択制等についての事例集（平成 21 年 12 月）」（2009 年 12 月）より「1.（埼玉県戸田市）学習意欲の向上や学校の特色づくりを目指した学校選択制（自由選択制）」
<http://www.mext.go.jp/component/a_menu/education/detail/__icsFiles/afieldfile/2010/02/09/1288665_02.pdf>

こうした戸田市の対応は、自治体と保護者間の対話を全面的に拒むものであり、常に適切であるとはいいにくいと思われる。学校選択の理由を尋ねる方針に転換した他自治体の例をふまえて[12]、学校の選択に関して案件ごとの個別事情に応じるよう制度を整備することが考えられる。

今後、生徒数の地域的偏在を是正する場合、児童や保護者が通学区域外の学校を選択する理由を把握し、それに基づき対応をとることや、通学区域外児童受入定員数を見直すことが考えられる。

（3）印西市

印西市では、戸田市とは異なり市内全域では学校選択制が採用されていない。その主な理由は、児童・生徒数の地域的な偏在の悪化を防ぐためのようにみえる。

印西市では児童・生徒数に地域的な偏在が生じているが、その一因は市内のあらゆる地域で見られるいわゆる学区外就学である。学区外就学とは、「市町村教育委員会から指定された就学校が、保護者の意向や子どもの状況等に合致しない場合において、保護者の申立により、市町村教育委員会が相当と認めるときには、市町村内の他の学校に変更することができる」（学校教育法施行令第 8 条）という就学校の変更により、児童・生徒が学区外の学校に通うことを指す。また、市町村教育委員会は、就学校を指定する通知で、この保護者の申立ができる旨を示すことになっている（学校教育法施行規則第 32 条第 2 項）。

廃校になった永治小学校の場合、学区内に居住する児童数自体の推移はほぼ横ばい傾向にあった。しかし、学区外就学が行われているため、近隣の木刈小学校に入学する生徒が増加し、永治小学校への入学者数がさらに減少すると見込まれていた。また、学区内に居住する児童数が若干増加している宗像小学校や本埜第一小学校においても、学区外就学者数の推計などをふまえ、他校との統合を進めることが検討されている。

他方、小倉台小学校では児童数が増加していることから、学校規模の拡大を抑制するために、通学区域の設定が工夫されている。小倉台小学校区の一部地域は、先に見た「特定地域選択制」に相当する在来の学校との選択制が認められている。しかし、実際のところそうした一部地域において暮らす児童の多くが通学するのは、小倉台小学校である。これは、インターネットなどでの情報収集をもとに、木刈中学校に特に魅力を感じる保護者がおり、将来的に木刈中学校に通学させようとするためだといわれる。このため、新たに住宅が建設される地域については、

---

[12] 杉並区では、2015 年度までは学校選択の理由は不問だったが、2016 年度からは、部活動への参加といった志望理由を必ず表明して学校を選択する方式が採用されるようになった。杉並区の取り組みに関しては、明石市「学校選択制の現況および見直し・廃止等に関する事例資料」<
http://www.edi.akashi.hyogo.jp/kyoiku/iinkai/kyouikukonwakai/pdf/06-shiryou03.pdf>が詳しい。

小倉台小学校区ではない学区が設定されることがある。

印西市における児童・生徒数の地域的偏在は、学区外就学をめぐっていわば自治体と保護者間の対話（実際には保護者の主張を教育委員会が受け入れること）が進んだ結果である。こうした動向を転換するよう、自治体は従前の対話を見直す必要性を認識しており、通学区域の変更を通じて新たな対話を模索しているのである。

仮に印西市で学校選択制が採用されていたならば、一定数の保護者は、従前の学区外就学のように特定の学校に児童・生徒を通わせようとすると思われる。その場合、児童・生徒数の地域的偏在がこれ以上進行しないと想定することは難しい。このように考えると、児童・生徒数が地域的に偏在する傾向をなるべく抑制するには、学校選択制の採用を見送ることが適切であろう。

また、戸田市で学校選択制が採用されていることは、印西市の例に照らせば、児童・生徒数の地域的偏在が現段階ではさほど深刻ではないと認識されていると思われる。

5　学校統廃合過程

（1）学校統廃合の特徴とその過程

平成の市町村合併後に行われた学校統廃合の特徴として、「合併新市の議会や教育委員会の決定に、旧町村の意見が反映されにくくなっている」ことがいわれる[13]。この背景には、学校統廃合計画の対象地域から議会の議員や教育委員会の委員が必ずしも選出されているとは言えず、「間接性を基本とした民主主義と首長からの任命制による教育委員会の議決のみでは、学校統廃合によって直接的な利益や不利益を受ける学区の意見は、必ずしも十分に反映されるとはいえない」問題がある[14]。この見解は、学校統廃合の過程で議会と教育委員会が重要な役割を担うことをふまえ、当該地域住民の意見が十分に反映される仕組みの構築が求められることを強調するものである。

学校統廃合をすすめる手順には一般的に9つの過程があり、実務上、教育委員会が各過程に関与するといわれる。その手順とは①児童・生徒数及び学校統廃合の予測、②児童・生徒数の将来予測（減少実態）の公表、③教育委員会としての統廃合方針（案）の提示、④教育委員会による統廃合方針（案）の住民説明会の開催、⑤統廃合方針についての校区協議会や自治会による意見集約、⑥地元からの首長・教育長への意見書・要望書の提出、⑦教育委員会による統廃合計画の策定、⑧統廃合検討委員会の発足と統廃合への準備整理、⑨学校統廃合への具体的

---

[13] 丹間康仁『学習と協働——学校統廃合をめぐる住民・行政関係の過程』（東洋館出版社、2015）75頁。
[14] 丹間・前掲注（13）75頁。

着手である[15]。そして、議会に対しては、教育委員会が②児童・生徒数の将来予測（減少実態）の公表と⑦教育委員会による統廃合計画の策定において説明し、後者については基本的な了解を得ることが欠かせないという。これらをふまえると、学校を廃止する条例が制定される前に、教育委員会は地域住民や議員をはじめ関係者との間でやりとりや調整を行うようである。

学校統廃合手続のあり方は、とくに合併後の中山間地域に関して課題とされてきた。ある社会学者は「農山村地域における学校統廃合の政策決定方式にも……廃校される学区民からの統合要求がまずあり、しかも学区内の民主的決定手順が一段階踏まれた後に、議会決定がなされるような地域民主主義の是正」を提言している[16]。

2000年代に自治体合併を行った那賀町と印西市の状況に目を向けると、前者では「廃校される学区民からの統合要求」、「学区内の民主的決定」、「議会決定」という一連の手順がふまれており、また後者では前者に相当する動きが見られない。ここでは那賀町における学校統廃合の手続過程に注目し、学校統廃合に関する手続のあり方について示唆を得る。

（２）地域住民の意見を反映する那賀町の実践

坂口博文那賀町長は、行政が主導して学校の統廃合をすすめはしないとの方針を堅持してきた[17]。この町長の意向が存在したため、教育委員会が地域住民に対して学校統廃合をすすめることはなかった[18]。

那賀町で学校統廃合は次の手順で行われてきた。①教育委員会がPTAに対して将来の児童・生徒数等の情報を提供する。すると②PTAが数年間にわたり話し合いを行う。話し合いが行われている間には、③教育委員会が行政連絡員等に対し、学校統合に関する話し合いの方向性を伝達する。これによってPTA内の検討の様子が地域住民に周知される。④PTAが教育委員会に学校統合を要請すると、⑤教育委員会は旧町村毎に設置された地域審議会（後述）に諮問する。⑥地域審議会が学校統合の方針を決定すると、⑦教育委員会は当該学校を休校の取り扱いとし、そして⑧当該地域出身の町議会議員にその旨を説明する。⑨休校となった学校跡地の利用計画が策定されると[19]、⑩学校廃校の条例が議決される。前述した学校統廃合の一般的過程と、那賀町におけるその過程を照らし合わせると、那賀町内の学校統廃合過程の特徴として、教育委員会自身が住民説明会を開催しないこと

---

15 嶋津隆文「学校の統廃合とそのノウハウ」嶋津隆文編『学校統廃合と廃校活用——地域活性化のノウハウ事例集』1頁（東京法令出版、2016）8-10頁。

16 若林敬子『増補版　学校統廃合の社会学的研究』（お茶の水書房、2012）452頁。

17 那賀町教育次長の野田敏幸氏によれば、これまでの小・中学校統合に関し、町教育委員会と県教育委員会との間でやりとりや調整は行われていない。

18 ただし木頭小学校・木頭中学校への「併設型小中一貫校」導入は、教育委員会の提案により行われた。詳しくは、和田（2017）・前掲注（3）98頁注（10）。

19 尾崎教育長によると、各地域の支所が利用計画の策定にあたり取りまとめを行う。

や、地域審議会が地域住民全体の意見集約の場であることを指摘できる。

学校統廃合の過程に関わった地域審議会とは、「市町村の合併の特例に関する法律」の 1999 年改正によって設置可能になった市町村長の諮問機関である。地域審議会については、合併前の旧市町村の協議によって一定期間設置でき、その設置は合併前の旧市町村の区域であった区域ごとに行われ、そして諮問の対象は合併後の市町村が処理する当該区域に係る事務とされる（市町村の合併の特例に関する法律 5 条の 4 第 1 項）。地域審議会の構成員の定数や任期、任免といった地域審議会の組織及び運営に関する必要な事項については、合併前の市町村の協議によって定められる（第 2 項）。これらの協議については、合併前の市町村の議会の議決を経ることとし、その協議が成立したときには、合併前の市町村がその内容を告示する（第 3 項）。市町村合併後の地域審議会は、市町村建設計画（合併後の市町村の基本方針や公共施設の整備等について規定するとともに、将来の構想や施策の方向性を示す計画）の変更手続に関与する。市町村建設計画は議会の議決を経て変更しうるものの、地域審議会が設置されているならば、合併後の市町村の首長は、当該計画を変更しようとする場合には、地域審議会の意見をあらかじめ聴取しなければならない(5条7項及び9項)。地域審議会はこのように、地域住民の意見を合併後の市町村の施策に反映させるために創設されたものである。

那賀町における地域審議会は、合併の日である 2005 年 3 月 1 日から 2015 年 3 月 31 日まで、各旧町村に設置されていた。審議会は 10 人以内の委員から構成され、その委員は審議会の設置区域に住所を有する者で、かつ①自治会の代表者、②公共的団体に属する者、③その他識見を有する者、④公募により選任された者の中から町長が委嘱する（協議書 4 条 1 項および 2 項）。この委員の選定については、実際には各区域の住民の意向が大いに反映され、地域によって委員の構成が異なっていたようである。審議会は町長の諮問に応じ、新町建設計画の変更に関する事項や新町建設計画の執行状況に関する事項等について、設置区域ごとに審議し答申する（協議書 3 条 1 項）。

那賀町において地域審議会が学校統廃合の過程に関与する理由は、学校統廃合が新町の建設計画である「那賀町まちづくり計画」（合併前の旧町村からなる丹生谷合併協議会が 2004 年 9 月に策定）の重大な変更にあたると考えられたからである。「那賀町まちづくり計画」では、小・中学校の統合について、「児童・生徒のため、よりよい教育効果があり、明日を担う人間形成が図れるよう、児童・生徒数の今後の推移を見極めた上、地域性をも考慮してある程度時間をかけて」検討するとして、当該計画には学校が新町に引き継がれて存続させる旨が定められていた（53 頁）。このことから、教育委員会は、学校統合による閉校は重大な変更にあたると解釈し、地域審議会にその判断を仰いできた。また、事実上、この地域審議会が学校統廃合の最終決定機関になったともいう。

さらに、地域審議会の設置期間が経過した後も、那賀町では学校統廃合について地域住民の合意を得ることが慣例となっている。尾崎教育長によれば、学校統廃合に関する地域住民の合意は何かしらの取り決めによって必要とされるものではないにも関わらず、北川小学校の閉校について、PTAの役員が地域内の各種団体の役員を集め、学校を統合せざるを得ない旨の説明会を開催し、地域住民の合意を得ている。

また、尾崎教育長は、旧上那賀町内の小学校閉校や北川小学校閉校など、これまでの学校統廃合に関する地域内での話し合いに、当該地区出身の教育委員が熱心に参加していたという。そして、この教育委員の選定には旧町村の代表性が意識されたようである。こうした教育委員の活動およびその選定方針には、地域住民の意見を拾い上げて町の教育施策に反映する教育委員の役割を見て取ることができる。

一般的に、学校統廃合に関しては地域住民の意向を十分に聴取するなど手続上十分に検討することが求められるが[20]、以上のように、那賀町では、教育委員会が地域住民の意見を集約しないために、当該地域出身者のみで構成される地域審議会等が地域住民の意向をとりまとめ、そして地域出身者が構成員となっている教育委員会および町議会が地域審議会等の見解を了承してきた。

（３）那賀町の実践からの示唆

平成の市町村合併後の学校統廃合に関する懸念事項、すなわち「合併新市の議会や教育委員会の決定に、旧町村の意見が反映されにくくなっている」課題は、那賀町では顕在化していない。「議会や教育委員会に、学校統廃合計画の対象となっている地元の代表議員や出身委員が入っている」のみならず、地域審議会等で地域住民からの同意を得ていたことから、当該地域住民の意見が十分に反映される仕組みが構築されていると評価できる。

こうした仕組みは、地域内における紛争発生の可能性軽減につながると思われる。地域住民の意向を取りまとめ、そしてその意向を自治体の施策に反映させるために、いわば地域審議会に相当する、各地域の意向を集約する諮問機関を設置し、また各地域出身者を教育委員として選出することは、有益な取り組みである。各地域出身の議員に対しては、学校廃止条例制定にあたり、学校統廃合に関する地域住民の意見を伝達することも望ましい。学校統廃合手続の過程に当該地域の利害関係者をこのように関与させることは、地域住民の意向を配慮する手法として、大いに参考になる。

那賀町の一連の手続は、ボトムアップから対話が積み重ねられ、最終的に自治体と地域社会間の対話につながるものである。学校と地域社会の結びつきを考えるならば、こうした対話の実践は極めて重要である。

---

[20] 阿部泰隆「学校統廃合の法律問題――滋賀県多賀町萱原分校訴訟を例として」神戸法学年報 11 号（1995）107-113 頁。

那賀町の取り組みは、印西市の学校統廃合の過程においても有用であると思われる。印西市の場合、教育委員会事務局は、小規模校に関して、児童数の少ない小学校から順次、保護者及び地域住民への説明会や意見交換会を開催してきた。また、小学校は、学童保育施設、避難所などの機能を有しているため、関係課に意見交換会での情報等も含め、進捗状況を報告している。

印西市では、学校統廃合に関する地域住民への説明について、大木弘教育長によると、説明を担当する教育委員会事務局の人員が限られているため、地域住民から理解を得られるまでに時間を要している。現に、本埜地区では、教育委員会側の見解に反対する地域住民側から、学校統合案を提示する動きが見られる。

保護者や区長、本埜地区地域審議委員、教育関係者は「本埜地区の学校を考える会」を立ち上げた。この団体は、印西市学校適正配置審議会が答申で示した学校統合案（本埜第一小学校が滝野小学校と、本埜第二小学校が小林北小学校と統合するもの）に危機感を抱いている。この統合案によれば、本埜中学校区内には、地域の伝統や文化の中心となる小学校が一校も残らなくなり、若者の流出、地域の衰退は避けがたいためである。そのうえで、本埜第一小学校と本埜第二小学校の統合により本埜地区に小学校を残すよう、審議会の学校統合案の見直しを求める要望書と約3,700人分の署名を、2018年1月に大木教育長に提出している[21]。

那賀町の地域審議会が学校統廃合過程に積極的に関わっていたように、印西市の地域審議会も学校統廃合過程に関わることが考えられる。印西市では、自治体合併から10年となる2020年まで、旧本埜村に本埜地区地域審議会が、旧印旛村には印旛地区地域審議会が設置されている。ただし、印旛地区の場合、地域審議会が学校統廃合過程に積極的に関わってきたようにはみられない[22]。教育委員会が、地域審議会をはじめとする地域社会と対話を重ねながら、学校統廃合手続を進められるかが問われている。

6　対話の深まりへの期待

本章では、各自治体における学校と地域のつながり、学校選択制の現状や児童・生徒数の地域的偏在、学校統廃合のあり方に注目した。都市化や過疎化の進行などを背景として、地域社会等のつながりや支え合いが希薄化し、「地域の学校」や「地域で育てる子供」という考え方が失われつつある。そうしたなかで、これま

---

[21] 毎日新聞「小中学校統廃合見直しを　考える会が要望書　印西」（2018年1月26日）。

[22] 印西市「平成30年度第1回印旛地区地域審議会 会議録」（平成30年8月26日開催）
http://www.city.inzai.lg.jp/cmsfiles/contents/0000008/8298/H30-1kaigirokuinnba.pdf 3頁。

での地縁の再生にとどまらず地域コミュニティを新たに創り出すという視点に立ち、学校と保護者や地域住民等は、子供の学びや育ちを支援する地域基盤を協力して再構築しなければならない[23]。今後は、次のように、自治体と人々（児童・生徒とその保護者、地域社会）による対話が深められることが求められている。

全小・中学校に学校運営協議会を設置し、コミュニティ・スクールを導入しているのは戸田市のみである。他自治体では、学校に対して保護者や地域住民等の意見がすでに反映されていることから、学校運営協議会の設置の必要性が乏しいと理解されている可能性がある。しかし、学校運営協議会の設置を通じて、学校と地域との連携・協力体制が組織的・継続的に確立され、その基盤が確固たるものとなるとも考えられる[24]。戸田市が学校運営協議会を設置したことは高く評価され、そして他自治体においてはその設置に向けた検討が積極的に行われるべきである。

学校選択制を採用してきた戸田市では、児童や保護者に学校選択の機会が与えられており、このことは大いに評価できる。今後は学校選択の理由を児童や保護者が表明できるようにし、自治体が個別事情に応じることができるよう、制度を整備することが考えられる。

児童・生徒数が地域的に偏在している印西市では、学区外就学を希望する保護者の意向が広く受け入れられてきた。これからは保護者の意向に一定の配慮をしつつ通学区域の見直しを着実に進められるかが問われている。

学校統廃合過程に関する那賀町内の実践は、地域社会の意向を集約してそれを教育行政機関に伝達する仕組みが構築され、機能していることを示している。これは自治体と地域社会の深い関わりを示すものであり、他自治体にとって大いに参考になるだろう。

これらをふまえると、消滅が危惧される地域と一極集中が進行する地域のいずれにおいても、教育行政機関が児童・生徒の保護者や地域社会の意向をふまえながら活動することは十分可能であり、そしてその改善の余地は残されている。「消滅」と「一極集中」の二極化が進行しているいま、児童・生徒数が増加し、また減少している自治体の教育に関する諸課題について、自治体と児童・生徒やその保護者、また自治体と地域社会の間で、丁寧な対話を重ねながら解決を目指すことがいっそう望まれる。

---

[23] 中央教育審議会「新しい時代の教育や地方創生の実現に向けた学校と地域の連携・協働の在り方と今後の推進方策について（答申）」（平成 27 年 12 月 21 日）2-3 頁。

[24] 中央教育審議会・前掲注（23）16 頁。

第５章　医療

１　はじめに

医療は、住民が地域で生活していく上で欠かせないサービスの１つである。しかし、自治体、なかんずく市町村の「自治」と医療との関係は単純ではない。医療サービスは、市町村だけではなく、都道府県・国・医療法人・個人開業医など、さまざまな主体により提供されている。現行の制度では、入院医療を行う医療施設の整備は、都道府県が設定する二次医療圏を単位として進められているが、1つの二次医療圏の内部には複数の市町村が包含されている。さらに、高度医療の施設整備は三次医療圏（原則として都道府県）を単位として進められており、患者が医療施設を自由に選べるフリーアクセスの原則の下で、都道府県の境界を越えた受療も珍しいことではない。本章では、医療施設の整備状況、今後の医療需要、および患者の地域間の移動状況を、市町村の枠を越えて観察・分析することで、医療分野における市町村の「自治」を考える手掛かりを得ることを目指す。また、本報告書が対象とする３自治体のうち、印西市は市立病院・診療所を持たないが、那賀町は町立病院と診療所を、戸田市は市立診療所を運営しており、これらの公立医療施設の現状と課題も明らかにしていきたい。

２　医療需給

（１）医療施設[1]

那賀町・戸田市・印西市がそれぞれ属する二次医療圏は、徳島県南部医療圏（小松島市・阿南市・勝浦町・上勝町・那賀町・牟岐町・美波町・海陽町）、埼玉県南部医療圏（川口市・蕨市・戸田市）、千葉県印旛医療圏（成田市・佐倉市・四街道市・八街市・印西市・白井市・富里市・酒々井町・栄町）である。

那賀町内には病院が１つ（町立上那賀病院）、診療所が旧鷲敷町域１（個人開業医）、旧相生町域３（町立１・指定管理者１・個人開業医１）、旧木沢村域１（町立）、旧木頭村域2(町立)の合計７つ存在する。病床は上那賀病院の40床のみであり、人口10万人あたり病院病床数は476.08、人口10万人あたり医師数は142.82と、いずれも全国平均(病院病床数1,201.30／医師数237.28)を大幅に下回っている。ただし、徳島県南部医療圏全体で見ると、徳島赤十字病院（小松島市／総病床数405)、阿南医療センター（阿南市／総病床数398）など、図表５－２－１に示した

1 以下の記述は、日本医師会「地域医療情報システム」（http://jmap.jp/）に掲載されたデータを基礎としている。

通り多くの入院患者を受け入れる病院が存在しており、二次医療圏単位の人口 10 万人あたり病院病床数は 1592.21、人口 10 万人あたり医師数は 251.94 と、いずれも全国平均を上回っている。

図表 5−2−1　徳島県南部医療圏における総病床数 100 床以上の病院
（2018 年 11 月現在）

病院名称	所在地	総病床数
徳島赤十字病院	小松島市	405
*阿南共栄病院	阿南市	343
*阿南中央病院	阿南市	229
徳島赤十字ひのみね総合療育センター	小松島市	144
冨田病院	美波町	144
原田病院	阿南市	126
杜のホスピタル	阿南市	114
徳島県立海部病院	牟岐町	110

＊その後、阿南共栄病院と阿南中央病院の統合により、阿南医療センターが 2019 年 5 月 1 日に開設された。
（出典）日本医師会「地域医療情報システム」（http://jmap.jp/）掲載情報（厚生労働省各地方厚生局より提供）に基づき作成

図表 5−2−2 の通り、戸田市内には総病床数 100 以上の病院が 4 つ、埼玉県南部医療圏全体では 19 存在する。また、図表 5−2−3 の通り、印西市内には全国で初めてドクターヘリを導入した日本医科大学千葉北総病院など総病床数 100 以上の病院が 3 つ、千葉県印旛医療圏全体では 22 存在する。両市とも一見すると恵まれているようであるが、人口 10 万人あたり病院数は戸田市 4.41、埼玉県南部医療圏 3.69、印西市 3.24、千葉県印旛医療圏 4.22 であり、いずれも全国平均（6.52）を下回っている。また、人口 10 万人あたり病院病床数は戸田市 1,041.50、埼玉県南部医療圏 660.12、印西市 1,175.14、千葉県印旛医療圏 1,022.15 であり、やはりいずれも全国平均（1,201.30）を下回っている。

図表5－2－2　埼玉県南部医療圏における総病床数100床以上の病院
（2018年11月現在）

病院名称	所在地	総病床数
医療法人 髙仁会 戸田病院	戸田市新曽南	550
川口市立医療センター	川口市	539
医療法人社団 東光会 戸田中央総合病院	戸田市本町 （上戸田地区）	517
社会福祉法人 恩賜財団 済生会支部 埼玉県 済生会 川口総合病院	川口市	424
埼玉協同病院	川口市	401
川口さくら病院	川口市	286
社会医療法人社団 大成会 武南病院	川口市	240
医療法人 新青会 川口工業総合病院	川口市	199
医療法人 髙仁会 川口病院	川口市	198
医療法人社団 協友会 東川口病院	川口市	198
蕨市立病院	蕨市	130
医療法人社団 東光会 戸田中央リハビリテーション病院	戸田市本町 （上戸田地区）	129
河合病院	川口市	120
医療法人財団 啓明会 中島病院	戸田市下戸田	116
医療法人 健仁会 益子病院	川口市	115
かわぐち心臓呼吸器病院	川口市	108
医療法人社団 厚生会 埼玉厚生病院	川口市	108
医療法人 三誠会 川口誠和病院	川口市	100
医療法人 あかつき会 はとがや病院	川口市	100

（出典）図表５－２－１に同じ

図表 5－2－3　千葉県印旛医療圏における総病床数 100 床以上の病院（2018 年 11 月現在）

病院名称	所在地	総病床数
日本赤十字社 成田赤十字病院	成田市	716
成田病院	成田市	716
日本医科大学千葉北総病院	印西市鎌苅（旧印旛村・非 NT）	574
東邦大学医療センター佐倉病院	佐倉市	451
独立行政法人国立病院機構 下志津病院	四街道市	424
社会福祉法人 聖隷福祉事業団 聖隷佐倉市民病院	佐倉市	400
医療法人社団透光会 大栄病院	成田市	394
医療法人社団聖母会 聖マリア記念病院	成田市	385
医療法人社団愛慈会 西佐倉印西病院	印西市岩戸（旧印旛村・非 NT）	335
医療法人社団千葉光徳会 中沢病院	富里市	311
医療法人徳洲会 成田富里徳洲会病院	富里市	285
医療法人沖縄徳洲会 四街道徳洲会病院	四街道市	220
医療法人社団聖仁会 白井聖仁会病院	白井市	193
医療法人三矢会 八街総合病院	八街市	191
公益財団法人日産厚生会 佐倉厚生園病院	佐倉市	181
医療法人社団わかさ会 南八街病院	八街市	180
医療法人平成博愛会 印西総合病院	印西市牧の台（旧印西市・NT）	180
医療法人社団東光会 北総白井病院	白井市	158
医療法人徳洲会 大日徳洲会病院	四街道市	122
医療法人社団 誠和会 長谷川病院	八街市	108
医療法人社団心和会 成田リハビリテーション病院	成田市	100
千葉白井病院	白井市	100

NT：ニュータウン地区
非 NT：非ニュータウン地区
（出典）図表 5－2－1 に同じ

（２）医療需要

日本医師会総合政策研究機構による今後の医療需要予測[2]は、図表 5－2－4 の通りである。

2015 年の医療需要量を 100 とすると、人口高齢化の急速な進行に伴い、2045 年の医療需要量は戸田市では 146 に、印西市では 139 に達することが見込まれている。二次医療圏単位で見ると需要の伸びは若干緩やかではあるものの、全国平均を大きく上回る需要増であることに違いはない。現存の医療施設だけでは、急増する医療需要を充足することができなくなる可能性が高い。隣接する地域の医療施設に頼ろうにも、2045 年の医療需要量は東京都 119、埼玉県（全県）113、千葉県（全県）109 と予測されており、医療需給のギャップは今後の東京圏において深刻な問題となるであろう。

---

[2] 高橋泰・江口成美「日医総研ワーキングペーパーNo.323　地域の医療提供体制の現状と将来——都道府県別・二次医療圏別データ集（2014 年度版）」2014 年、17 頁。

これに対し、那賀町では人口および高齢者人口が大きく減少することが予想されており、2045年の医療需要量は49と見込まれている。医療需要が減少すれば、医療施設の経営にも悪影響が及ぶ。そこでは、医療施設の地域からの撤退をいかにして防ぎ、残された住民に対していかにして持続的な医療サービスを提供するかが課題となろう。

図表5−2−4　医療需要予測

	2015年国勢調査	2020年予測	2025年予測	2030年予測	2035年予測	2040年予測	2045年予測
那賀町	100	92	86	78	69	59	49
徳島県南部医療圏	100	98	96	92	85	79	73
戸田市	100	110	119	125	132	140	146
埼玉県南部医療圏	100	107	112	114	116	120	124
印西市	100	112	123	132	137	139	139
千葉県印旛医療圏	100	108	114	116	114	113	111
（参考）全国	100	104	106	106	104	104	102

国立社会保障・人口問題研究所が公表した将来推計人口（2018年3月推計）を以下の計算式に当てはめることで各年の医療需要量を算出し、2015年国勢調査に基づく需要量＝100として指数化。

各年の医療需要量＝［〜14歳］×0.6＋［15〜39歳］×0.4＋［40〜64歳］×1.0＋［65〜74歳］×2.3＋［75歳〜］×3.9

（出典）日本医師会「地域医療情報システム」（http://jmap.jp/）掲載情報に基づき作成

（3）患者の流出入

図表5−2−5は、2017年10月に厚生労働省が実施した「平成29年患者調査」（標本調査）調査日当日の病院の推計入院患者数のうち、二次医療圏内に流入した推計患者数および二次医療圏外に流出した推計患者数の割合をそれぞれ示したものである。推計流出患者割合は3つの二次医療圏とも35%前後であり、いずれも全国平均を上回っている。推計流入患者割合は千葉県印旛医療圏が最も高く、全国平均を大きく上回っており、圏内の病院が周辺地域の患者を引きつけている。

図表5−2−5　病院の推計入院患者数の圏内への流入患者割合・圏外への流出患者割合

	推計流入患者割合	推計流出患者割合
徳島県南部医療圏	18.7%	37.3%
埼玉県南部医療圏	26.9%	35.9%
千葉県印旛医療圏	38.6%	33.6%
（参考）全国	22.4%	22.4%

推計流入患者割合＝当該二次医療圏内の医療施設で受療した当該二次医療圏外に居住する推計患者数／当該二次医療圏内の医療施設で受療した推計患者数×100

推計流出患者割合＝当該二次医療圏外の医療施設で受療した当該二次医療圏内に居住する推計患者数／当該二次医療圏内に居住する推計患者数×100

（出典）厚生労働省「平成29年患者調査」に基づき作成

図表 5－2－6 は、推計入院患者数の二次医療圏外への流出状況をより詳しく見たものである。埼玉県南部医療圏から東京都に約 9,000 人の流出があることが目を引く。

図表 5－2－6　病院の推計入院患者数の圏外への流出状況

単位：千人

	総数	二次医療圏内	二次医療圏外		
			総数	県内	県外
徳島県南部医療圏	2.3	1.4	0.9	0.8	0.0
埼玉県南部医療圏	5.0	3.2	1.8	0.7	1.1 （うち東京都 0.9）
千葉県印旛医療圏	5.3	3.5	1.8	1.5	0.2 （うち東京都 0.1）
（参考）全国	1272.6	984.4	283.4	217.5	65.9

（出典）厚生労働省「平成 29 年患者調査」に基づき作成

続いて、那賀町の国民健康保険加入者に限定した分析であるが、患者の地域間の移動状況をより詳細に観察する[3]。那賀町の 2017 年度の国保入院患者 6,251 人のうち、69%（4,330 人）が徳島県南部医療圏、25%（1,576 人）が徳島県東部医療圏、6%（345 人）が県外の医療機関を利用している。徳島県南部医療圏を利用する国保入院患者 4,330 人のうち、那賀町内の医療機関を利用している人は 17%（716 人）にとどまり、小松島市が 37%（1,587 人）、阿南市が 34%（1,490 人）となっている。旧町村単位で見ると、図表 5－2－7 の通り、鷲敷・木沢・木頭では那賀町内の医療機関の利用率は全体の 10%を下回り、相生・上那賀でも 20%を下回る。主な利用先は、鷲敷は阿南市・小松島市、相生は小松島市・医療圏外、上那賀は美波町・医療圏外、木沢は小松島市・医療圏外、木頭は阿南市・小松島市・医療圏外となっている。

[3] 以下の記述は、那賀町からの提供資料に掲載された情報に基づいている。

図表 5－2－7　那賀町国保入院患者の利用先（旧町村単位）

			患者所在地					
			那賀町全域	鷲敷	相生	上那賀	木沢	木頭
受診医療機関所在地	那賀町内	延入院患者数	716	74	274	278	34	56
		割合	11.5%	4.4%	15.0%	17.1%	8.4%	7.7%
	阿南市	延入院患者数	1,490	813	272	171	53	181
		割合	23.8%	48.6%	14.9%	10.5%	13.2%	25.0%
	小松島市	延入院患者数	1,587	489	443	229	201	225
		割合	25.4%	29.2%	24.2%	14.1%	49.9%	31.0%
	勝浦町	延入院患者数	0	0	0	0	0	0
		割合	0.0%	0.0%	0.0%	0.0%	0.0%	0.0%
	牟岐町	延入院患者数	12	12	0	0	0	0
		割合	0.2%	0.7%	0.0%	0.0%	0.0%	0.0%
	美波町	延入院患者数	525	0	160	365	0	0
		割合	8.4%	0.0%	8.8%	22.5%	0.0%	0.0%
	海陽町	延入院患者数	0	0	0	0	0	0
		割合	0.0%	0.0%	0.0%	0.0%	0.0%	0.0%
	医療圏外	延入院患者数	1,921	285	679	579	115	263
		割合	30.7%	17.0%	37.1%	35.7%	28.5%	36.3%

（出典）那賀町提供資料

一方、那賀町の 2017 年度の国保外来患者 25,126 人については、87%（21,759 人）が徳島県南部医療圏、12%（3,014 人）が徳島県東部医療圏、0%（1 人）が徳島県西部医療圏、1%（352 人）が県外の医療機関を利用している。徳島県南部医療圏を利用する国保外来患者 21,759 人のうち、那賀町内の医療機関を利用している人が 66%（14,349 人）と最も多く、阿南市が 25%（5,501 人）でそれに次ぐ。旧町村単位で見ると、図表 5－2－8 の通り、鷲敷は那賀町内の医療機関の利用率が全体の 50%を下回っており、阿南市の医療機関を利用する割合が相対的に高くなっている。他の地区においては那賀町内の医療機関の利用率は 60%前後である。

図表 5－2－8　那賀町国保外来患者の利用先（旧町村単位）

			患者所在地					
			那賀町全域	鷲敷	相生	上那賀	木沢	木頭
受診医療機関所在地	那賀町内	延外来患者数	14,349	3,421	4,539	2,754	1,143	2,492
		割合	57.1%	43.9%	63.0%	63.5%	59.9%	64.1%
	阿南市	延外来患者数	5,501	2,711	1,358	633	227	572
		割合	21.9%	34.8%	18.8%	14.6%	11.9%	14.7%
	小松島市	延外来患者数	1,600	673	437	225	101	164
		割合	6.4%	8.6%	6.1%	5.2%	5.3%	4.2%
	勝浦町	延外来患者数	1	0	1	0	0	0
		割合	0.0%	0.0%	0.0%	0.0%	0.0%	0.0%
	牟岐町	延外来患者数	220	27	81	65	33	14
		割合	0.9%	0.3%	1.1%	1.5%	1.7%	0.4%
	美波町	延外来患者数	71	24	35	12	0	0
		割合	0.3%	0.3%	0.5%	0.3%	0.0%	0.0%
	海陽町	延外来患者数	17	1	9	3	4	0
		割合	0.1%	0.0%	0.1%	0.1%	0.2%	0.0%
	医療圏外	延外来患者数	3,367	935	746	642	400	644
		割合	13.4%	12.0%	10.4%	14.8%	21.0%	16.6%

（出典）那賀町提供資料

3　公立病院・診療所の経営

（1）那賀町[4]

那賀町は、現在、町立上那賀病院、および、いわゆる国保直診[5]の日野谷診療所（旧相生町域）・木沢診療所・木頭診療所・北川診療所（旧木頭村域）を擁しており、町内の医療の大部分を町が担っている。日野谷診療所が所在する相生包括ケアセンターは、医療だけでなく保健や福祉、介護等を一体的に行う拠点施設となっている。

那賀町の誕生以前から、丹生谷唯一の病院として大きな業績を残してきた上那賀病院は、旧宮浜村が設立した宮浜村立診療所を起源とする。1949 年に病床 25 床を有する宮浜村立病院となり、さらに、1956 年の平谷村との合併に伴い上那賀病院と改称した。1962 年には病棟が改築され、病床が 35 床となった[6]。その後、1996 年には病院が全面改築され、現在に至っている。「奥」の上那賀・木沢・木頭から阿南市や小松島市の救急指定病院までは距離的に 1 時間から 2 時間を要す

---

4 以下の記述は、特に断りのない限り、『那賀町立上那賀病院新公立病院等改革プラン』（2017 年 9 月）、那賀町の各年度の「主要な施策とその成果（事務報告書）」（町長が決算を町議会の認定に付するにあたって提出するもの［地方自治法 233 条 5 項］）、および、那賀町からの提供資料に掲載された情報に基づいている。

5 「国民健康保険診療施設」の略称。国民健康保険の保険者である市町村や国民健康保険組合が保健事業（国民健康保険法 82 条）の一環として設置した病院・診療所を指す。

6 上那賀町誌編纂委員会編『上那賀町誌』1982 年、1359 頁。

るため、上那賀病院にまず収容し検査や応急処置を行ってから搬送する必要があり、救急対応医療機関としても非常に重要な役割を担っている。

2005 年の合併以降、これまで、2007 年度には平谷診療所（旧上那賀町域）が廃止され、2008 年度には日野谷診療所の入院部門 19 床を廃止し、上那賀病院に入院部門を集約して病床を 5 床増の 40 床とするとともに、相生診療所が廃止された。日野谷診療所の入院病棟は人工透析病棟に転換され、医療法人が指定管理者として運営する透析センターが 2009 年度に開設された。

上那賀病院の入院患者数および外来患者数は、図表 5－3－1・2 の通り推移している。1 日あたり入院患者数は 2015 年度以降減少傾向にあり、入院患者の平均在院日数も 2015 年度以降短縮傾向にある。1 日あたり外来患者数は 2017 年度時点で 82.8 人／日であり、2013 年度と比較すると 8.8 人／日減少している。

図表 5－3－1　上那賀病院 1 日あたり入院患者数の推移

年度	2013	2014	2015	2016	2017
総数	31.7	30.8	32.4	29.1	24.6
整形外科	7.0	9.3	10.1	10.0	7.0
内科	17.1	13.4	14.0	11.4	7.4
外科	7.6	8.1	8.3	7.7	10.1
平均在院日数	18.6	18.6	19.5	17.0	15.0

（出典）那賀町提供資料

図表 5－3－2　上那賀病院 1 日あたり外来患者数の推移

年度	2013	2014	2015	2016	2017
総数	91.6	89.5	88.5	81.1	82.8
皮膚科	1.6	0.9	1.0	1.1	1.0
内科	55.2	39.0	42.5	41.7	26.4
外科・整形外科	34.8	49.6	45.0	38.3	55.4

（出典）那賀町提供資料

町立 4 診療所の外来患者数は、図表 5－3－3 の通り推移している。日野谷診療所の 1 日あたり外来患者数が 2013 年度から 2014 年度にかけて 8 人／日減少したものの、それ以外はほぼ横ばいとなっている。

図表 5－3－3　4 診療所 1 日あたり外来患者数の推移

年度	2013	2014	2015	2016	2017	稼動日数
日野谷診療所	89	81	78	79	79	289 日（約 6 日／週）
木沢診療所	23	23	21	19	23	123 日（約 2 日／週）
木頭診療所	21	22	22	22	21	241 日（約 5 日／週）
北川診療所	9	9	8	8	8	99 日（約 2 日／週）

（出典）那賀町提供資料

2017 年 9 月に策定された『那賀町立上那賀病院新公立病院等改革プラン』は、医療機能等に係る数値目標として、上那賀病院の 2020 年度の 1 日平均入院患者数 32 人、1 日平均外来患者数 90 人を掲げている。また、経営に係る数値目標として、2020 年度の経常収支比率 102.4%（経常収益 6 億 200 万円・経常費用 5 億 8,800 万円）、職員給与費比率 71.8%、病床利用率 80%を掲げている。経常収支比率の数値目標は、一般会計からの繰入を前提としている。公立病院は独立採算が原則であるが、上那賀病院は、へき地医療や救急医療など不採算の事業を行わざるを得ない上に、「奥」の上那賀・木沢・木頭においては常備消防施設がないため救急に関する業務を行うなど、病院としての本来業務以外の業務も行っており、それらにかかる費用については一般会計から繰入を行う必要があるためである。具体的には、保健福祉行政に要する経費、企業債の償還に要する経費、消防行政に要する経費、へき地における高度医療に要する経費、不採算地区経費（減価償却費相当額）、へき地医療の確保に要する経費（応援医師または代診医師）の派遣に要する経費については、今後においても一般会計からの繰入を行わなければ運営できない状況にある。2015 年度の一般会計等からの繰入額（実績値）は、収益的収支については 1 億 100 万円、資本的収支については 4,100 万円であったが、『改革プラン』では、2020 年度の一般会計等からの繰入見込額を、収益的収支については 1 億円、資本的収支については 4,800 万円としている。

那賀町の病院・診療所が抱える最大の課題は、医師・看護師等の医療スタッフの確保である。医師については、合併当初の 2005 年度は那賀町の公立医療機関全体で 9 名であったが、診療所の統廃合を経た 2008 年度以降は 6 名となった。町では、さまざまな手段を尽くして医師の確保に努めている。自治医科大学卒業の地域医療枠として、徳島県から 2016 年度は 3 名、2017 年度は 5 名が常勤医師として派遣された。また、徳島県立中央病院からも 2016 年度・2017 年度それぞれ 2 名ずつの医師が派遣された。上那賀病院には徳島大学第 2 外科や徳島赤十字病院などから支援が行われており、木頭診療所にも徳島赤十字病院などから支援が行われている。

看護師については、『改革プラン』の策定時点で既に図表 5－3－4 の通り高年齢化が進行しており、「今のままでは 10 年後に大半の看護師が退職するため今のうちから看護師の人員を確保しておく必要がある」と指摘されていた。

図表 5－3－4　上那賀病院職員構成（2017 年 1 月末現在）

	20 代	30 代	40 代	50 代以上	合計
医師	1			1	2
看護師	1	4	8	10	23
技師等		2		4	6
事務職員	1		1	3	5
臨時職員	3	2	4	4	13
合計	6	8	13	22	49

（出典）『那賀町立上那賀病院新公立病院等改革プラン』

看護師不足問題が顕在化したのは 2019 年である。2018 年秋から 2019 年 3 月までに5名が退職したのに対し、2019年4月採用は2名にとどまったため、上那賀病院は、2019年4月1日から平日17時以降と土日祝日の救急患者の受け入れを中止するとともに、日曜診療も取り止めた[7]。その後、上那賀病院を退職した看護師や徳島県立海部病院の支援によって2名以上の看護師を確保できるめどが立ち、4月7日から日曜9時～17時に限って救急受け入れが再開され[8]、さらに、看護師の勤務態勢を調整することにより、6月1日から土曜9時～17時と月～水曜21時まで、7月から祝日9時～17時の救急受け入れも再開されたが[9]、依然として月～水曜21時以降と木～日曜および祝日17時以降の救急受け入れは中止されている[10]。病床40床のうち14床が休床を余儀なくされており、病院経営にも悪影響が及ぶことが懸念される。

（2）戸田市[11]

戸田市立市民医療センター（美女木）は、1945年に開院した美笹診療所を起源に持ち、現在、19の入院病床を持つ有床診療所、介護老人保健施設（指定管理者による管理運営）、訪問看護ステーションおよび地域包括支援センターを有している。

2016年度の1日平均外来患者数は147.0人、1日平均入院患者数は12.1人、病床利用率は63.6%であった。医事レセプト（2017年4月分）を用いて受診患者の住所地を調べると、外来患者は美女木・笹目地区在住が全体外来患者の81.7%を占め、入院患者は美女木・笹目・上戸田地区（特別養護老人ホーム「ほほえみの郷」）在住が全体入院患者の81.0%を占める。美女木・笹目地区は他地区に比べて人口が少ない地域ではあるものの、高齢化率は年々増加しており、特に、笹目地区の高齢化率は市内で最も高い。

2016年度の診療部門への紹介件数は合計129件で、市内からは89件(69.0%)、市外からは40件（31.0%）である。市内の紹介件数として最も多いのが、戸田中央総合病院の30件（23.3%）である。2016年度の診療部門からの紹介件数（逆紹介件数）は、医療機関名指定で合計383件である。そのうち、市内が240件（62.7%）、市外が143件（37.3%）である。市内の逆紹介先として最も多いのが、戸田中央総合病院の195件（50.9%）である。市外の逆紹介先で最も多いのは、済生会川口総合病院の33件（8.6%）であり、その他市外の医療機関では、

---

7 『徳島新聞』2019年3月7日朝刊17面。

8 『徳島新聞』2019年4月7日朝刊11面。

9 『徳島新聞』2019年6月1日朝刊23面。

10 なお、2019年4月、那賀町は高知県南国市のJA高知病院に救急患者の受け入れを依頼し、病院側の協力を得られることになった。県境の木頭北川からJA高知病院までは車で約1時間半であり、徳島赤十字病院に行くよりも約30分早い（『徳島新聞』2019年4月20日朝刊15面）。

11 以下の記述は、『戸田市立市民医療センター経営改革プラン　2018年度（平成30年度）～2022年度』（2018年3月）に基づいている。

大学病院等の高度急性期病院に多くの患者を紹介している。

診療部門の入院病床は地域包括ケア病床に近い運用となっている。2016 年度に入院した患者の入院前の居場所として、最も多いのが特別養護老人ホーム 61 人（36.3%）、次いで自宅 57 人（33.9%）、介護老人保健施設 32 人（19.0%）、病院 15 人（8.9%）、その他 3 人（1.8%）となっている。戸田市内には特別養護老人ホームが 4 施設存在するが、センターへの入院は、ほとんどが「戸田ほほえみの郷」からである。

2018 年 3 月に策定された『戸田市立市民医療センター経営改革プラン　2018 年度（平成 30 年度）～2022 年度』は、センターの経営形態について、当面は公営とするが、今後 5 年間のプランの達成状況等を踏まえ、指定管理者制度の導入等を検討していくと述べている。入院病床 19 床については、小規模多機能入院施設としての特徴を活かし、病院からの早期退院患者の在宅・介護施設への受渡し機能、レスパイト[12]の受入れ、在宅医療の拠点として急性増悪時の入院機能、終末期医療を担う機能など、地域密着型の病床として活用するという方針を示している。

センターの経営は赤字が続いており、診療部門は 2016 年度に市の一般会計から約 1 億 9,000 万円の繰入を受けた（同年度の診療部門の事業収益は繰入金を加味して約 5 億 9,000 万円・事業費用は約 6 億 3,000 万円）。2018 年度より介護老人保健施設が指定管理者制度を導入することに伴い、常勤看護職員等がセンターに異動し、人件費が大幅に増加したため、一般会計繰入金も一時的に増額されることとなったが、『改革プラン』では、その後の経営努力により、プラン最終年度の 2022 年度には診療部門への繰入金を 2 億円まで削減するという目標を掲げている。そして、この繰入金を加味することで経常損益がプラスとなるよう、2022 年度に外来患者数 177.0 人／日、入院患者数 15.2 人／日、病床利用率 80%、訪問診療・リハビリテーション回数 5.1 回／日を達成するとの数値目標を掲げている。

4　「自治」は医療の課題に立ち向かえるか

医療サービスが抱える課題の様相は、那賀町と戸田市・印西市とでは大きく異なっている。那賀町では、医師・看護師等の医療スタッフをいかにして確保するかという喫緊の課題と、人口減少に伴う医療施設の地域からの撤退をいかにして防ぎ、残された住民に対していかにして持続的な医療サービスを提供するかという将来の課題が存在している。いずれも困難な課題ではあるが、町内の医療サー

---

[12] 在宅で高齢者などを介護している家族に、支援者が介護を一時的に代替してリフレッシュしてもらうこと。また、そのようなサービス。

ビスの大部分を町が担っており、町が、もちろん他の主体の支援・協力は受けながらも、自ら課題解決に取り組むことが可能である。すなわち、医療の問題は、那賀町という自治体が「自治」によってグリップできる範囲に収まっている。

これに対し、戸田市・印西市では、そもそも、市内の医療サービス提供に占める市のシェアが皆無もしくは非常に小さい。現状では、高齢化率も低く、他の主体による医療サービスの提供も十分に行われており、大きな問題は生じていないが、今後、両市では医療需要量の急増が見込まれている。二次医療圏単位あるいは東京圏単位で見ると需要の伸びは若干緩やかではあるものの、全国平均を大きく上回る需要増であることに違いはなく、医療需給のギャップが深刻な問題となる。2017 年から開催された総務大臣主催の「自治体戦略 2040 構想研究会」(有識者 10 名により構成)は、2018 年 7 月の第二次報告において、東京圏の行政課題の 1 つとして、今後急速に高齢化が進み医療・介護ニーズが急増する中での圏域全体での医療・介護サービス供給体制の構築を挙げ、「九都県市のみならず国も含め、圏域全体でマネジメントを支えるようなプラットフォームについての検討が必要である」と主張した[13]。プラットフォームの具体像は明確ではないものの、市町村が単独で取り組むにはあまりにも困難な課題であるということが示唆されている。市の「自治」によってグリップできない危機が静かに近づいているという意味では、戸田市・印西市は那賀町よりも厳しい立場に置かれていると言えよう。

[13]『自治体戦略 2040 構想研究会　第二次報告～人口減少下において満足度の高い人生と人間を尊重する社会をどう構築するか～』2018 年 7 月、37-38 頁。

第 6 章　高齢者福祉・介護

1　高齢化の現状

（1）3 市町における高齢人口の特徴

はじめに、2015 年の国勢調査結果（図表 6－1－1）から徳島県那賀町、埼玉県戸田市、千葉県印西市の高齢化の状況を概観する。

図表 6－1－1　那賀町、戸田市、印西市の人口構成（2015 年国勢調査）

区分	那賀町		戸田市		印西市	
	人口	構成比	人口	構成比	人口	構成比
年少人口（0～14 歳）	698	8.4	19,758	15.1	13,825	15.0
生産年齢人口（15～64 歳）	3,731	44.7	89,730	65.9	59,599	64.5
老年人口（65 歳以上）	3,914	46.9	21,764	16.0	18,943	20.5
前期高齢者（65～74 歳）	1,499	18.0	12,476	9.5	11,155	12.1
後期高齢者（75 歳以上）	2,415	28.9	9,288	6.8	7,788	8.4
計	8,402	100	136,150	100	92,670	100
平均年齢	58.1 歳		40.7 歳		43.5 歳	

那賀町の人口は 1955 年の 24,713 人をピークに減少し続け、2015 年時点の人口は 8,402 人である。その内訳をみると、15～64 歳の生産年齢人口が 3,731 人（44.7%）、65 歳以上の高齢者が 3,914 人（46.9%）となっている。前期高齢者人口は 2000 年をピークに、75 歳以上人口は 2015 年をピークに減少に転じている。2015 年現在、前期高齢者（65 歳から 74 歳）が 1,499 人、後期高齢者（75 歳以上）が 2,415 人で、後期高齢者のほうが前期高齢者よりも多くなっている。

戸田市の人口は 1985 年の埼京線開通を契機に急増し、2015 年時点で 136,150 人である。65 歳以上の高齢者数は 22,585 人、高齢化率は 16.0%で、埼玉県下でも最も低い水準である。

印西市では、千葉ニュータウン入居開始（1984 年）後、急激に人口が増加し、2015 年時点の人口は 92,670 人となっている。65 歳以上の高齢者数は 19,017 人、高齢化率は 20.4%で、千葉県下でも最も低い水準である。

続いて、今後の高齢化の動向をみるために、社人研の将来人口推計（『日本の地域別将来推計人口（平成 30（2018）年推計）』）から、年齢階級別人口の伸び率をみる。那賀町では全年齢階級において人口が減少すると予想されている（図表 6－1－2）。一方、戸田市と印西市では、65 歳以上の高齢者が今後急増すると予想されている（図表 6－1－3,4）。特に、75 歳以上の後期高齢者人口についてみると、2015 年から 2045 年の 30 年間に、戸田市では 9,626 人から 22,124 人へ、印西市では 7,816 人から 18,613 人へと、どちらも 2.3～2.4 倍増加すると予想されている。

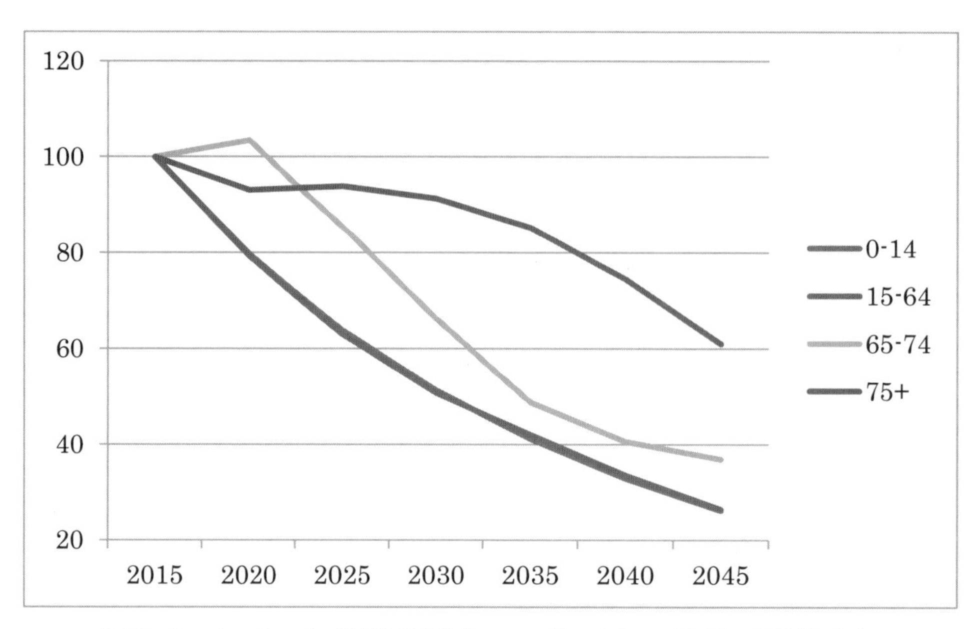

図表 6－1－2　年齢階級別人口の伸び率の推移（那賀町）

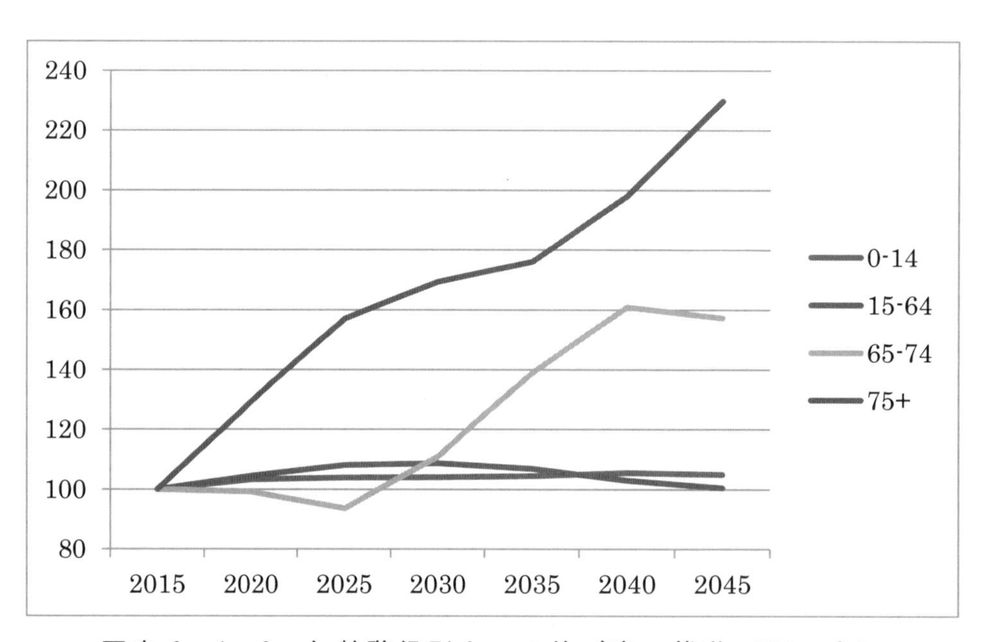

図表 6－1－3　年齢階級別人口の伸び率の推移（戸田市）

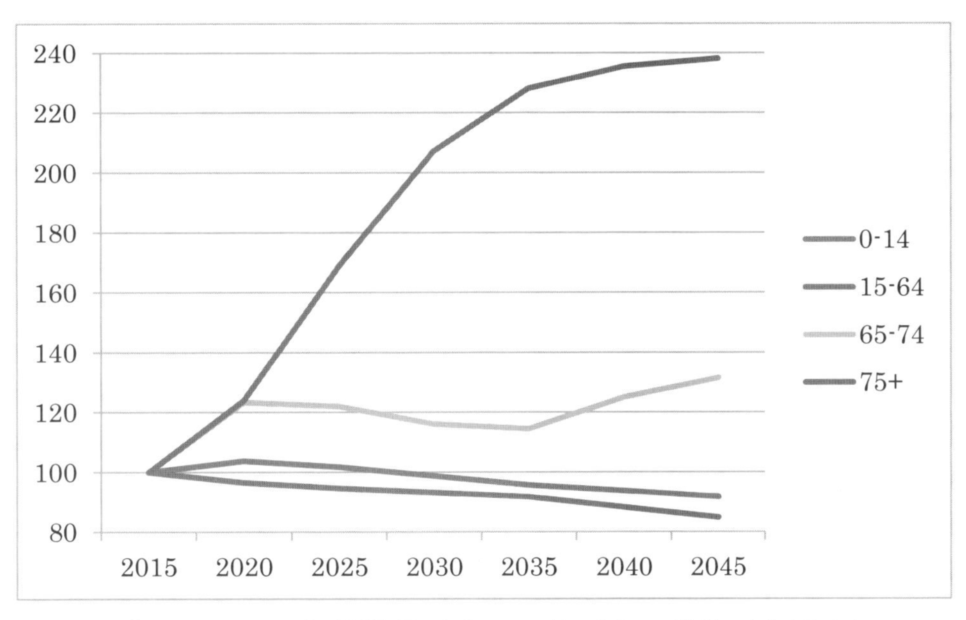

図表 6－1－4　年齢階級別人口の伸び率の推移（印西市）

以上より、那賀町では、今後、人口減少が進み、高齢者人口がさらに減少していくことが予想され、現在よりも介護需要が少なくなった時に、介護サービスをどのように維持していくかが問題になる。一方、戸田市・印西市では、今後、高齢者、特に後期高齢者が急増し、介護需要も増加したときに、十分な介護サービスが提供できるかが問題になると考えられる。

（2）3市町における要介護（要支援）認定

・要介護（要支援）認定者数と認定率

要介護（要支援）認定者数は3自治体とも年々増加傾向にあり、2018年3月末現在、那賀町は879人、戸田市は3,396人、印西市は2,824人となっている（図表6－1－5, 6, 7)。認定率（65歳以上人口に占める要介護等認定者数の割合）は、那賀町が21.5%、戸田市が15.3%、印西市が13.1%となっている。

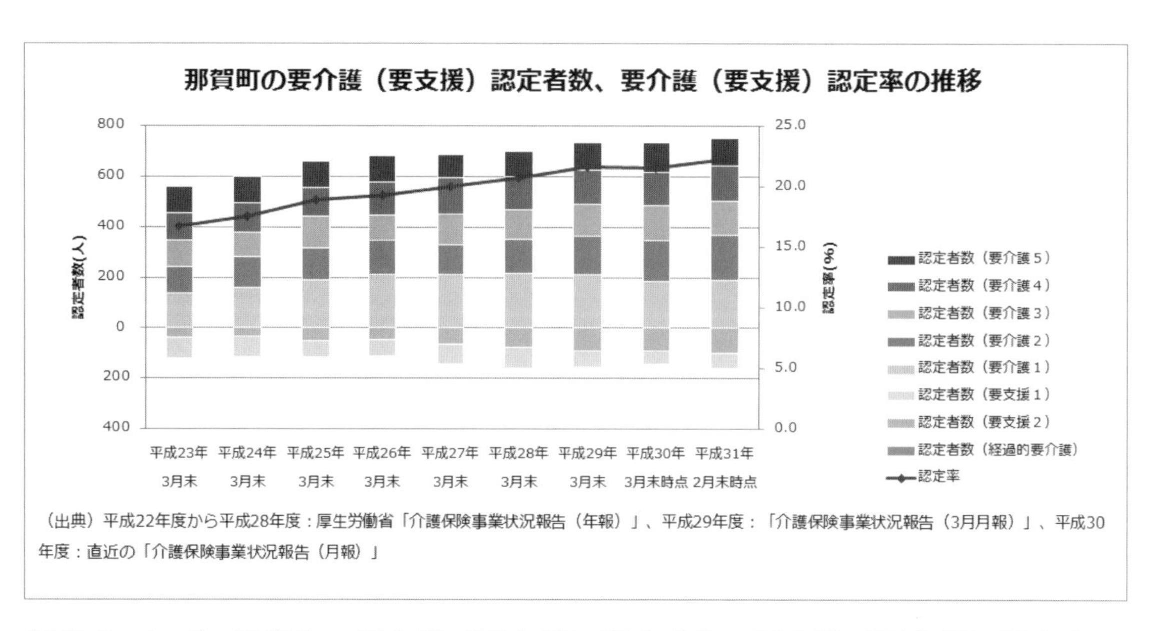

図表 6－1－5　那賀町の要介護（要支援）認定者数、要介護（要支援）認定率の推移

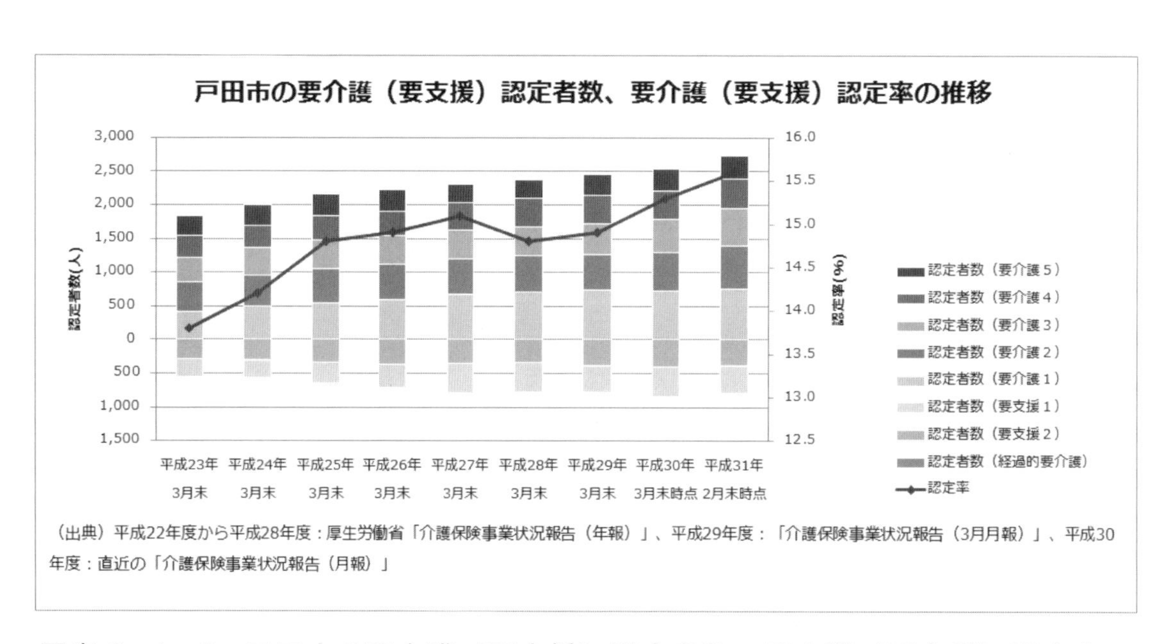

図表 6－1－6　戸田市の要介護（要支援）認定者数、要介護（要支援）認定率の推移

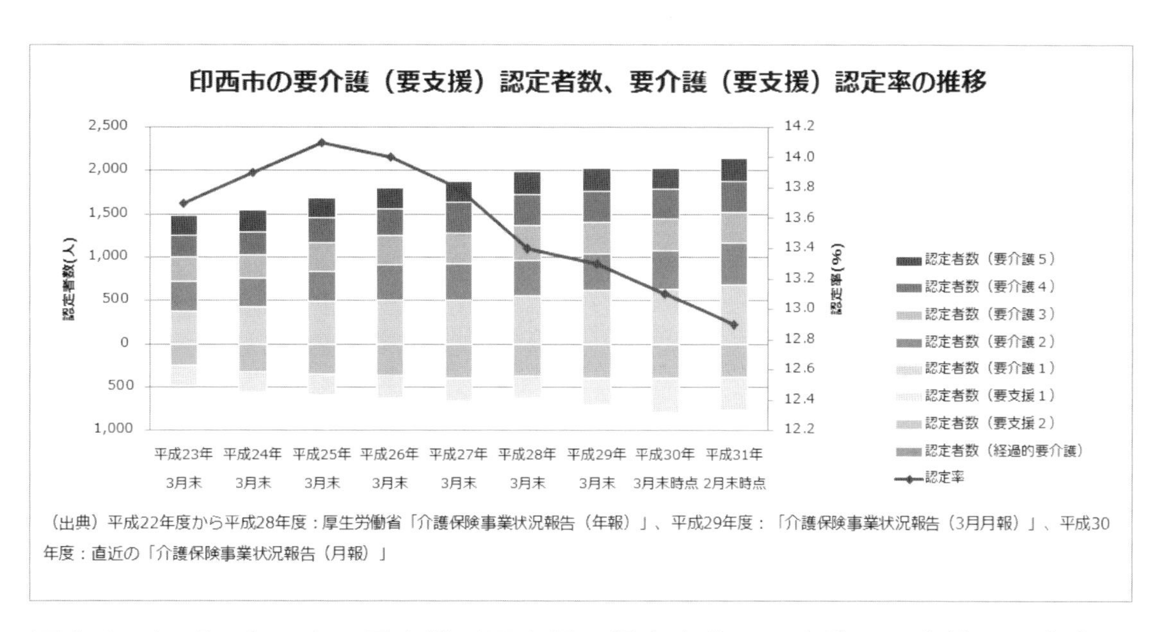

図表 6−1−7　印西市の要介護（要支援）認定者数、要介護（要支援）認定率の推移

要介護（支援）度別の全認定者数に占める割合をみると（図表 6−1−8）、那賀町では要支援 1 が 6.4%、要支援 2 が 10.0%、要介護 1 が 21.2%、要介護 2 が 18.2%、要介護 3 が 15.8%、要介護 4 が 15.1%、要介護 5 が 13.3%。戸田市では要支援 1 が 13.1%、要支援 2 が 11.9%、要介護 1 が 21.5%、要介護 2 が 16.5%、要介護 3 が 14.7%、要介護 4 が 12.7%、要介護 5 が 9.6%。印西市では要支援 1 が 13.8%、要支援 2 が 14.2%、要介護 1 が 22.3%、要介護 2 が 15.5%、要介護 3 が 13.3%、要介護 4 が 12.0%、要介護 5 が 8.8%。戸田市・印西市よりも那賀町において、重たい要介護度が認定される割合が高いことがわかる。75 歳以上の後期高齢者になると 65〜74 歳の前期高齢者よりも要介護の認定を受ける人の割合が大きく上昇することから[1]、後期高齢者の多い那賀町において要介護認定率が高く、重い要介護度が判定がなされていると考えられる。

[1] 総務省統計局人口推計及び介護給付費等実態調査（平成 29 年 10 月審査分）によれば、65 歳以上全体の認定率は 18%であるのに対し、75 歳以上全体の認定率は 32.2%、85 歳以上全体の認定率は 60.1%と、年齢と共に認定率は指数関数的に高くなる。（厚生労働省老健局老人保健課「一般介護予防事業等について」令和元年 5 月 27 日）

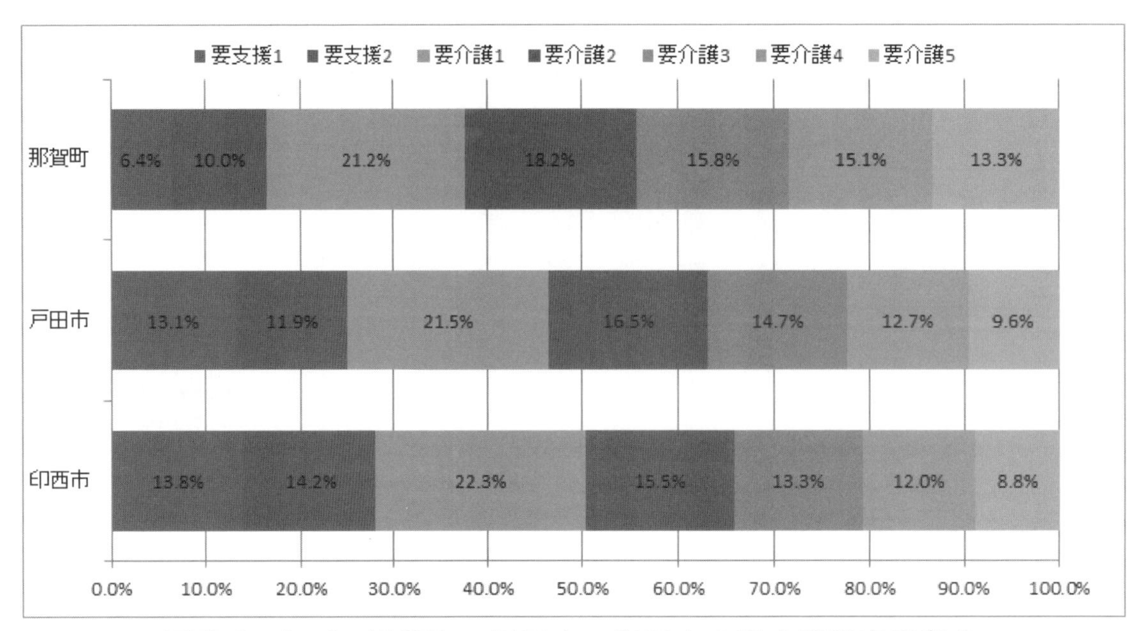

図表 6－1－8　那賀町・戸田市・印西市の要介護認定者割合

・介護認定審査会

介護認定審査会は、3 市町とも、広域連合等による共同設置ではなく、自治体ごとに設置されている。

那賀町では、介護認定審査会の委員の定数は 10 人以内と規定されており、現在の委員は、医師 2 人、歯科医師 1 人、元保健師 3 人、介護事業所の方 4 人の計 10 人いる。一つの合議体につき 5 名体制で、合議体の数は 2 つである。月 1 回ずつ開催され、年 24 回開催されている。

戸田市では、介護認定審査会の委員の定数は 32 人、一つの合議体につき 8 名体制で、合議体の数は 4 つである。高齢者の増加に伴い、要介護認定申請件数も増加しているため、認定審査会を週 3 回体制とし、認定事務の強化が図られている[2]。

印西市では、介護認定審査会の委員の定数は 36 人以内と規定されており（印西市介護保険条例 5 条 1 項）、2018 年 3 月 31 日現在、現員数は 29 人となっている。合議体の数は 6、合議体委員の定数は 6 人以内と設定されている（印西市介護保険事業実施規則 47 条 1 項､2 項）。2017 年度の審査会開催回数は 76 となっている。

介護認定審査会の委員の任期は、介護保険法施行令によって以前は全国一律で 2 年と規定されていたが、2 年を超え 3 年以下の期間で市町村が条例で定めることができると 2016 年 4 月 1 日に改正された。これを受けて、戸田市では、介護認定審査会は専門性が高く、委員全員が医師や歯科医師、薬剤師などの専門職で

[2] 戸田市　事務事業評価　≪事後評価シート≫ 2017 年

あり、適正な審査を行うためには相当の経験や技術習熟の期間が必要との考え[3]から、2016 年 12 月 20 日に戸田市高齢者総合介護福祉条例が改正され、その任期が 2 年から 3 年に変更された。

那賀町では、同審査会委員の任期は 2 年・再任可能となっている。実際には、委員の成り手がなかなかおらず、再任を繰り返すしかないような状況である。しかも、那賀町には公立病院以外の個人病院は、鷲敷地区の和田内科と相生地区の山本医院、2 つしかない状況で、現在委嘱している委員の医師 3 人のうち 2 人が 70 歳を超えている。

2　高齢者サービスの状況

（1）介護費用額の推移

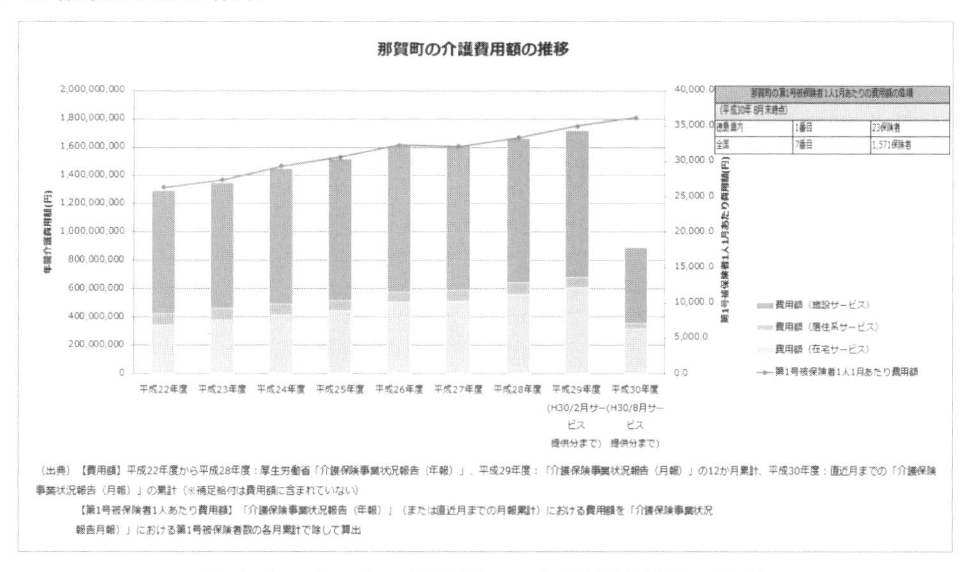

図表 6－2－1　那賀町の介護費用額の推移

那賀町における介護費用額は、居住系サービス費用額は横ばいだが、在宅サービス費用額、施設サービス費用額は増加傾向にあり、総額は増加傾向にある。

第 1 号被保険者 1 人 1 月あたり費用額は一貫して増加し続け、2016 年度は 35,003.5 円となっており、徳島県平均よりも高くなっている。2016 年度の介護費用額に対する各サービス費用額の割合は、施設サービス 61.4%、居住系サービス 4.9%、在宅サービス 33.7%であり、施設サービスの割合が大きくなっている。さらに、2018 年 9 月の時点で介護度 5 の人が 118 人おり、その内訳は在宅 9 人・施設 109 人であり、介護度があがると施設に入所するケースが多い[4]。

---

[3] 戸田市議会平成 28 年 12 月定例会（第 5 回）,11 月 22 日-01 号
[4] 那賀町　平成 30 年 9 月　定例会議　09 月 06 日－02 号

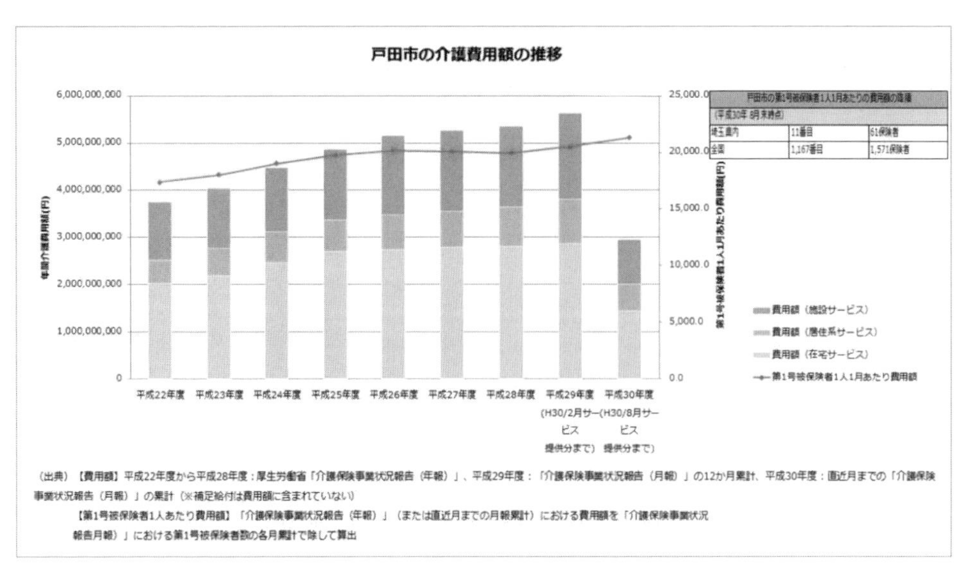

図表 6－2－2　戸田市の介護費用額の推移

戸田市における介護費用額は、施設サービス、居住系サービス、在宅サービスとも、一貫して増加している。第 1 号被保険者 1 人 1 月あたり費用額も一貫して増加し続けている。2016 年度は 19929.7 円で、埼玉県平均より高い。2016 年度の介護費用額に対する各サービス費用額の割合は、施設サービス 32.0%、居住系サービス 15.5%、在宅サービス 52.5%で、在宅サービスの割合が大きくなっている。

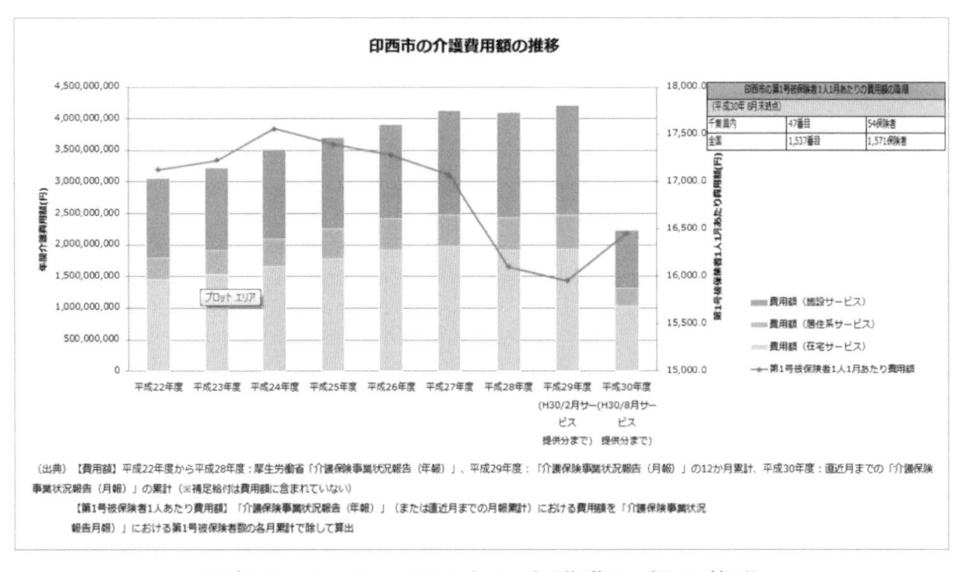

図表 6－2－3　印西市の介護費用額の推移

印西市における介護費用額は、施設サービス、居住系サービス、在宅サービスとも、増加傾向にある。2015 年度から 2016 年度にかけて在宅サービスの介護費用額が若干減少した。第 1 号被保険者 1 人 1 月あたり費用額は 2012 年度から減少傾向である。2016 年度は 16100.7 円で、千葉県平均よりも低い。2016 年度の介護費用額に対する各サービス費用額の割合は、施設サービス 40.6%、居住系サービス 12.5%、在宅サービス 46.9%で、施設サービスと在宅サービスの割合がともに 40%代で拮抗している。

一般的に介護費は高齢になるほど高く、居住系サービス、在宅サービス、施設サービスの順番に高くなることが知られている[5]。いずれの自治体でも、今後、高齢化が進んだ時に、介護度の重度化を避けるための取り組みや、もし重度化してしまっても施設ではなく在宅で暮らせる環境づくりが重要となる。

（２）介護サービスの状況

・那賀町

那賀町には、施設サービスについては特養が 3 か所（鷲敷地区、相生地区、上那賀地区）、老健施設が 1 か所（鷲敷地区）、グループホームが 2 か所（相生地区に 1 か所、木頭地区に 1 か所）、サービス付き高齢者住宅が鷲敷地区に 1 か所ある。

在宅サービスの事業所の那賀町内への立地状況は、以下の通りである。

通所介護が 7 か所（鷲敷 3、相生 1、上那賀 1、木沢 1、木頭 1）で、各地区に一つ以上の事業所が立地している。そのうち、木頭地区の通所介護事業所は、「サテライト型」であり、日月水金は上那賀地区にある事業所で営業して、火木土は職員が木頭地区にある事業所へ移動して営業している。そのほかに、通所リハビリテーションが 1 か所（相生 1）、訪問介護が 4 か所（鷲敷 2、相生 1、上那賀 1）、訪問リハビリテーションが 2 か所（相生 1、上那賀 1）、短期入所生活介護が 3 か所（鷲敷、相生、上那賀の特養に併設）、短期入所療養介護が 1 か所（鷲敷の介護老人保健施設に併設）ある。

訪問入浴については、以前は上那賀に 1 事業所あったが、現在、那賀町内に事業所がない。近年は、毎月 1 人が那賀町外の事業所によるサービスを利用している状況である。

訪問看護は、現在、隣の阿南市にある「公益社団法人徳島県看護協会訪問看護ステーション阿南」から週に 2 回（月・水）、常勤の看護師と非常勤の看護師が 1 人ずつ 2 人セットで那賀町相生庁舎までやってきて、そこで那賀町の車に乗り換え、町内を周り、カバーしているという状況である。

訪問看護の利用者は要介護 3 以上の人が多く、居宅サービス利用者の要介護度の重度化によるニーズの高まりにより、サービス量の増加が見込まれている[6]。

---

[5] 厚生労働省老健局「介護費の動向について②」平成 28 年 4 月 8 日

[6] 那賀町『那賀町高齢者保健福祉計画及び第 7 期介護保険事業計画（平成 30 年度～平成 32 年度）』平成 30 年 3 月

図表 6－2－4　那賀町町内の入所、入居施設の分布

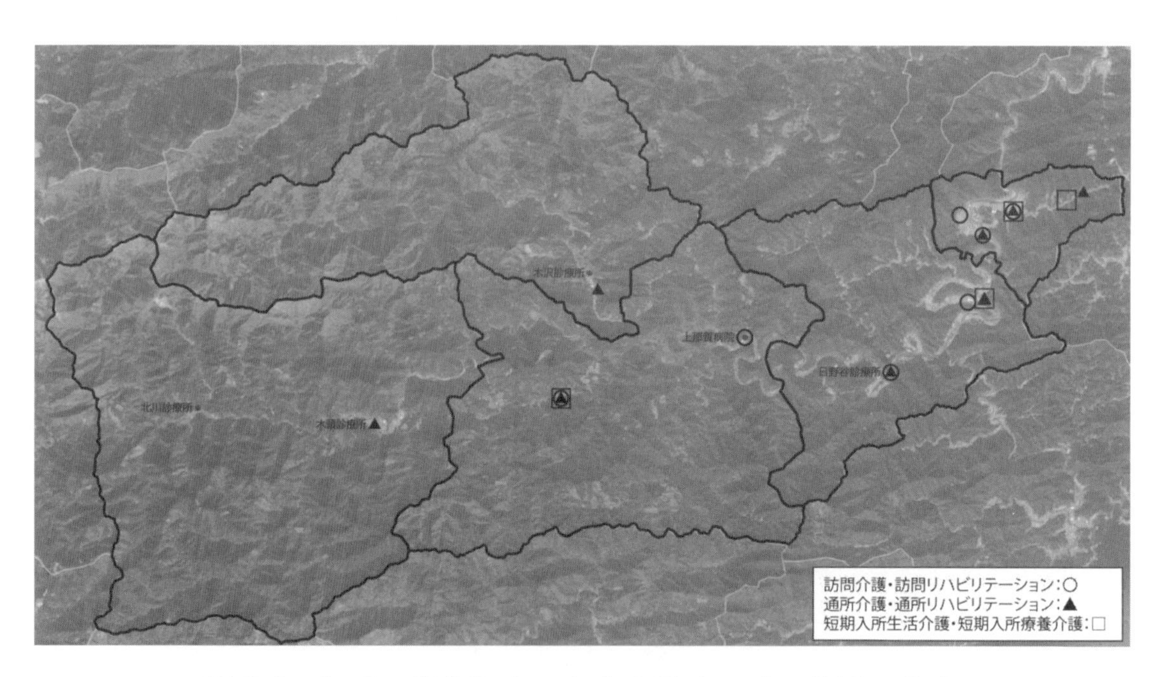

図表 6－2－5　那賀町内の在宅介護サービス施設の分布

このように、町内で足りない部分は近隣自治体の介護事業者の助けも得ながら、要介護者への介護サービスが提供されている状況である。

那賀町は、「那賀町内で福祉施設を営んでいただいている方にはできだけのことは町としてもご協力をさせていただきたい」[7]という考え方から、たとえば、社会

[7] 那賀町議会平成 27 年 12 月　定例会　12 月 07 日－01 号

福祉法人緑風会が特養「ふるさと那賀」を建設するための土地を那賀町が造成するなど、民間事業者を支援してきた。

高齢者数が減少しても、介護度の重度化にともない、介護サービス量は増加が見込まれており、今後もサービス量が十分確保できるように、サービスの担い手確保等のために行政から事業所への支援が必要である。那賀町では、介護施設の従業員の社宅を社会福祉法人等が建設しようとするときに、建設費を一部町で補助することで介護人材確保を後押しするための「介護保険施設等社宅整備支援補助金」が 2019 年度予算に計上された。この補助金を受けて、上那賀地区で特別養護老人ホーム・緑風会チロルを運営している社会福祉法人緑風会は、2019 年 9 月末完成を目指して（日本人職員も入居できる）外国人職員寮の建設を始めた。緑風会チロルでは 2018 年 12 月にフィリピン人の介護福祉士候補者 2 名を受け入れ、来年度以降も受け入れる予定である[8]。

・戸田市

1997 年 4 月、上戸田地区に公設民営の「健康福祉の杜」がオープンし、同年 7 月には特別養護老人ホーム「戸田ほほえみの郷」と老人介護支援センター「戸田市立中央老人介護支援センター」、同年 9 月には老人デイサービスセンター「ふれあいランド戸田」が開所している。「戸田ほほえみの郷」では、同年 8 月からショートステイ（短期入所生活介護）の受け入れも始まった。

その後、介護保険導入にともなって戸田市内の特養待機者が急増し 2001 年 7 月末現在で 218 人になった（朝日新聞 2001 年 9 月 30 日）。これを受けて、市が無償貸与する土地に特養を建設・運営する事業者を市が公募して、「いきいきタウンとだ」が 2005 年 4 月に民設民営でオープンした。これは、全個室・ユニットケアの特別養護老人ホーム 88 室を主に、ショートステイを 20 床、認知症 10 人を含めた 40 人のデイサービス、その他在宅介護支援センター、訪問看護ステーション、児童と高齢者の交流を目指した地域交流スペースなどを備えたものだった[9]。「いきいきタウンとだ」でのヒアリングによると、同施設への入居は全国から申し込むことができ、隣接する蕨市からの入居者もいるが、実際は圧倒的に戸田市民が多く、その割合は 7 割～8 割とのことである。

2009 年 11 月時点で、戸田市内には特別養護老人ホームが 2 か所あったが、利用施設の待機者数は 900 人を超えていた（両施設重複や市外からの申込者も含む）[10]。そこで、市では 2010 年 4 月に福祉総務課内に高齢者入所施設整備担当を設置し、特別養護老人ホームの計画的な整備を進めていくことになった[11]。

---

8 「外国人職員の寮 起工 那賀の特養 人材確保図る」『徳島新聞』（2019/05/16）
9 戸田市『第 2 期戸田市高齢者保健福祉計画・介護保険事業計画』、2003 年 3 月、p.51
10 戸田市政策研究所『急速な高齢化が戸田市へもたらす影響に関する研究～西暦 2035 年の高齢社会に備え戸田市は何を為すべきか』、2011 年 3 月、p.40
11 同上、pp.52-53

民間の土地所有者が社会福祉法人を設立し、特別養護老人ホーム、ショートステイ、デイサービスなどの機能を持つ施設を建設し、下戸田地区に「レーベンホーム戸田」（定員：92床）が2013年4月に開設された。

2013年7月に埼玉県が主体となって行った特別養護老人ホームへの入所申込者の名寄せ調査によると、戸田市の特養待機者は約150名だった。そして、2014年3月、市有地貸与による民設民営の特養「とだ優和の杜」（定員：130床）の開設によって、入所待機者がおおよそ解消されると見込まれていた[12]。

特養以外の施設について見ると、民間事業者による有料老人ホームは11ヶ所、認知症対応型グループホームは10ヶ所開設されている[13]。特に認知症対応型グループホームに関しては、『第6期戸田市高齢者福祉計画・介護保険事業計画（平成27年度～平成29年度）』において、高齢者が住み慣れた地域で24時間安心して暮らすためのサービス提供体制の確保が目標の一つに掲げられ、その整備が推進された。これを受けて2015年度、2016年度に地域密着型サービス事業所の公募が行われ、各年度1ホームが指定を受けている。これらの高齢者の入所、入居施設の分布は、図表6−2−6のようになっている。埼京線沿線を中心に、市内全域に配置されている。

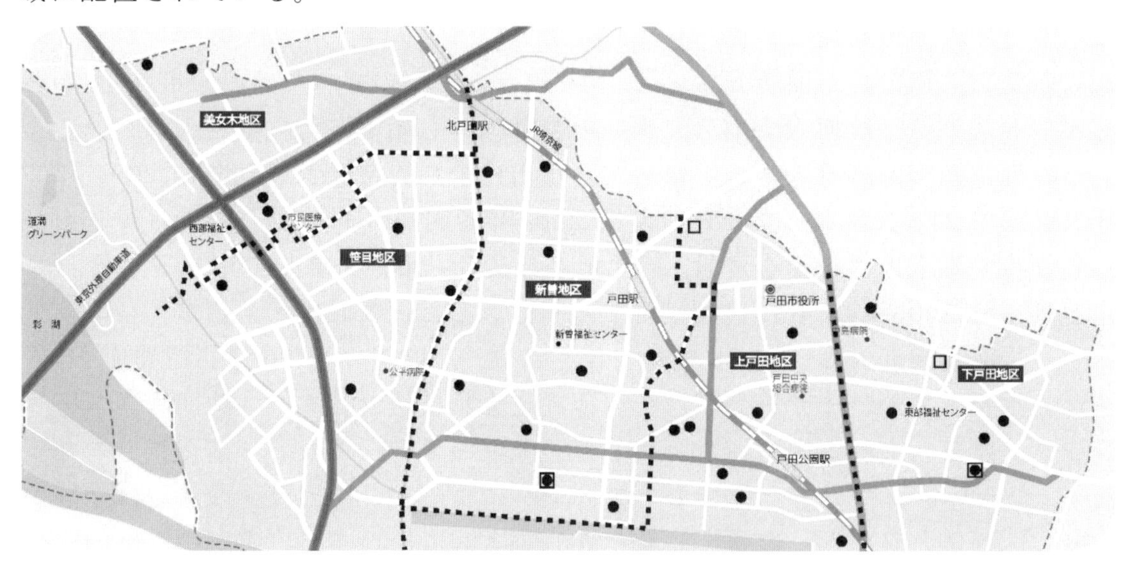

図表6−2−6　戸田市内の入所、入居施設の分布

（介護老人福祉施設：□、その他施設（介護老人保健施設、グループホーム、有料老人ホーム、サービス付き高齢者向け住宅）：●）

（出典：戸田市「平成29年度版 介護保険サービス事業者マップ」を加筆修正）

高齢者が自宅での居住を継続しながら利用する訪問介護、通所介護などの在宅

---

12 戸田市HP「市長への手紙（特別養護老人ホームについて：2013年12月）」への回答
https://www.city.toda.saitama.jp/mayer-faq-answer/mayer-faq/welfare-20140225-1.html

13 戸田市「平成30年度 介護保険サービス事業所マップ」

系サービスは、民間事業者が増加しており、市内に多数存在する在宅系サービス事業者のほとんどが民間事業者となっている。在宅系サービスの民間事業者は、戸田市の東側に多い（図表 6－2－7)。これには、東側の方が交通至便で民間事業者が立地しやすいことなどが影響している可能性がある。

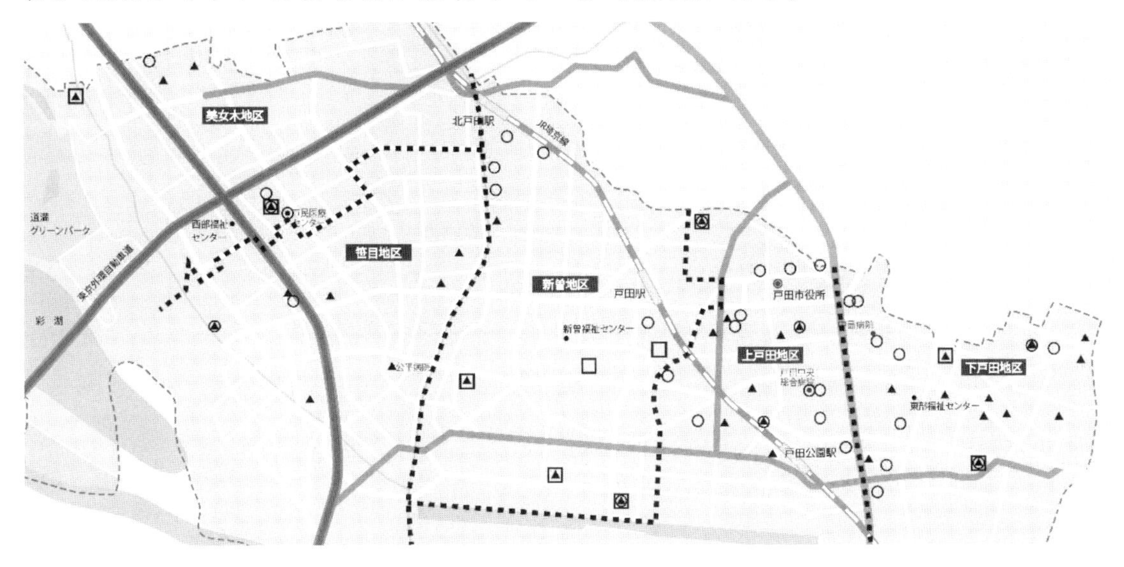

図表 6－2－7　戸田市内の在宅介護サービス施設の分布

（訪問介護・訪問リハビリテーション・訪問入浴：○、通所介護・地域密着型通所介護・通所リハビリテーション・認知症対応型通所介護：▲、短期入所生活介護・短期入所療養介護：□）

（出典：戸田市「平成 29 年度版 介護保険サービス事業者マップ」を加筆修正）

第 1 章で概観した通り、戸田市の高齢化率は他自治体に比較すると低い。しかし、本章で見たように、市が主導して特養やグループホームが開設されるなど、高齢者向けのサービスも拡充されてきている。そして、埼京線による利便性の高さなどから、近隣市と比較しても介護サービス事業者が多く、サービスは充足している。しかしながら、市域西側で高齢化率が高い笹目地区では、在宅系サービスの利用控えの可能性がある。また､市域東側で高齢化率の高い下戸田地区では、独居高齢者のひきこもりにより､必要なサービスが届きにくくなる可能性もある。このように、地区ごとに問題の傾向が異なるため、きめ細かくサービスを考える必要があろう。

・印西市

印西市の各圏域の医療・介護資源には地域的な偏在が生じている（図表 6－2－8)。2017 年 4 月 1 日現在、南部地域と本埜地域には、介護施設のうち小規模多機能・グループホームと訪問系サービスが皆無である。また、北部地域よりも南部地域の方が高齢者人口は多い一方（図表 6－3－1：北部地域は 6,155 人、南部地域は 6,715 人)、南部地域の介護資源数は、北部地域の介護資源数と比較すると、半数程度にとどまっている。

図表 6－2－8　各圏域の医療・介護資源

■圏域の医療・介護資源　単位：箇所

圏域名	医療		介護				
	医科	歯科	入所・入居系施設	小規模多機能・グループホーム	通所系サービス	訪問系サービス	居宅介護支援事業所
北部地域	6	11	5	5	9	7	11
南部地域	13	10	2	0	5	0	3
船穂・牧の原地域	12	10	4	2	6	4	5
印旛地域	6	5	1	1	2	2	3
本埜地域	3	1	1	0	3	0	1
計	40	37	13	8	25	13	23

資料：高齢者福祉課（平成 29（2017）年 4 月 1 日現在）

出典）印西市「第 7 期印西市高齢者福祉計画及び介護保険事業計画（平成 30(2018)年度～2020 年度）」（2018）p.25

以上、3 市町の介護サービスの状況を見てきた。戸田市、印西市は、民間の介護サービス事業者も多く立地している。両市では、今後も、交通の便や高齢者数の増加（＝需要増）から、民間事業者がサービスを提供し続ける可能性が高いだろう。このとき、介護人材をいかに確保できるかが問題となるが、那賀町で行われていたように、介護保険施設の社宅の建設費の一部を自治体が負担することにより、海外介護人材も視野に入れながら受け入れをスムーズにする施策を検討する必要があろう。また、同時に、施設サービスに頼らずに自宅で暮らせるように、介護予防や地域包括ケアの体制構築に取り組むことも肝要である。

3　地域包括ケア

2000 年 4 月にスタートした介護保険制度は、制度の定着とともにサービス利用が拡大し、保険料の大幅な上昇が見込まれたとともに、団塊の世代が高齢期に到達する 2015 年、後期高齢期を迎える 2025 年に向けて高齢者の急速な増加に対応するために、2006 年に介護保険制度改革が行われた。この改革の一環で、介護予防重視型システムの確立や地域包括ケア体制の整備がはじまっている。

・那賀町

那賀町では、2005 年に町村合併をする前から、旧相生町においてすでに「包括ケア」が実践されていた。旧相生町において深刻な医療危機に直面したことをきっかけに、1994 年に保健医療福祉の専門職が毎週集まるようになった。そして、

1998年、日野谷診療所に、保健センター、在宅介護支援センター、デイケア、ホームヘルプステーションが併設された「相生包括ケアセンター」が開設されたのである。

町村合併後の 2006 年に那賀町地域包括支援センターが相生包括ケアセンター内に開設され、旧町村ごとに毎月 1～4 回「支所ケア会議」が開催されるようになった。この会議では医療・保健・福祉の関係者が集まり個別の事例や地域課題について協議が行われている。加えて、各地域での解決が難しく、町全体で協議すべき内容は「健康福祉検討会」において検討されている。

那賀町地域包括ケアセンターは、当初は3名でスタートし、2019年3月現在8名体制（管理者・保健師・社会福祉士・主任介護支援専門員各1名、介護支援専門員・認定調査員各2名）となっている。また、皆、認知症地域支援推進員を兼務している。

・戸田市

戸田市においては、 2006（平成 18）年度に地域包括支援センターが市役所福祉部内に開設され、2007 年度には東部地区にサブセンターが設置された。2008年度には、戸田市立地域包括支援センターが市役所福祉部から介護老人保健施設に移管されるとともに、サブセンターが東部地域包括支援センターに移行された。

2009年度には戸田市中央地域包括支援センターが、2017年度には戸田市新曽地域包括支援センターが設置された。現在では 4 つのセンターがあり、「戸田市立地域包括支援センター」は美女木地区と笹目地区を、「戸田市東部地域包括支援センター」は下戸田地区を、「戸田市中央地域包括支援センター」は上戸田地区を、「戸田市新曽地域包括支援センター」は新曽地区を担当している。

各センターには、3 職種（保健師、社会福祉士、主任介護支援専門員）をそれぞれ1名以上配置することが「戸田市地域包括支援センター運営方針」によって示されている。それ以外の人員は、各地域包括支援センターが必要に合わせて配置している。認知症地域支援推進員は、高齢者人口が一番少ない新曽地域包括支援センター以外のセンターに配置されている。

・印西市

印西市においては、2017年3月までは、合併前の旧市村に対応する印西地域、印旛地域、本埜地域の3地域に一つずつ地域包括支援センターが設置され、印西地域と印旛地域のセンターは市の直営で、本埜地域のセンターは業務委託によって運営されていた。

2017年4月から、より身近な地域の地域包括支援センターで相談できるようにすることなどをねらいとして、南部地域と船穂・牧の原地域に地域包括支援センターが新たに設置された。また同年度から、すべての地域包括支援センターにて、運営業務の委託が行われるようになった。そして、これまで直営で実施されてきた印西地域包括支援センターは包括支援係と位置づけられ、圏域の委託地域包括支援センターの後方支援を行い、統括する機関として運営されるようになった。

各地域包括支援センターでは、市町村合併前は、旧印西市で地域ケア会議が 2 ヵ月に 1 回、旧印旛村・本埜村では印旛村・本埜村介護支援専門員連絡会が 3 ヵ月に 1 回開催されていた。市町村合併後は旧印西市の例により地域ケア会議が実施されるようになった。

2017 年度からは、「地域思いやりケア会議」と「地域ケア推進会議」という 2 種類の地域ケア会議が開催されている。前者は各地域包括支援センターが支援困難な高齢者の個別ケースに対して、その事例の関係者が幅広く出席し、必要時に開催される。後者は各地域包括支援センターが年に 3 回～6 回を目安に開催するのもので、「地域思いやりケア会議」で把握された地域課題や、関係者が把握している地域課題を検討する。

地域包括支援センターの人員配置については、「印西市地域包括支援センターにおける包括的支援事業の実施に係る職員等の基準を定める条例」（2016 年改正）に定められている。地域包括支援センターが担当する区域内の第 1 号被保険者の人数が、おおむね 3,000 人以上 6,000 人未満ごとに、保健師その他これに準ずる者、社会福祉士その他これに準ずる者、主任介護支援専門員その他これに準ずる者が、原則として各 1 名配置される（条例 2 条 1 項）。

船穂・牧の原圏域と本埜圏域では、第 1 号被保険者数が 3,000 名を下回っているものの、保健師等、社会福祉士、主任介護支援専門員の 3 職種については、不足することなく 1 名ずつ配置されている。

図表 6－3－1　地域包括支援センター担当区域別人口等

		地区人口	65 歳以上	高齢化率	委託先	設置年
	那賀町地域包括支援センター	8,648 人	4,085 人	47.2%	直営	2006 年度
戸田市	戸田市立 地域包括支援センター （美女木 4-20-6）	33,612 人	6,051 人	18.0%	戸田市立市民医療センター	2006 年度（福祉部内） 2008 年度（介護老人保健施設に移管）
戸田市	戸田市東部 地域包括支援センター （喜沢南 2-5-23）	35,670 人	6,403 人	18.0%	社会福祉法人ぱる	2007 年度（サブセンター） 2008 年度（東部地域包括）
戸田市	戸田市中央 地域包括支援センター （大字上戸田 5 番地の 4）	36,680 人	5,523 人	15.1%	社会福祉法人戸田市社会福祉事業団	2009 年 4 月 1 日
戸田市	戸田市新曽 地域包括支援センター （新曽南 3-1-5）	31,826 人	3,792 人	11.9%	社会福祉法人戸田市社会福祉協議会	2017 年 4 月 1 日
印西市	印西北部 地域包括支援センター	20,991 人	6,155 人	29.3%	社会福祉法人昭桜会	2017 年 4 月
印西市	印西南部 地域包括支援センター	35,931 人	6,715 人	18.7%	医療法人社団雅厚生会	2017 年 4 月
印西市	船穂・牧の原 地域包括支援センター	18,513 人	2,489 人	13.4%	社会福祉法人佐倉厚生会	2017 年 4 月
印西市	印旛地域包括支援センター	13,168 人	3,353 人	25.5%	社会福祉法人晴山会	2006 年 4 月（旧村直営）
印西市	本埜地域包括支援センター	8,596 人	1,892 人	22.0%	社会福祉法人六親会	2006 年 4 月（旧本埜村委託）

ここで 3 市町を比べると、65 歳以上人口当たりの人員配置が手厚いのは、那賀町となっている。また、那賀町では、保健・医療・福祉の連携が 1994 年から進められており、現在では「各支所ケア会議」で個別課題を抽出し、「健康福祉検討会」で政策提言につなげる流れが確立している。この会議は形骸的なものではなく、関係者の連携も円滑に進んでおり、ICT による個別ケースの情報共有も行われている。健康福祉検討会における協議を経て、認知症の見守りなどの取り組みが実行に移されている[14]。

[14] 湯浅雅志氏（那賀町地域包括支援センター　主任介護支援専門員）の発表資料によれば、健康福祉検討会で協議し実施したことは、以下の通りである。在宅福祉事業の整理、災害時保健衛生活動マニュアルの検討、重度障害者移動支援の町独自の施策検討、介護保険・高齢者福祉に関するニーズ調査検討、成年後見制度利用支援事業要綱（改正）、高齢者外出支援事業（改正）、那賀町高齢者虐待防止ネットワーク実施要項（新設）、高齢者安心生活事例検討会（新設）、那賀町腎臓透析治療通院交通費助成実施要項（新設）、那賀町認知症支援検討会議設置要綱（新設）、那賀町見守りネットワーク事業実施要項（新設）、認知症サポーター協力事業所表彰制度（新設）、高齢者認知症等 SOS ネットワークシステム（新設）。平成 29 年度在宅医療・介護連携推進事業に係る市町村セミナー「医療と介護における那賀町の取り組み」

4　介護予防のための活動

那賀町では「いきいき百歳体操」、戸田市では「TODA 元気体操」、印西市では「いんざい健康ちょきん運動」という、手や足に重りをつけて体を動かして、筋力の維持を図り、「健康寿命」を伸ばすことを目的とした体操が行われている。

いずれの自治体でも住民自らが主体的に教室を立ち上げ、運営することが基本となっており、その実施主体は町会・自治会、老人クラブなど様々である。自治体（那賀町では社会福祉協議会）はスタート時の相談や、体力測定の実施などによってその活動を支援している。ここでは、戸田市と那賀町における活動について概観する。

戸田市の「TODA 元気体操」は、2016 年から新しい介護予防の取り組みとして始まった。2018 年 3 月現在、地域の町会会館・（自治会の）集会所 11 か所、公共施設 3 か所、お寺 1 か所、合計 15 か所の教室で原則週 1 回開催されている。

各教室を指導するのは、年 1～2 回程度開催される「介護予防リーダー養成講座」の修了者である。この講座は、全 6 回のプログラムから構成され、体操の指導方法や教室の運営手法など、理学療法士が講師となって実施されている。また、受講者は、既存の体操教室で講師体験を行う現場実習を 1 回行う。リーダー養成講座の参加者を公募する際には、市の担当者が町会長・自治会長への説明を行っている。また、養成講座の修了後には、教室を立ち上げて運営を軌道に乗せるための支援として、理学療法士が 9 カ月間の間に 7 回教室を訪問し、運営の手伝い、補助、支援を行っている。加えて、市及び地域包括支援センターは教室を訪問し、教室運営上の課題についての相談に乗っている。また、市は、既存教室のリーダーを対象としたフォローアップ講座を開催するなどの継続的な支援も行っている[15]。

那賀町では、那賀町社会福祉協議会の生活支援コーディネーターを中心に介護予防に取り組まれている。そのなかでも、「いきいき百歳体操」は、2002 年に高知県高知市で開発された運動プログラムを参考として、2016 年秋から始まった。

はじめる条件は、以下の 5 点である。

① 3 人以上の仲間を集めること（既存のサロンや趣味活動の利用も可）

② グループで運動できる場所を確保する（集会所だけでなく自宅の居間などでも可）

③ DVD を観ながら体操するために、テレビやプレーヤーを用意する（DVD は貸し出し。また、初回から 4 回目までは指導者を派遣）

④ イスを用意する

⑤ 毎週 1～2 回、最低 3 ヶ月継続する

2017 年 4 月に 6 か所だった会場は、2018 年 5 月には 22 か所、2019 年 5 月に

---

[15] 戸田市議会 平成 29 年 12 月定例会（第 5 回）－12 月 06 日-06 号

は 45 か所に増加している[16]。これは、歩いて 15 分以内をベースに、開催できそうなところに、生活支援コーディネーターが「どうですか？」と声をかけた結果である。会場ごとの参加人数は 5 人から 29 人となっている。

いきいき百歳体操の参加者は、初回・3 カ月・6 カ月、その後は半年ごとに、「握力」「歩行能力」「30 秒椅子立ち上がり」の 3 項目を測定している。

これらの体操から期待できる効果は、筋力維持など体力面だけでない。たとえば那賀町では、集落の寄り合いが数か月に一度となってしまっていて、人々が顔を合わせる機会が少なくなっているのだが、この「いきいき百歳体操」が毎週 1～2 回集まる機会となっている。集まった延長で一緒に食事をしたり、お茶を飲んだりするケースもあり、いきいき百歳体操が「高齢者の方にとって居場所になったり、情報交換の場になったり」しているのである。

5　介護施設の需要と供給の最適化に向けて

以上、本稿ではすでに高齢化が進んだ那賀町と、そうではない戸田市・印西市における介護サービスに関する現状と課題、そしてこれらに対する自治体の取り組みについて概観した。

那賀町では、福祉施設建設用地の造成や、介護人材確保を後押しするための社宅への補助金など、必要な介護施設・介護サービスが提供されるように、民間事業者に対する支援が行われてきており、「施設的には充実している」。

また、那賀町内だけでは補えないサービスは、阿南訪問看護ステーションのサテライト型など、近隣自治体の事業者の助けも借りながら提供されている。

しかしながら、こうした施設整備の問題を指摘しておきたい。

一つは、たとえ施設が町内にあり、その施設に空きがあっても、徳島市や阿南市などにいる子供や親せきなどを頼って、那賀町外の施設に入所するケースがあるということである。2019 年 3 月のヒアリング時で、例えばグループホームであれば町内の施設にいる割合が 81%、町外が 19%という状況だった。このように、施設整備だけでは人口流失に歯止めがかけられない面もある。

二つ目は、整備をしなければ必要な人が入所できない可能性があるが、整備をすることによって問題が生じる可能性がある、という、施設整備バランスの問題である。那賀町の特に奥のほうでは昔からの住民が多く顔が見える関係があった。しかし、現在では、高齢化や人口減少によって集落内の活動が以前よりも活発でなくなり、見守りあいの機能がかつてよりも弱まっている。それを生活支援コーディネーターをはじめとする人々の努力でどうにか再興しようとしている状況で

---

[16] 45 か所の内訳は鷲敷地区 11 か所、相生地区 13 か所、上那賀地区 10 か所、木沢地区 4 ヵ所、木頭地区 7 か所である。

ある。しかしながら、こうした見守り機能を、サービス付高齢者住宅に求める人もいる。こうした要介護認定がなくても入居できる施設と、自宅で元気に生活し続けるための介護予防は、相反する部分もある。

一極集中が進んでいる自治体であっても、人口が減少している自治体であっても、今後、介護予防を積極的に進めるであろうが、そうしたときに、せっかく地域の見守りが根付き始めたところで、民間事業者による施設整備によって根本が覆される可能性もある。これからは、サ高住をはじめとする民間施設の立地コントロールを考えることも必要ではないだろうか。

続いて、「一極集中」と「消滅」という大きな枠組みでとらえたとき、今後、「一極集中」自治体では高齢者人口が急激に増え、高齢者を対象とした施設・サービスともに、十分に提供できるかは、疑問符がつくことも指摘しておきたい。図表6－1－3、図表6－1－4を見ればわかるように、印西市、戸田市の75歳以上人口は2045年には2015年の2.4倍近くに跳ね上がる。そうしたとき、日本創成会議が2015年6月に発表したような高齢者の地方移住は、マスコミなどによって批判的に取り上げられることが多かったが、突然高齢者になってから知らない地方に移住するのではなく、現役世代の頃からその地方と関係を持ち、慣れ親しんでから移住するなど、そのステップも含めて、一考に値するのではないだろうか。

第７章　自治組織・住民活動

本章の主題は、自治組織・住民活動である。まずは徳島県那賀町、埼玉県戸田市、千葉県印西市の３市町の町内会、町会、自治会、区などの自治組織や活動を明らかにし、合わせて現在の自治組織が抱えている課題と、それに対する様々な取り組みをみる。続いて、NPO 等の住民団体の活動状況を概観する。これらを通して、自治組織・住民活動がどこに向かってゆけばよいのか考えてみたい。

１　自治組織の現状

（１）成り立ち

那賀町の住民の生活を支える自治組織は、全部で 166（鷲敷 22、相生 64、上那賀 50、木沢 27、木頭 8）あり、集落、部落、区など、旧町村ごとに様々な呼び方をされている（那賀町行政連絡員設置要綱では「自治会」と総称されている）。また、住宅団地など、旧来の集落とは別に自治組織が形成されているところもある。

戸田市内には 2017 年 4 月 1 日時点で、全部で 46 の町会・自治会がある（図表7－1－1）。マンション居住者のみで構成されているものは自治会と呼ばれており、3 つある。それ以外の 43 町会は、新・旧住民、戸建て・マンション居住者など、様々な住民によって構成されている。住居表示ごとに区分された町会もあれば、町丁目を越えて組織されている町会もある。旧来からの地縁的なエリアをそのまま継承している町会もあれば、区画整理によって再編された町会もあるなど、その成り立ちは一様ではない[1]。とはいえ、市内全域で都市化が進んでおり、平成の市町村合併は経験していないので、各自治組織の様態は、那賀町や印西市に比べると共通点が多い。

印西市内には 2017 年 4 月 1 日時点で、全部で 177（4 つの「特定の管理組合」[2]を含む）の町内会（町内会・自治会・区など）がある。町内会等の設立要件は「市内の一定区域の住民によって構成されていること」と「共通利益の実現及び福祉

[1] 戸田市議会議事録 平成 14 年 12 月定例会（第 5 回）－12 月 04 日-03 号

[2] 「特定の管理組合」は、マンション管理組合のうち「良好なコミュニティ形成のための業務を実施する団体であって、市にその設立の届けをし、市長が認めた団体」であり、町内会への補助金等の交付対象となる（印西市『町内会等活動の手引き 平成 29 年度版』 http://www.city.inzai.lg.jp/cmsfiles/contents/0000000/308/H29tebiki.pdf）。ただし市の担当課は、これをマンションにおいて町内会を結成することが難しい場合のいわば次善策と考えており、自治会を解散して「特定の管理組合」に移行するのはあまり望ましくないと考えているようであった。

の向上を主たる目的として、民主的な運営の下に自主的な活動を予定していること」である。地域で町内会等を結成した場合は、市民活動推進課に届出（所定の設立届に設立総会の議事録、会員名簿、会則、事業計画、予算を添付）が必要である。印西市は第1章でみたように、平成の市町村合併を経験している。平成の市町村合併後に、自治組織にかかわる制度は統一されているが、行政連絡員制度が市町村合併時に廃止された旧印旛村、旧本埜村と、同制度が市町村合併前からなかった旧印西市、また、ニュータウン（NT）地域と非NT地域では、町内会等の役割は微妙に異なっており、NTに建設された住宅団地の「自治会」もあれば、農村地帯の集落の「区」もあり、そもそもの性質が多様である。

（2）加入世帯数・加入率

那賀町においては、自治組織は集落の世帯が当然に入るものであり、「加入率」が問題になることはない[3]。

戸田市における町会等の加入世帯数は36,516世帯(2017年4月1日現在)で、全市における加入率は57.6%となっている。地区ごとに加入率をみると、美女木地区は75.9%、笹目地区は60.0%、新曽・上戸田・下戸田地区は3地区平均で54.9%となっている。市域の西側（昭和の合併以前の旧美笹村）は農村的な結びつきが残っており加入率が高い。市域の東側（昭和の合併以前の旧戸田町）は埼京線や京浜東北線に近く、相対的に便利で、マンションも多く立地しており加入率が低くなっている。全世帯数のうちマンション居住世帯が半数を超えている町会もある[4]。2015年度に戸田市協働推進課が実施した「お住まいの地域に関するアンケート調査」（標本数2000人、有効回収数696人、有効回収率48.5%）の、「居住形態別の町会・自治会の加入状況」への回答によると（図表7－1－2)、戸建てよりも集合住宅、分譲よりも賃貸の方が、低い加入率となっている。

---

[3] 集落の世帯としてみなされるかどうか、という別の問題はある

[4] 「町会めぐり、人めぐり Vol.3 南原町会長 阿部健寿郎さん」『TODAオールネット』3号、2005年2月、地域通貨戸田オール運営委員会

図表 7−1−1　戸田市内の町会・自治会と世帯数（2017 年 4 月 1 日現在）

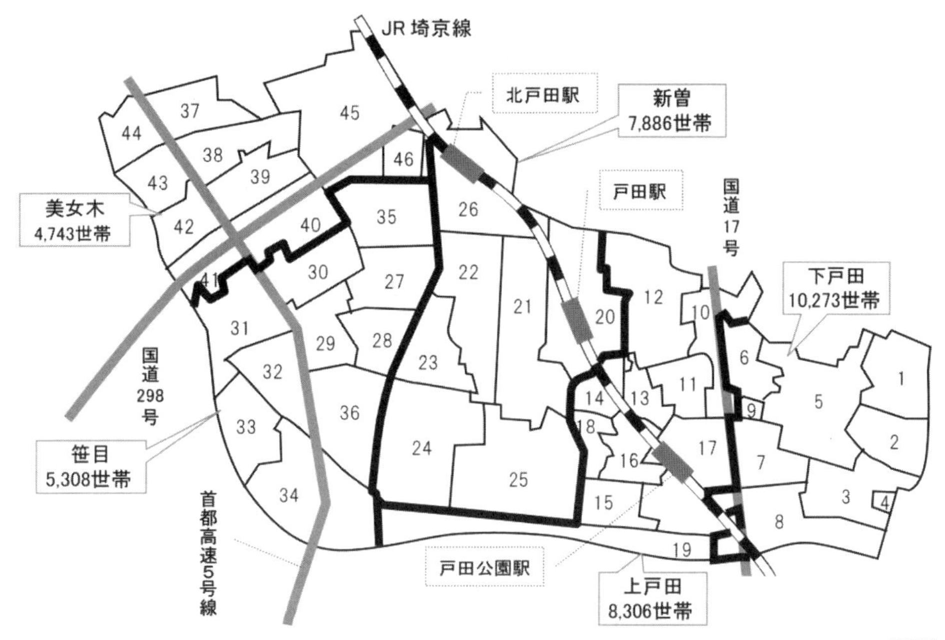

（世帯）

下戸田		10,273	上戸田		8,306	新曽		7,886	笹目		5,308	美女木		4,743
1	喜沢１丁目	1,030	10	元蕨	1,500	20	沖内	1,470	27	笹目１丁目	850	37	美女木１丁目	971
2	喜沢２丁目	1,100	11	東町	530	21	馬場	1,300	28	笹目２丁目	570	38	美女木２丁目	520
3	喜沢南	1,150	12	後谷	1,264	22	新田	1,050	29	笹目３丁目	250	39	美女木３丁目	213
4	戸田シティ	450	13	鍛冶谷	400	23	新曽北	985	30	笹目４丁目	630	40	美女木４丁目	210
5	中町	2,550	14	新田口	700	24	氷川	950	31	笹目５丁目	610	41	美女木５丁目	200
6	上町	1,070	15	南原	1,130	25	新曽下	1,050	32	笹目６丁目	368	42	美女木６丁目	205
7	下前	1,240	16	大前	710	26	芦原	1,081	33	笹目７丁目	350	43	美女木７丁目	290
8	川岸	1,550	17	上前	1,500				34	早瀬	480	44	美女木８丁目	330
9	戸田団地	133	18	本村	442				35	笹目北	480	45	向田	901
			19	旭が丘	130				36	笹目南町	720	46	北戸田住宅	903

（出典：『戸田市第 3 期地域福祉計画』,p.16 を参考に、戸田市提供データより作成）

図表 7−1−2　居住形態別の町会・自治会の加入状況

【居住形態】	加入している	加入していない	わからない	無回答
持ち家（戸建て）(n=339)	92.6	5.9	1.2	0.3
持ち家（集合住宅）(n=272)	62.1	21.7	15.8	0.4
賃貸（戸建て）(n=32)	37.5	43.8	15.6	3.1
賃貸（集合住宅）(n=302)	22.2	58.9	18.5	0.3

（出典：戸田市「お住いの地域に関するアンケート調査 調査結果報告書（平成 28 年 3 月）」）

加入世帯数は 2011 年度に 34,402 世帯だったが、2016 年度は 35,376 世帯と、増加傾向にある（図表 7－1－3）。しかし、それを上回るスピードで戸田市の世帯数が増加しているため、加入率は減少傾向にあり、2011 年度の 60.4%から、2016 年度には 55.8%になっている。

図表 7－1－3　戸田市内の町会・自治会加入率

年度	2011	2012	2013	2014	2015	2016
町会・自治会加入世帯数	34,736	34,907	34,868	34,733	35,317	35,376
町会・自治会加入率	60.4	60.8	59.2	57.6	57.1	55.8

（出典：『戸田市　事務事業評価≪事後評価シート≫』（2011～2016 年度）より作成）

印西市における町会等の加入世帯数は 24,343 世帯(2017 年 4 月 1 日現在)で、全市における加入率は 64.7%となっている。177 町内会を地区別に分け、当該地区の住民基本台帳による世帯数と対比し、「加入率」[5]を算出したのが図表 7－1－4 である。

NT 地域と非 NT 地域に分けると 65.3%・63.8%となり、NT 地域の方が若干高いが、さほど大きい差ではない。しかし、地区別ではかなりの違いがあることが観察される。まず低い地区を見ると、中央駅南の 42.3%、船穂の 47.5%というのが目立つ。このうち船穂については、NT 周縁部において宅地開発が進んで人口が急増した草深を含んでおり、この新住民が町内会に加入していないために数字が大きく引き下げられていると推測される。実際、この地区のある住民は、筆者たちのヒアリングに対し、新住民には「つきあい」に縛られたくないという意識があり、対して旧住民には、町内会が昔から積立ててきた金を新住民のためにも使っていくことに心理的抵抗感があるため、両方相まって新住民の加入が進まないと話した。1 軒、2 軒の単位で家が新築され、そこに移り住んでくる住民は町内会に入ることが多いが、まとまって開発された住宅地だと、入らない／入れないのだという。

中央駅南と、50%台にとどまっている木下・大森の 3 地区については、住宅に住む一般世帯数に占める非持ち家比率がそれぞれ 25.4%、27.2%、25.5%と、他地区に比べて相当高い(これに続くのは小林の 14.8%、中央駅北の 10.5%である)[6]。ある行政職員の「賃貸の物件だと、なかなか自治活動の意識が出てこないことが

[5] 市の担当課によれば、結婚などによって実家を離れて市内の別町内に転居した場合でも、元の町内会に引き続き属しているというケースがあるようである。したがって、表中の B/A の数字は、純粋な「加入率」を表すわけではない。

[6] データは川手摂・小石川裕介「埼玉県戸田市・千葉県印西市における「自治」の諸相 (1)」『都市問題』108 巻 7 号、2018 年を参照。

ある。それもあって活動自体ができなくなり、解散するケースも見られる」との言と符合しているように見える。

図表 7−1−4 印西市の地区別世帯数／町内会加入世帯数

	住基世帯数(A)	加入世帯数(B)	(B/A)
木下	2760	1613	58.4%
小林	3045	2299	75.5%
大森	2504	1482	59.2%
永治	557	391	70.2%
船穂	1792	851	47.5%
印旛	3477	2288	65.8%
本埜	1345	953	70.9%
非NT計	15480	9877	63.8%
中央駅北	5294	4490	84.8%
中央駅南	8653	3662	42.3%
牧の原駅	4818	3409	70.8%
印旛NT	1690	1397	82.7%
本埜NT	1713	1508	88.0%
NT計	22168	14466	65.3%
総計	37648	24343	64.7%

注 1）A は 2017 年 3 月末時点。なお、このデータでは 6 大字（永治 1、船穂 1、小林 1、本埜 3）の世帯数がプライバシー保護のため伏せられているが、住基世帯総数は 37660、この 6 大字を抜いた世帯総数は 37648 であるので数字に大きな影響は与えないと考えられる。

注 2）B は 2017 年 4 月 1 日現在。市の資料では本埜地区に含まれている牧の原 5 丁目・牧の原 4 丁目東地区の両自治会は、地理的に自然と思われる牧の原駅地区に含めた。

なお、木下と大森は、市内でも「1・2 階建共同住宅」が飛び抜けて多い地区である（住宅総数のそれぞれ 20.4%、18.4%）。これに関して木下地区のある町内会長は、「アパートが多いのは、町内会活動としてやりにくい。アパートの建設の場合、町内会の加入とゴミ集積所の建設を条件にしている。アパートは独居が多く、防災やコミュニティの面から問題がある。そういう情報を誰が集約し、行政とジョイントするのか、というのが難しく、課題」と話した。

一方、加入率が高いのは、意外にも農村部よりも NT 地域である。これは、開発された時に、住宅・都市整備公団や民間開発業者の慫慂のもとに自治会が作られる場合が多いためと考えられる。たとえば中央駅北地区の分譲住宅地に開発当初から居住する市議は、入居説明会の際に開発主体の住宅・都市整備公団から、自治会を作ってもらいたい旨打診されたという。住民は、手作りのお祭りを開くなどするところから手探りで自治会活動を進めていった。NT の分譲住宅地は、先述の「賃貸だと自治の意識が出てこない」という発言の裏返しとして、「自分たちの街」という意識が生まれる素地があり、さらに比較的短期の内に入居が進む上、入居者の世代（おおよそ 30 代〜40 代）・家族構成（夫婦と就学齢の子ども）も同質的であり、地域のつながりを構築しやすい状況があったと考えられる。

市の担当課によると、NT 内外を問わず、開発住宅地については業者に自治会設立の推進を依頼し、町内会設立の手引きを渡すこともあるという。実際、印旛地区で 80 年代末から開発が始まった大規模分譲地に当初から居住する住民は、「開発業者が新興住宅地における自治会設立のノウハウを持っており、(当時の印旛）村の行政とも連携しながら設立した」と振り返っている。

それに対して、同じような「新規開発」であってもマンションなどの集合住宅については、市から同様の「お願い」をしたとしても、町内会の結成の難度は上がるという。それは、区分所有法によって必ず置かなければならないとされている管理組合に加えて町内会を設立・運営していく負担や、住民に「現役世代」が多く、町内会活動にまで手が回りにくいなどの事情があると考えられる。2000 年代以降に新設されたマンションを多く抱える牧の原駅地区で NT 内の他地区よりも加入率がやや低くなっているのは、このような背景によるものと思われる。

（３）組織・役員

町内会は「任意団体」である以上、その組織や役員構成、選出方法などは法制度などによって規格化されてはおらず、多様である。

まず、那賀町の自治組織の組織・役員についてみる。

那賀町の自治組織の代表者は、鷲敷地区と上那賀地区では「駐在員」、相生地区では「連絡員」、木沢地区では「部落会長」、木頭地区では「総代」と呼ばれている。

旧鷲敷町は、大字ごとに「駐在員」がおかれているところもあるが、面積の広い大字はいくつかにわけられた区ごとに、町方である和食郷はほぼ小字ごとに「駐在員」がおかれている。中山の場合、中山一区（34 戸)、中山二区（36 戸)、中山三区（56 戸）があり、中山全体で 120 戸強である。一区・二区・三区それぞれに「駐在員」がいて、中山地区全体で一人「公民館長」がいる。

旧相生町は同じ大字の中でも集落が離れているため、大字よりも小さい単位で寄り合いが持たれている。例えば大字「延野」は「延野上」「延野中」「延野下」にわかれ、それぞれに「連絡員」がいる。「延野下」は 18 戸ほどのまとまりである。旧相生町延野下では、年齢の高い順に 1 年交代で連絡員をつとめることになっており、機械的に決められていた。2018 年度で年齢順が一巡したところであるが、最高齢者は 90 歳を超えており、それまでと同じように年齢の高い順でまわすことは現実的ではなく、2019 年度から、どのように回していくかは、ヒアリング時点では決まっていなかった。

旧上那賀町成瀬地区は、神事（かみごと）を中心に地域の人々が集まって「部落会」となっており、部落長はいない。四戸一組で「当家（とうや）さん」が、一年間、祭りごとの世話をし、そのなかの一戸が「駐在員」をつとめている。

旧木沢村出羽地区では、役員は、部落会長、副会長、幹事、会計、水道組合長、神社総代（3 名)、寺総代、農協協力員、自主防災など、合計 15 名で、任期は 2 年である。役員の中の最高齢者は 96 歳である。任期は 2 年だけれども、成り手がいないために役員を連続で引き受けている人もいる。
旧木頭村では、大字ごとに「総代」が、さらにその下の「組」ごとに「組長」がいる。例えば、「和無田」には8つの組があり、一つの組あたり7戸から16戸あり、大字全体で80戸となっている。
旧木頭村和無田地区では、総代は2年任期で、総会で改選される。同・北川地区でも同じく、総代は2年任期である。一方、旧木頭村南宇地区では、集落の下流部、中央部、上流部で1年ごとに総代が持ち回りされている。
続いて、戸田市の町会・自治会についてみる。戸田市の新曽地区のある町会は会員約1,125世帯に対し、班が約100班あり、決まったエリアごとに理事を一人選出する。理事は32名で、理事会の構成メンバーとなり町会の会務の企画立案等に携わる。そして、町会には総務部、文化部、衛生部、防災部、女性部、5つの専門部会がおかれ、各理事はいずれかに必ず所属する。会員については、町会の区域内に居住する世帯主を正会員とし、同区域内に事業所等を有するものを賛助会員とする町会が多い。「地区外に居住する住民で町会長が承認した方は会員になることが出来る」(下前町会)、「周辺地区に居住し、当町会の会員を希望して会員登録された者」(旭が丘町会)、「(地区に)隣接する居住世帯」(笹目5丁目町会)など、町会の区域外にも門戸を開いている町会もある。町会長には、かつては、「ダンナ衆」などと呼ばれ経済力のある地元の有力者がなっていたが、現在では、高度経済成長期に引っ越してきた戸田市在住50年くらいの方がつとめている町会もある。
町会長の任期は、ほとんど場合、会則で2年（再任可）と規定されている。「会長は連続して3任期を超えてはならない」(元蕨町会)、「満75歳以上の者は、役員になることが出来ない」(大前町会)、「会長の任期は、原則として3期までとする」(馬場町会)など、町会長が長期にわたりその任にあたることや、高齢になっても町会長に在職し続けなければいけない事態を回避するような規定がなされている町会もある。しかしながら、このような規定があっても、実際は、後任者が見つからなければ会長を退くことは難しい。
実際の就任状況をみると[7]、会長が2年ごとに交代している町会は一つもなく、調査対象とした10年間（2009～2018年度）、同一人物が会長をつとめている町会が2つあった。また、ヒアリングによると、前任者の在職年数が18年、28年に及んだ町会もあった。このように会長の在職期間が長期に及ぶ場合、世代交代が上手くできないケースや、会長自身が高齢になり病気になるケースもあるようである。
町会長は、地元での活動や町会の運営だけでなく、市及び外郭団体等への協力もしている。戸田市町会連合会が推薦依頼を受けている委員会や会議の充て職の数は40に及び、町会連合会の会長等の役員に割り当てられている。これ以外に

---

[7] 戸田市HP「町会長・自治会長一覧」(平成22年度～平成30年度)

も、市の各課や社協など市以外の団体から、特定の会長宛てに直接会議等への参加依頼がなされることもある[8]。

最後に、印西市について、非 NT の市街地・農村部・開発住宅地、そして NT の集合住宅と分譲住宅地という、性質の違う各地区の町内会を具体的に取り上げる。

はじめに非 NT の市街地として、木下地区のある町内会を見る。この町内会は 18 名の役員をかかえる。会長 1 名、副会長 5 名（担当は庶務 2〔うち 1 人は防犯・祭礼兼務〕、会計・防犯 1、回覧物 1、有価物資源回収 1)、評議員 12（うち町会会館運営委員長 1）がその内訳である。町内を 4 地区に分け、各地区からおおむね 3〜4 名の評議員を選出している。この 18 人に加えて監事が 2 名おり、会長経験者が就くことになっている。会長は評議員会で選出する。役員の任期は 2 年だが再任が可能で、会長は通例 2〜3 期務めているという。役員は公務員（市役所、警察、税務、郵便局など）の現職や OB の方に頼むことがだんだんと多くなってきた。なお、この町内には新興住宅街があり、人口規模はそちらの方が大きくなっているが、まだ会長を輩出したことはない。

この町内では会長は評議員会による選出となっていたが、ここから地理的にそれほど離れていない大森地区のある町内会では、選挙で会長を選んできた。この町内会の会長は、最近まで約 40 年にわたり不変だったということで、この会長はその期間ずっと「勝ち」続けてきた、ということになろう。

旧印旛村の農村部に所在するある町内会（名称は「区」）では、区長 1、区長代理（会計も担当）1、協議員 8（4 地区から 2 人ずつ)、氏子 4（4 地区から 1 人ずつ)、顧問 2（区長経験者）で「区会」が構成されている。これが役員に該当すると考えてよいだろう。区長は 1 年交代の地区単位の持ち回りで、区長代理を務めた人が次の区長となるのが慣例になっている。この区の住民は、区長は明治の合併までの旧村の村長、というある種の権威ある存在ととらえられており、(少なくとも以前は)「みんながやりたがった」ために 1 年で回していくという慣行になったのではないか、と話した。

旧本埜村のある町内会（こちらも「区」）でもやはり、5 つの班で 1 年ごとに区長を持ち回りで出すことになっている。区長になるのは、その年に会長を出すことになっている班の年長者である。各班は、班内の持ち回りで班長を出し、この 5 人の班長が会計や区長代理を務める。役の担当は区長が指名するという。この区の住民によれば、区長・役員はいずれも毎年スムーズに決まっているといい、本埜の他の区もだいたいこのような方法で区長や班長・役を決めているのではないか、ということであった。

先述した旧印旛村の大規模分譲地（非 NT 地域）の自治会は、加入世帯数で市内最大である。ここでは総務部、広報部、文化部、環境部、防災部などの部を置

---

[8] 戸田市議会会議事録 平成 29 年 6 月定例会（第 3 回）－6 月 5 日-03 号

き、約 30 ある班から輪番制で役員を出している。役員の中から会長や複数の副会長が選出され、副会長は担当の部を持つ。また各班は、役員とは別に班長も出している。なお、これらの役職の任期はいずれも 1 年だが、会長は 2 年務めるのが平均的で、3 年、4 年というケースもあるという。

ニュータウン・中央駅北地区のある集合住宅群の自治会は、8 つの棟から各 1 名、1 年の輪番制で役員を出し、その 8 名の役員から互選で会長を選出する。他の役職は副会長、会計、レク担当、ラジオ体操、お祭り担当である。同じ中央駅北地区の分譲住宅地のある自治会は、住区ごとに置かれている 13 の班から任期原則 1 年の輪番制で各 1 名の班長を出し、13 名の班長の中から会長、副会長（2～3 名）を互選で選ぶ。班の構成原理が棟か住区かの違いである。役職は、副会長（防災担当および夏祭り担当）、総務（3 名）、会計、環境、レクリエーション、防犯で、これを希望により担当する。輪番制で回ってきた 13 人の班長の中に会長役に向いている（そして引き受けてくれる）人がいれば良いが、いなければくじ引きで選ぶという。この自治会と同じ町の別の丁目の 2 自治会も、ほぼ同じしくみで動いているようであった。

以上､限られた町内会の組織や役員の決定方法などについて例示的に紹介した。次に、もう少し定量的なデータとして、印西市の広報に掲載されていた情報を元に、2004 年から 2013 年までの 10 年間（ただし、旧印旛村・旧本埜村内の町内会については合併した 2010 年からの 4 年間）の会長の就任状況について示したのが図表 7－1－5 である。

図表 7－1－5　町内会長の地区別勤続年数

	1年交代	2年任期	連続5年～	全数
木下	3	2	2	10
小林	2	3	1	10
大森	3	6	4	16
永治	2	3	0	6
船穂	6	16	1	26
NT中央駅北	15	0	1	18
NT中央駅南	8	0	9	25
NT牧の原駅	11	0	0	13
印西計	50	30	18	124
	1年交代			全数
印旛	13			14
NT印旛	4			11
本埜	12			16
NT本埜	3			6
印旛・本埜計	32			47
総計	82			171

（出典）『広報いんざい』各年 7 月 1 日号より筆者作成

旧印旛・本埜は入手可能なデータが 4 年分のみのため、基本的には旧印西のみを取り上げているが、会長が 1 年で交代している町内会だけは旧印旛・本埜も含めて示した。そのような町内会は、旧印西では 124 のうち 50、旧印旛・本埜では

47のうち32と多数を占めている。なお、このうち同一人物が複数回会長になっている例が見られる町内会は4のみである。印西では1年交代の自治会がNT地区に多いのに対し、印旛・本埜ではむしろ非NTの農村部に多い。印旛で唯一1年交代でない町内会は、すでに紹介した開発住宅地の大規模自治会のみである。

明確な2年周期で会長が交代している（そして同一人物が複数回会長になっていない）町内会も30ある。地区的には、船穂で絶対数も比率も大きくなっていることがわかる。このような町内会は、NT地区には一つもない。データが少ないために推測の色が濃くなるが、本埜で1年交代ではない4町内会のうち、3つは2年任期で動いていると思われる。

以上に対して、同一人物が比較的長期にわたって連続して会長を務めている町内会（ここではさしあたり「連続5年以上」で見た）は18と、決して多くない。地区的には大森が全町内会数の4分の1とやや目立つ（具体的には、連続10年が3、連続8年が1）。さらに興味深いのは、NT地域である中央駅南地区で、1年交代の町内会の数をしのいでいることである（具体的には「10年」が2、「8年」と「9年」が1ずつ、「6年」が2、「5年」が3となっている）。

（4）集会施設

那賀町では、集落の人々が集まり、活動したり、話し合いをしたりする場所として、集会所がある。そして、第2種公民館のなかには、限りなく集会所に近いような運営をされているところもある[9]。かつて、集会所の維持管理は集落、ないし個人が行っていたが、高齢化の進展を受けて、第2種公民館及び集落集会所の修繕が必要な際に、修繕費用のうち30万円を超えた分の2分の1を町が助成[10]するようになっている[11]。

また、「地域コミュニティ施設」の新築・改築については、財団法人自治総合センターの「コミュニティセンター助成事業」から事業費の5分の3に相当する額（1500万円まで）の助成を受け、それに町費を上乗せし、地域が事業費の30%を負担（一戸あたり10万円上限）する。この助成金によって、横石公民館の改築と、中山一区コミュニティセンターの新築が行われた。横石公民館には、新たに憩いの場として縁側が設けられている。中山一区の集会所は、高齢者が徒歩で登るのが難しい高台に立地していた[12]が、国道沿いに新施設ができた。両施設は、コミュニティ活動の充実はもちろん、地域の防災拠点となることも期待されてい

---

[9] 那賀町議会議事録　平成26年3月　定例会　03月05日－01号　古野司議員の発言

[10] ただし、第2種公民館は、上限額を1戸当たり5万円とし、集落集会所は上限額を1戸当たり10万円とする。「那賀町各種事業補助金の補助対象事業及び受益者等負担基準を定める要綱」

[11] 那賀町議会議事録　平成24年6月　定例会　06月05日－01

[12] 那賀町議会議事録　平成25年12月　定例会　12月09日－02号

る[13]。

戸田市の町会等には、「町会の自治振興を図るため、町会が主として町会の構成員の利用に供する施設」[14]として「町会会館」（図表 7－1－6）がある（自治会の場合はマンション・団地の集会所）。町会会館の土地は、ほとんどが市有地で、市と町会の間で無償貸借契約を結んでいる[15]。町会会館の建設年代は、古いもので 1960 年代にさかのぼる。1970 年代に半数以上にあたる 26 町会で町会会館が建設された。2012 年に氷川町会館が建設され、全ての町会が町会会館を持つようになった。1996 年以降は、1960 年代から 1970 年代に建設されたものを中心に、その改築が行われている（図表 7－1－7）。選挙の際に、町会会館を投票所とする投票区もある。

図表 7－1－6　町会会館

図表 7－1－7　町会会館の建設年代

建設年代	建設数	（内、改築済み）
1960 年代	9	7
1970 年代	26	6
1980 年代	6	2
1990 年代	2	-
2000 年代以降	1	-

印西市では、全 177 町内会のうち、30 の町内会が集会所を持っていない[16]。NT 地域内等でのマンションや大規模な分譲住宅地では、最初から集会所が設置されているケースが多い。また、50 世帯以上の開発行為の場合は、開発業者から市に無償提供された集会所用地に、町内会が集会所を建設する。NT 地域外では、町内会自体がする土地や、借地に集会所が建設されていることや、市が所有する集会所、構造改善センター、青年館[17]について町内会等が指定管理者となり、集

---

13 広報なか　2018 年 2 月号
14 「戸田市町会会館等整備事業補助金交付要綱」第 1 条
15 戸田市議会会議事録 平成 17 年 12 月定例会（第 5 回）－12 月 12 日-06 号
16 第 3 回印西市補助金等評価委員会会議録
17 青年館は 8 施設、構造改善センター13 施設、集会所 3 施設の合計 24 施設。

会所として使っているところもある。

集会施設整備事業補助金は、集会施設を新築または修繕する町内会等に対する補助で、新築については2000万円を限度に、対象経費の10分の7～9.5（構成世帯数が少ないほど補助率が上がる。例えば50世帯以下だと9.5/10、351世帯以上だと7/10）を、修繕については50万円を限度に、経費の2分の1以内で交付される。集会施設整備事業補助金の新築分は、2001～16年度の16年間で27件、総額3億6057万400円が交付されている。地区別には木下4、大森7、永治2、船穂3、本埜5、中央駅北3、中央駅南3で、非NT地域に傾いている。修繕分は、2006～16年度の11年間で55件、総額2298万5431円が交付された。地区別には木下3、大森3、小林7、永治1、船穂9、本埜7、中央駅北12、中央駅南9、牧の原駅3、NT本埜1で、こちらは新築分ほどには非NT地域への偏りは見られない。なお、この総額には、2011年度における10件502万5431円の「震災復旧」分が含まれている。通常の補助金が事業費の1/2以内であるところ、この震災復旧分については10/10補助となっており、例外的な補助金であった。

集会所の敷地が借地となっている場合は、その賃借費用に対する補助として町内会集会所敷地借地料補助金がある。敷地面積290平方メートル以上かつ建築面積が66平方メートル以上の集会所を対象として、基本的に20万円を限度に、経費の10分の5～10（こちらも構成世帯数が少ないほど補助率が上がる。199世帯以下だと10/10、350世帯以上だと5/10など）を交付する。この補助金は、木下2、小林2、大森3の計7町内会に2010年度からの7年間で総計約500万円が交付されている。

（5）自治組織の会費と行政からの補助金

那賀町の自治組織の会費と行政からの補助金について、まず概観する。

会費は、自治組織ごとに決められている。たとえば、旧木沢村のある集落では、定時集会で集まるたびに部落会費として1000円ずつ集めている。旧木頭村のある集落では組合費として毎年3000円ほど集めている。

行政から自治組織に対しては、第2種公民館及び集落集会所の修繕に対する助成金や、「地域コミュニティ施設」の新築・改築に対する助成金がある。

また、那賀町の自治組織の代表者は「行政連絡員」と位置付けられ、自治会内の住民への町の各機関が行う通知事項の伝達及び周知や、広報等印刷物の配布など、行政と住民をつなぐ役割も果たしている。連絡員には、均等割（2～4世帯3000円を下限に世帯数ごとに高くなり、250～259世帯は15600円）、戸数割（1世帯につき1600円）を基準として算定した年手当が支給される。連絡員から申し出があった場合は、この年手当を自治会会計等に交付できる。

続いて、戸田市の自治組織の会費と補助金について見る。

町会費は、町会ごとに決められており、1世帯月額100円のところもあれば、300円のところもある。

身近な公園の清掃・運営・管理に対する市からの委託や資源回収報奨金（資源ごみの回収・売却の売上金の一部が市から町会・自治会に還元される）などの収入もある。

戸田市から個別の町会・自治会へは、①行政連絡費補助金、②町会会館等整備事業補助金、③自動体外式除細動器購入費補助金（2014～16年度までの時限的な補助金)、④町会防犯カメラ設置補助金(2017～19年度までの時限的な補助金)、⑤掲示板設置等補助金が支出されている。いずれも直接の運営補助ではない。

最後に、印西市が町内会に交付している各種補助金について見ると、主なものとして、①行政協力交付金、②町内会等活動費補助金、③町内会等地区連絡会活動費補助金、④集会施設整備事業補助金、⑤町内会集会所敷地借地料補助金、⑥コミュニティ助成事業補助金がある。

2　自治組織の活動

3市町の自治組織では、①自治体による各種発行物の回覧・配布、②地域防犯活動、③親睦活動・レクリエーション活動、④自主防災組織の活動、⑤環境美化活動、⑥地域課題に関する市政への要望、⑦社会福祉への協力などに加え、各自治組織で様々な行事や活動が行われている。⑦はいずれの自治体でも、自治組織が、日本赤十字社の社資募集や、赤い羽根共同募金、歳末助け合い募金に協力している。①から⑥について、項目ごとに見ていきたい。

（1）自治体による各種発行物の回覧・配布

那賀町では、旧木頭村和無田のように「組」が組織化されているところでは、役場から部落への広報などの連絡事項は、総代と組長、両方に届けられ、組長が各戸に回覧している。一方、旧相生町延野下では、連絡員が回覧等を回しているところもある。いずれにせよ、戸数は20戸以下で、顔の見える範囲なので、大きな負担にはなっていない。

戸田市では、「広報戸田市」と、市及び関係機関が発行する冊子やパンフレット類の配布を町会・自治会が行っている。加入世帯数が1000世帯を超える町会もあり、配布員の負担が大きくなっている。下戸田地区のある町会では、80代の方も含めた2名が広報を配布していたが、体調を壊したために配布が難しくなるという事態が生じた。笹目地区のある町会（加入世帯500世帯以上）では、班長が広報を配布しているが、オーナーが町会費をまとめて支払っているアパートには班長がいないために、町会長自らが配布していた。

こうした状況に対して、戸田市では2017年9月に配布方法に関するアンケート調査を行っている。そこで、「広報紙の配布は、町会・自治会にとって地域のコミュニケーションを図る重要なツールとなっている」という結果が得られたため、町会・自治会経由の配布が継続されている。ただし、「広報戸田市」は毎月 1 日・15 日の二回発行だったが、2019 年度から 15 日号が廃止され、市からの配布物の配送は 1 日号のタイミングに集約され、町会・自治会の負担軽減が図られている[18]。

このように、広報戸田市等の配布が町会・自治会の負担になっている一方で、町会加入率が 6 割を切っているために、必ずしも戸田市内の全世帯に届いていないという問題も生じている。市が町会・自治会に対して未加入者に対しても広報を配布するよう依頼しており、約 4 分の 3 の町会・自治会が未加入者（約 4,500 世帯）にも広報を配布している。

戸田市では、行政との連絡調整（市との通信費用及び交通費、広報等刊行物配布の作業等）に対し、町会・自治会の「世帯数」（町会加入世帯数ではなく、広報等配布世帯数）に 440 円を乗じ、均等割の 25,000 円を加算した金額が「行政連絡費」として町会等に交付される[19]。

さらに、補完対策として、ホームページやスマートフォンアプリでの電子媒体を活用した公開に加え、市内公共施設、市内 3 駅、大規模小売店、金融機関、郵便局に配架するほか、町会に加入していない数カ所の大型集合住宅では市役所での直接の受け渡しを行っている。

印西市では、「広報いんざい」を新聞折り込みと、市役所や各公共施設、駅、一部の大型商業施設など 38 カ所に設置して配布している[20]。町内会等を通じては、市政情報の提供や協力依頼などの行政依頼配付物が原則として毎月・第 2、第 4 水曜日に回覧・配布される。印西市でも、未加入世帯に対する回覧・配布を行っている町内会等があるが、「行政協力交付金」は町内会等加入世帯数をベースに交付されている。

（2）地域防犯活動

那賀町では、「みんなが子どものこと知ってくれとうけん、ちょっと防犯ていうのも、ちょっと歩きよっても気にしてくれる。○○さんとこの△△ちゃんやなぁ、と声かけてくれたりするけん」といった感じで、集落による自然な見守りが主である。

戸田市では駅前付近の自転車窃盗や、自動販売機における窃盗事件、空き巣、ひったくり、子どもに対する声かけ事案等が発生し、1997 年から 2002 年にかけて 6 年連続で犯罪発生率が埼玉県内ワースト 1 位だった。その要因は、転出転入人口の多さにともなう地域コミュニティの希薄化や、倉庫が多く夜間暗い地区があること、自転車利用者の多さといった地域特性などが複雑に絡み合っていた。

---

[18] 戸田市「市からの配布物（広報戸田市等）の配布方法に係る方針（案）」2018 年 2 月 27 日

[19] 戸田市議会会議事録 平成 28 年 12 月定例会（第 5 回）－12 月 1 日-03 号

[20] 印西市議会会議事録 令和元年第 2 回定例会（6 月定例会） 06 月 10 日－02 号

こうした状況に対し、2003年4月から、南原町会がパトロール隊をつくり、パトロールを開始した。続いて、各町会などによる自主パトロールや、市職員による防犯パトロールが行われるようになった[21]。町会・自治会による夜間パトロールや子どもの安全見守り隊など「防犯パトロール」が現在でも行われているほか、警察の防犯活動等への協力や、防犯灯の維持管理が行われている。

また、2017年度から2019年度までの時限的な補助金として「戸田市防犯カメラ設置補助金」があり、地域の犯罪危険箇所や不審者情報等に詳しい町会・自治会が、防犯カメラの設置場所を決め、取り付けている。

印西市の町内会等でも、防犯パトロールが行われている。また、各町内会は市に対して毎年3基を上限として防犯灯設置希望個所を要望して、それにもとづいて市が現地の状況等を確認して防犯灯を設置している。さらに、防犯灯の不具合は、町内会等を通して市に報告されることになっている。

（3）親睦活動・レクリエーション活動

那賀町では、多くの集落で地縁にもとづく伝統的なお祭り[22]が行われているほか、一日遠足、芸能祭、クリスマス会、新年会などが行われている。

戸田市の町会等では、お祭り（神輿渡御、盆踊り、納涼祭、夏祭り）、餅つき大会、忘年会、新年会、運動会、マルシェなど、町会ごとに多種多様な行事が開催されている。また、毎年 10 月中旬に市と町会連合会が共催する「戸田市民体育祭地区大会」では、市内を6ブロックにわけて、町会対抗で優勝が争われる。町会によっては大会後に町会会館で反省会が開催され、町会員同士が親密になるきっかけとなっている。

印西市の町内会等では、餅つきや豚汁大会、夏祭り、運動会、球技大会、ボーリング大会、バトミントン大会など、町内会ごとに様々な活動が行われている。筆者たちのヒアリングでは、そのほかに、高齢者向け体操、健康麻雀、音楽会、ラジオ体操、といった活動が聞かれた。

（4）自主防災組織の活動

那賀町では、2004 年度より自主防災会の組織化が進められている[23]。「自主防

---

[21] 戸田市役所『日夜、安全なまちのために頑張っています』警察庁「防犯ボランティアフォーラム 2018 開催記録」
https://www.npa.go.jp/safetylife/seianki55/foramu_kiroku/doc/2014todashi.pdf

[22] 2010年1月～2月に徳島県立総合大学校とくしま政策研究センターと徳島県南部総合県民局企画振興部県南振興担当等が行った自治会等代表者へのアンケート調査によれば、集落内の主な伝統芸能や祭事を行っている集落は、鷲敷地区 100%、相生地区 97.4%、上那賀地区 88.9%、木沢地区 95.2%、木頭地区 85.7%であり、以前やっていたがやめた集落は相生地区 2.6%、上那賀地区 11.1%、木沢地区 4.8%、木頭地区 14.3%だった。『「限界集落の維持・存続に向けた取組」調査報告書』2010年3月

[23] 那賀町議会議事録　平成 30 年 9 月　定例会議　09 月 06 日－02 号

災組織整備事業」として、旧町村ごとに住民代表者を対象に説明会が実施されたほか、各自治会等から要望のあった場合には、地域防災課と支所職員が出向いて設立説明会を実施している。2018 年 3 月時点で 122 団体が設立され、加入率は 92.14%である[24]。避難訓練や消火訓練・AED 訓練等が行われているほか、地区の危険個所や防災拠点等を明記した自主防災地図が作成された自主防災会もある。しかしながら、高齢化や過疎化による人材不足やマンネリ化等、様々な理由で避難訓練等を実施できない集落も出てきている。そのため、「地域の実情に応じた再編成」の必要性も議会で訴えられている[25]。

戸田市では町会組織がそのまま自主防災会とされ、全国的にも早い段階から自主防災組織率 100%となっている[26]。例年 9 月下旬の「戸田市総合防災訓練」において、各自主防災会が主体となって企画・立案した各種訓練が実施される[27]。

印西市では「自主防災組織は町内会などから独立した組織であるべき」と考えられている。しかし、実際は、自主防災組織と町内会の役員を兼務したり、予算管理が同一になっていたりして、町内会が自主防災組織の活動を行っているケースも多い[28]。

また、町内会への参加を呼び掛ける記事が掲載された 2018 年 3 月 1 日号の市広報『広報いんざい』では、中央駅北地区のセカンドアベニュー木刈団地自治会が「中庭祭り」と名付けられた祭りを開催し、そこで「炊き出し訓練を兼ねて、豚汁や焼きそば、焼き鳥などをみんなで作」るという、「親睦＋防災」活動を行っていることが紹介されている[29]。

（５）環境美化活動

那賀町の自治組織では、住んでいる地域で生活環境を維持するために、みんなで一緒に掃除などをする「出役」がある。

「組長さんは共同墓地、一般の組員の人は地域の学校周辺、神社周辺、公共施設」を掃除したり、「ドブを掃いたり、害虫駆除の液体をまいたり」する（旧木頭村和無田)。お寺や八幡さんを掃除する、宗教が違う人は公民館などを掃除する(旧木頭村北川)。このように、年に 1，2 度は、集落の人々が集まって公共施設や公共空間の掃除をしている。とはいえ、「「道刈り」の出役は、範囲がどんどん縮小されている」(旧木沢村出羽）という声が聞かれたように、集落の高齢化・人口減少にともなって、出役で維持できる空間がどんどん狭まってきている。

---

[24] 『広報なか』2018 年 12 月号
[25] 那賀町議会議事録 平成 28 年 6 月　定例会 06 月 13 日－02 号
[26] 戸田市議会議事録 平成 26 年 9 月定例会（第 3 回）－09 月 05 日-03 号
[27] 2017 年度は 27、2018 年度は 25、2019 年度は 23 の自主防災会が実施した。
[28] 印西防災研究会「「自主防災組織チェックシート」のアンケート調査結果について」2018 年 6 月 29 日
[29] 『広報いんざい』2018 年 3 月 1 日号

さらに、那賀町の簡易水道[30]であっても、その維持管理が集落の水道組合に委任されているケースでは、その清掃や小規模な修繕は集落で行っている。簡易水道を敷設した時期によりその維持管理の大変さは違っており、20年ほど前に敷設した砂ろ過タイプのものは、砂が減ったら砂を足しに行ったり、大雨で濁ったらタンクを掃除に行ったりする必要がある。例えば、旧木沢村出羽では、地区内にタンクが2つ、掃除が年5～6回あり、3人の出役で回している。このタンク掃除の出役はボランティアである。

戸田市では、町会ごとに衛生自治会が設置されており、ゴミ集積所の維持管理や、戸田市で年に4回行われる一斉清掃活動「530運動」を行っている。また、町会によっては、道路の除草・植栽作業、公園清掃なども行っている。

印西市の町内会等では、ごみステーションの管理・清掃、集団回収などによるリサイクル活動、公園や道路の清掃協力、花植えによる緑化活動 ・河川周辺の清掃・集会施設の維持管理などが行われている。しかしながら、特にNT地域のUR団地では、団地内の敷地、ゴミ置場、玄関ホール、エレベーターホール等を清掃員が清掃する[31]ため、町内会等がなくても困らない、あっても入らないという傾向がある。

（6）地域課題に関する市政への要望

自治組織には、地域の課題を共有・議論し、意見をまとめ、要望として市政に伝達する「機能」があることも見逃せない。

那賀町では、地域から選出された議員や町の職員に直接要望を伝えるというルート[32]のほかに、「連絡員会」[33]という会がある。これは、年に1度、旧町村ごとに連絡員を集め、町の施策の説明をし、理解と協力を求めるとともに、地域からの要望を聞くために町長が開催するものである。連絡員会には、行政側からは、町長をはじめ課長級までと、当該地域の支所長が出席する。

連絡員会において地域から出てきた要望は、総務課や各支所で一覧表にとりまとめられ、それぞれに対して担当課が対応策を検討し、連絡員に会議や文書でフィードバックする。旧相生町は連絡員の数が 64 人と多いので、事前に要望・質問を集め一覧表にして管理職に共有し、当日、可能な分については答弁する。

連絡員会では、「国道の入り口なのでごみがよく捨てられる。放らないように監

---

30 那賀町の水道普及状況（平成26年～平成28年度末現在）は、行政区域内総人口7,991人に対し、簡易水道の現在給水人口6,057人、専用水道（特別養護老人ホームチロル）の現在給水人口50人で水道普及率76.4%である。

31 http://www.js-net.co.jp/urrent/daily.html

32 筆者らのヒアリングでは、「町村合併前のほうが、要望が届くのが早かった」「(集落の）出身の町議がいないと言いたいことを言っても通らない」という声も聞かれた。

33 連絡員会の呼び方は旧町村ごとに異なっており、鷲敷では駐在員会、木頭では総代会と呼ばれている。本稿ではすべて「連絡員会」と記述する。

視カメラを付けてほしい」(旧鷲敷町中山一区)、「台風の後の倒木。杉の木が谷に倒れて、そのまま放置されとるとか。あったんですけど。それが、小さな谷なんですけど、倒木が障害になって洪水になった場合、堰になって集落が浸かる恐れがあると、総会の時に意見が出された。出来るだけ早うに倒木をのけてもろうて、そういうことにならんような、事前に対策をせないかんからそういう要望をした」(旧木頭村和無田)、「集会所がないんで集会所が欲しい」(旧相生町延野下)、「道路を直してほしいという要望が多い、そのほかに、簡易水道を浄化して欲しいという要望もある」(旧木沢村出羽) などの要望を出したそうだ。

もちろん、町がすべての要望に応えるわけではなく、応えられない場合は、町の担当課から要望をあげた連絡員に、出来ない理由や、すぐ対応できない理由を説明している。

戸田市では、町会から行政に対して、信号機・横断歩道の位置や小学校通学路等におけるスクールゾーンを通行する車への対策、消えかかっている路面標示の塗り直し等の交通安全対策や、痴漢・不審者対策の要望があげられているほか、町会・自治会長の負担軽減の要望などがあげられている。そのほかに、毎年市内を5地区に分けて市政座談会 (町会連合会主催) が行われており、町会・自治会のメンバーと市長とが直接意見を交換している[34]。とはいえ、町会未加入者も多いため、スマートフォンアプリ「toco ぷり」を通じた要望の吸い上げ[35]など、町会を通さずに市民の要望を吸い上げる取り組みもある。

印西市では、町内会が (とりわけ役員たちが) 定期的に会合を持つ中で、たとえば町内の道路のラインが消えているといった日常的な問題が共有されたり、時には地域の小学校の統合という非日常的な問題が議論され、地域の意思が形成されている。

また印西市では、町内会 (長) 名の「要望書」を市役所 (本庁・支所、時には市長宛て) に提出するという文化が、一般的なものとして存在しているように見受けられた。複数の議員が、「道路の状況が悪く、市役所に言っても動いてくれないと、私に話が来たことがある。そういう場合には、自治会が要望書を出すのが正規のものなので、それでやってくれと言っている。要望書は、旧村内であればまず支所に持っていく。支所で対応できないものも、支所から本庁に回してくれる」、あるいは、「要望については、区長から要望書を出してもらうのがベストだと思う。偏った個人の要望よりも、地域の総意という形をとるのがよい。道路の整備などについて議会で質問するにも、要望書が継続的に出されていることは「実績」になる」と話しており、町内会の要望書は「地域の総意」として一定の力を

---

[34] 戸田市政策研究所『2013 年度 戸田市政策研究所 調査研究報告書』「スマートフォン等を活用した新たな市民参加に向けての研究」2014 年 3 月, p.20

[35] toco ぷりの要望機能を通じた道路の破損報告などの数は、平成 26 年度が 10 件、平成 27 年度が 40 件、平成 28 年度 18 件、平成 29 年度 31 件、平成 30 年度 31 件。戸田市議会 議事録 令和　元年　6 月定例会－06 月 17 日-05 号

持つと考えられているようである。
単一の町内会のみならず、地区の町内会が連合して、上述のような機能を果たしているケースもある。NTの中央駅北地区がそれで、「自治会町内会連絡会」に町内会がすべて加入している。連絡会としては、自治会・フレンドリープラザ・地区内の小中学校のPTA・防犯組合の代表者が月1回集まり、地域の課題、困りごとなどを話し合っているという。この場には地区に居住する2名の市議も「顧問」として参加しているという。

3 自治組織の課題

人口が急減している自治体である那賀町と、印西市の中でも特に農村部では、自治組織は集落の共同体と同義の存在であるため、自治組織の課題は集落の高齢化・人口減少という大きな構造的な課題に結びついており、それを解決するのは容易ではない。
現在は、団塊の世代が70歳前半で、集落の諸活動がぎりぎり維持できているが、団塊の世代から下の世代が少なく、数年後を不安視する声が、特に旧木頭村や旧木沢村、旧上那賀町で聞かれた。
たとえば、旧木頭村北川では、団塊の世代まで「出役」ができるが、それより上の世代（戦前・戦中生まれ）の人たちは年をとったために馬力がなくなってきた。そして、団塊よりも下の世代が本当に人数が少ないという状況であるそうだ。その結果、15年くらい前は出役で古くなった神社の瓦を変えることができるくらいの馬力があったが、2年ほど前、台風による倒木を片づけた際には、人手が足りなくなっていると感じられたという。
一方、人口が急増している自治体である戸田市と、印西市の中でも特にNT地域では、自治組織への加入率低下、役員等の固定化・高齢化、転入・転出の移動が激しいためにコミュニティへの帰属意識が希薄であること、新しい住民と古くからの住民の融合が難しいことが地域コミュニティが抱える課題として認識されている[36]。本項では、これらの課題に対する行政と、自治組織の様々な取組を見て行きたい。

（1）加入率の低さ

新しい住民（特に、マンション住民、賃貸住民）が自治組織に加入しないというのは、戸田市と印西市、両方に見られる傾向である。
戸田市では、大規模マンションができた際、マンション居住者だけの自治会を

[36] 戸田市まち・ひと・しごと創生総合戦略検討会議『戸田市まち・ひと・しごと創生総合戦略検討会議提言書』2015年8月、p.16

つくるよりも、可能であれば既存の町会によってマンション居住者を受け入れる方が良いと考えている[37]。そして、マンション居住者の町会加入促進のために次のような取組をしている。

2016年6月30日に制定された戸田市宅地開発事業等指導条例（2017年1月1日施行）[38]によって、住宅系の建設事業を行う事業者に対し、入居者に町会加入を勧めるように指導している。また、新たな戸田市民には、転入手続を行った市民課窓口において、町会加入促進パンフレットを配布している。さらに、2015年6月には公益社団法人埼玉県宅地建物取引業協会南彩支部と戸田市が事業協力に関する協定を締結し、町会・自治会への加入促進について連携し協力していくこととなっている。具体的には、不動産業者店舗における町会加入ポスターの掲示や、町会加入の促進パンフレット配布などが行われている。そして、マンション等からの依頼に応じ、市の担当者がマンション内の会議等に出向き、住民に向け町会の必要性などについての説明を行うなど、町会加入に向けた啓発活動も実施している。マンションの世帯数が既存の町会に比べて多すぎるなどの条件から、マンションが立地している地元の町会で受け入れが難しい場合は、団地や大規模マンション等の範囲で自治会を設立することも可能である。自治会設立の動きがあるマンション等に対し、市では設立支援として個々に相談に応じたり、情報提供等を行ったりしている。

戸田市町会連合会では「加入率が低くなっているので、何とかして入れなくては」という話があがっており、新しい住民に町会に加わってもらって、町会活動を活発にしていきたいという意向があるそうだ。そのため、2015年度、2016年度に加入促進ポスターを作成し、町会・自治会の掲示板に掲示することで、町会活動を知ってもらうなどの取り組みが行われている。

上戸田地区東町町会では、新しくマンションができると、町会長がマンションの総会で時間をもらって町会の活動紹介を行っている。下戸田地区喜沢1丁目町会では、町会主催の餅つき大会や防災訓練時に町会加入申込書を置いている。

印西市では、転入者に対する加入促進パンフレットの配布や、町内会加入促進に関する記事の「広報いんざい」への掲載によって、既存の町内会等への加入を促している。また、印西市では戸田市と違って、自治組織の空白地帯が存在していることが加入率を引き下げる要因となっている。そこで、宅地開発業者に対する開発事業指導要綱に、「町内会・自治会等、住民自治組織の設立について、事前

---

[37] 「平成28年度第4回戸田市外部評価委員会（施策72 地域コミュニティの活性化）」,p.5

[38] 第19条「宅地開発事業等の基準」の29項目のうちの一つとして「25 町会加入の促進」が定められており、「1　事業者は、住宅系の建設事業を行うときは、入居者に町会加入を勧めること。」、「2　事業者は、店舗、工場、倉庫及びその他これらに類する建築物を建設するときは、その占有者に賛助会員として町会加入を勧めること。」、「3　事業者は、前2項の町会加入を勧めるに当たり、町会加入促進パンフレットを配布すること。」とされている。

に協議の上計画するものとし、購入者に対して十分な説明を行うこと」[39]と明記し、新規開発において町内会等の働きかけをするように求めるとともに、既存地域の町内会等町内会等未組織地域に対しては設立相談などの支援を行っている。

その一方、印西市では、「自治会の班長などをするのがきつくなってしまい、やめてしまう。独居高齢者の方が自治会を抜けてしまい、地域のつながりが薄れている」といったように、高齢化のために、役員を引き受けられないことが負い目となり、町内会等を脱退してしまうという。こうした状況に対し、高齢で活動が難しそうな世帯は役員の担当を免除するといった方策をとっている、という町内会等の例が複数聞かれた。

また、入居から年月が経ち、高齢化が進んだ NT 地域の団地では、自分たちで団地内の掃除やごみ収集所の管理をしなくてよく、協働で取り組むべき課題がほとんどないことも一因となって、解散に至る町内会等もあるという。中央駅南地区で自治会を解散した団地の住民は、役員のなり手もおらず、活動を続けるのも大変で、自治会を置き続けることのメリットがないことが理由だったと話す。ここでは、団地の管理組合が、「特定の管理組合」となり、管理組合の下に防災委員を置いたり、規模を縮小させつつも夏祭りを続けている。近年の町内会等の解散事例は他にも中央駅北地区、NT 印旛地区、NT 本埜地区においても見られ、その中には、「特定の管理組合」に移行したものも、そうでないものもある。

（２）役員等の固定化・高齢化

戸田市の町会で役員等の固定化が進んでいる原因の一つは、前述したとおり、町会長は地域での活動だけでなく、あて職として市の会議等へ出席しなければいけないなど、行政からの要請が多く負担が重たいことである。

戸田市では、会議に参加する町会長・自治会長が時間を効率的に活用できるように、開催通知文書に会議の終了予定時刻を明記するようにしている。戸田市町会連合会では、町会・自治会からの代表者が出席する戸田市の会議等を開催しない曜日を金曜日と定め、戸田市は、できる限り金曜日を外してこれらの会議日程を決定するように、庁内各部局及び関連団体に依頼している。上戸田地区東町町会では、衛生、防災、社会福祉などの部門ごとに担当の副会長を置いて、かつて、町会長に集中していた仕事を分散させた。

また、各町会・自治会では、新しい担い手を増やすために、下記のような取り組みがなされている。

美女木地区向田町会には、マンションが 6 棟あるが、各マンションから代表を 2 名ずつ出してもらって町会の班長会議の前の 30 分間で「マンション会」を開催している。さらに、町会副会長に、マンション枠をつくり、普通の町会役員は 2 年任期のところ、マンション枠の副会長は 1 年任期も可として選出している。

---

39 印西市開発指導課「印西市開発事業指導要綱」2013 年 4 月 1 日

上戸田地区元蕨町会では、昔からの住民だけでなく、子ども会、おやじの会からも数名、町会の役員会に入ってもらい、子ども会で活動していた親たちが、町会活動に関わっていく流れができている。

（３）コミュニティへの帰属意識の希薄化

２（３）でみたように、自治組織では、様々な親睦活動・レクリエーション活動が行われている。

戸田市で行われている夏祭り・祭礼には、戸田市の宅地化が急速に進展する前から受け継がれてきた御神輿や御囃子など、新興住宅地などでは見ることができない伝統文化がある。こうした、伝統行事があることは、昔からの住民だけでなく、新しい住民にとっても愛着を醸成する機会となる。

上戸田地区東町町会では、若い人にも積極的にアプローチして、町会の行事に誘ったり、協力をお願いしたりしている。上戸田地区元蕨町会では、前述のように、子ども会、おやじの会の人も町会の役員会に入っているが、町会行事の企画実施に子ども会、おやじの会の人たちが携わり、若い人達、特に子どものいる家庭が積極的に参加できる行事にするように努めている。

また、上戸田地区では、夏祭りを以前は各町会でやっていたが、より楽しく、にぎやかに実施するために、合同でやるようになっている。最初は東町町会と元蕨町会の２町会だったが、徐々に参加町会が増え、2018 年には、上戸田地区の全 10 町会が参加した。鎮守である上戸田氷川神社において合同で神輿出立式がとりおこなわれ、そこから各町会に向けて神輿・山車が出発した。鍛冶谷町会では、子ども神輿が出され､途中の駐車場での休憩では手づくりシャーベットが出され、子どもたちの笑顔があふれた。そして、渡御が終わった後は、町会会館に残った子どもたちが学年を越えてボードゲームに興じ、町会行事が子どもたちを繋げる様子が見られた[40]。

新曽地区馬場町会と沖内町会でも 2013 年から神輿の連合渡御が行われている。2017 年は戸田駅前でセレモニーを行い、徐々に観客も増えてきている。担ぎ手は町会内だけでは足りず、他所に頼まないといけない状況だが、地域内で興味を持って、担ぎたいという人も増えてきている。馬場町会の御囃子はかなり寂れてしまっていたが、後進の指導に取り組み、2017 年の連合渡御では子どもたちが太鼓を叩いた。このように、伝統的な行事を次の世代につなぐ取り組みがなされている。

伝統的な祭礼がない町会では、新しいお祭りをつくる動きもある。例えば、美女木地区向田町会では、子ども会を中心にマルシェを開催している。町会会館前

---

[40] 林冬彦戸田市議会議員の blog「戸田市に住むと楽しいな！」2018 年 07 月 15 日付の記事「猛暑の中、上戸田地区 10 町会による夏祭りが上戸田氷川神社で行われ、各町会への神輿練り歩きに繋がっていきました！」
http://blog.todakouen.jp/archives/51688608.html

の広場でテントを張って、焼きそば、フランクフルト、かき氷、綿菓子などをやる。町会の区域内にある会社の協力を得て野菜・果物の即売会も行われ、好評だったそうだ。

印西市でも、NT 地域では伝統的な祭礼がないが、町内会等では子供を楽しませるために、住民による手づくりの夏祭りが行われるようになった。見ず知らずどうしの NT 住民が「つながり」を築き、「休日返上で打ち込むお父さんたち」が夏祭りを支えた[41]。しかしこのことは、裏返せば、子どもが成長し、やがて巣立っていくと、活動の動機が失われるということでもある。新しい世帯が転入してくることで、子どもが継続的に住んでいる地域になっていればよいのだが、NT の多くの地域においてそのような「循環」は起きていない。そうなると、ある住民の言を借りれば、「子どもが出ていって、夫婦二人なので、なんでそんな面倒くさいことをやんなきゃいけないんだ、ということになる」。かくして町内会の活性は鈍くなっている。

（４）新しい住民と古くからの住民の融合の難しさ

戸田市では、町会・自治会や子ども会、PTA、市民活動団体等、地区内の様々な組織の横のつながりを確保したり、町会・自治会に入ってない住民が地域活動に参加できるようにしたりするために、戸田市では「コミュニティ協議会」の設立が考えられているが、現在のところ、笹目地区以外では設立が進んでいない。

笹目地区笹目 2 丁目町会では、新しい加入世帯を回覧で紹介するようにしている。２（３）で見たように、「戸田市民体育祭地区大会」と、その後の反省会を町会員同士が親密になるきっかけとしている町会もある。美女木地区向田町会では、2015 年からマンション住民に競技役員に入ってもらうことで、同じマンションからの参加者が増えた。そして、若い人たちの参加が多くなったことで、2016 年は総合優勝した。また、同町会では総会、忘年会、新年会、体育祭後の反省会などに、子どもの参加を認めるようにしており、2016 年の体育祭後の反省会では、子供用のお菓子や食べ物を用意したところ、若い家族が参加してくれて、大変好評だったそうだ。

印西市にも、古くからある地区と新たに開発された地区が一つになった町内会がある。そこでは、炊き出し訓練を兼ねた防災訓練や、3 日間で米 6 俵半分のおにぎりを作りみんなで食べる地域の祭礼行事があり、みんなで作りみんなで食べることで連帯意識が高まっているという[42]。

41 「千葉ニュータウンで夏祭り」『朝日新聞』1995 年 8 月 21 日朝刊、千葉。
42 『広報いんざい』2018 年 3 月 1 日号

4　NPO等の住民団体の活動

前項まで見てきたように、戸田市と印西市では町内会等への加入率低下、那賀町では人口減少と、異なる理由を背景に自治組織の活動が近年停滞しつつある。その一方で、地縁による自治活動ではなく、個人の興味・関心などを核にした住民活動も見られるようになっている。

たとえば、「戸田市市民意識調査報告書 2018年度実施（第12回）」によれば、団体等の活動への参加状況（n=1,172）は、ボランティア団体が8.9%、市民活動団体が7.5%、趣味のサークルやクラブが16.1%となっており、ボランティア団体や市民活動団体などに参加している住民も多い（図表7－4－1）[43]。

図表7－4－1　団体等の活動への参加

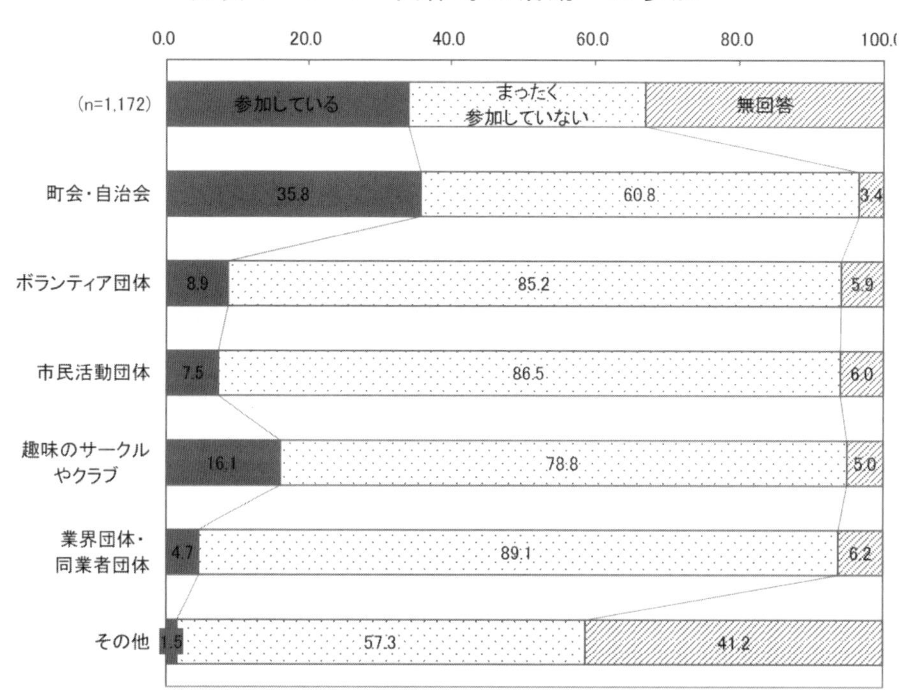

（注）参加している＝「まったく参加していない」及び「無回答」以外の合計
出典：戸田市「戸田市市民意識調査報告書 2018年度実施（第12回）」2019年3月, p.70

「印西市地域福祉に関するアンケート調査 調査結果報告書（平成28年8月）」[44]によると、「地域で活動を行うさまざまな組織・団体に加入していますか」とい

43 例えば、地元ではない町会の子育てサロンでボランティア活動をしている女性は、「自分のいる町会でやるのはちょっと息苦しくなるというのもあったりする。他の町会の活動のほうが気が楽。狭い地域でやっていると目立ちますし、いいことも悪いことも勝手に噂されることがないとは言えない」と語った。

44 印西市「印西市地域福祉に関するアンケート調査 調査結果報告書（平成28年8

う問い（n=1,539）に 46.9%が「はい」と答え、その回答者が加入している組織・団体（n=722）は、「町内会・自治会」（82.4%）、「各種サークル」（13.7%）、「PTA」（12.7%）、「高齢者クラブ」（9.3%）、「自主防災組織」（7.5%）、ボランティア団体（7.5%）となっている。

こうしたボランティア・市民活動を支援するため、2006 年 7 月 1 日、戸田市役所敷地内に「戸田市ボランティア・市民活動支援センター」がオープンしている。このセンターは、「活動に必要な場」と、「情報の収集と発信できる場」としての機能を持っている。また、市・ボランティア・社会福祉協議会という三者共同による運営を改め、市民にとって使いやすい施設を目指し、2014 年度より指定管理者制度が導入されている。

「市内において自主的かつ主体的な社会貢献活動を行うボランティア又は市民活動団体」としてセンターに登録した個人又は団体は、キッズコーナーや会議スペースロッカー、プロジェクター・スクリーン、FAX、印刷機、紙折り機、裁断機、パンフレットスタンド、メールボックスなどの設備を利用することができる。

戸田市ボランティア・市民活動支援センターの利用状況は図表 7－4－2 の通りである。設立以来、増加し続けており、市民活動を始めたいとの相談も多数寄せられており、市民活動が活発になってきている[45]。

図表 7－4－2　戸田市ボランティア・市民活動支援センターの利用状況

年度	2011	2012	2013	2014	2015	2016
登録団体（個人）数	146	167	177	181	195	210
来館者数	7,097	7,686	8,685	9,760	9,187	10,101

（出典：『戸田市 事務事業評価≪事後評価シート≫』（2011～2016 年度）より作成）

また、戸田市では、市民活動団体の活動支援として、市民活動サポート補助金制度が 2010 年に創設されている。市民活動団体が地域における課題の解決を図ろうとする社会貢献事業に対して補助金を交付することにより、公益的な市民活動団体の自立支援及び市民活動の活発化を図ることを目的としている。

制度創設当初は、20 万円を限度とする「2っこりコース」と、100 万円を限度とする「10じつコース」の 2 つのコースだった。前者は、設立初期にある団体が活動の弾みをつけるための事業に対して、後者は、ある程度実績のある団体が更に飛躍するための事業に対して、補助金を交付するものである。

2012 年 8 月に、市民活動団体のニーズに合った支援策を講じていくため、ボランティア・市民活動支援センター登録団体及び市内に所在地を置く NPO（特定非

月）」, pp.13-15

45 戸田市議会会議事録 平成 29 年 3 月定例会（第 2 回）－03 月 02 日-03 号

営利活動）法人を対象に、戸田市が「市民活動団体への支援について」についてアンケート調査を実施した。その検証結果をもとに制度が見直された。こうして、2013年度からは、設立したばかり、もしくは、これから設立するNPO法人の運営費に対し、10万円を限度として補助金を交付する「1きおいコース」が創設された。

「1きおいコース」は1回のみ、「2っこりコース」と「10じつコース」は、同一内容の事業について3回まで補助を受けることができる。団体が自立を妨げられることなく自主的な運営ができるように、2年目、3年目の限度額と補助率が徐々に逓減する。

第1次は書類審査、第2次は第1次審査通過団体によるプレゼンテーションを審査委員会が審査する。審査委員会は、市民生活部長、市民生活部次長（協働推進課担当）、環境経済部次長（環境課担当）、福祉部次長（福祉総務課担当）、こども青少年部次長（こども家庭課担当）、教育委員会事務局次長（生涯教育課担当）で構成されている。

2015年度からは、応募団体に対する支援を強化するためにアドバイザー制度が導入され、埼玉県内のNPOをサポートしている組織と戸田市ボランティア・市民活動支援センターから各1名がアドバイザーを務めている。アドバイザーが審査委員会に参加し、市民活動団体等に対して、事業実施手法や団体運営などについて助言している。

市民活動サポート補助金申請事業数は図表7－4－3の通りで、2015年、2016年は目標値を上回る応募があった。2017年度は、予算280万円に対して、8事業の応募があったが、書類審査の段階で4事業に減り、交付決定に至ったのが3事業で、交付決定額総額は1,583,590円だった。

2010年度から2017年度までの補助金交付団体は、14団体となっている（図表7－4－4）。これらの中には、団体設立期に補助金を受けて活動を軌道に乗せ、「2っこりコース」、「10じつコース」へとステップアップし補助金がなくても活動できるような事業を育てている団体もある。

ボランティア・市民活動支援センターの運営や市民活動サポート補助金等の施策により、行政と市民活動団体等との協働も少しずつ増え、市とボランティア・市民活動団体が協働している事業数は、2010年に43件だったものが、2015年には50件になっている[46,47]。

---

46 「戸田市での活動は、より市役所との連携を取れるようになり活動の幅が広がりつつある」（特定非営利活動法人グリーンガーディアンズ『2016年度事業報告書』）
47 『戸田市 施策評価シート』（2016年度）

図表 7－4－3　市民活動サポート補助金申請事業数

年度	2011	2012	2013	2014	2015	2016
申請事業数	3	2	3	2	9	8

（出典：『戸田市 事務事業評価≪事後評価シート≫』（2011～2016 年度）より作成）

図表 7－4－4　市民活動サポート補助金交付団体

		2010	2011	2012	2013	2014	2015	2016	2017
埼京戦隊ドテレンジャー	埼京戦隊ドテレンジャー事業	10じつ							
埼京戦隊ドテレンジャー	埼京戦隊ドテレンジャー事業		10じつ						
埼京戦隊ドテレンジャー	埼京戦隊ドテレンジャー事業			10じつ					
高齢者の健康作りと生きがい作りの会	友好都市との元気づくり事業（市民農園で交流を！）	2っこり							
TODAこどもパラダイス！	TODAこどもパラダイス！活動事業	2っこり							
TODAこどもパラダイス！	TODAこどもパラダイス！活動事業		10じつ						
エコ・とだ・ネットワーク	食の循環と地域の輪事業	2っこり							
エコ・とだ・ネットワーク	食の循環と地域の輪事業		10じつ						
エコライフDAYとだ実行委員会	家庭に節電を強化して貰う為のうちわを通じて広報活動事業			10じつ					
tocoママ応援団	Olive Room事業				2っこり				
NPO法人NPO戸田EMピープルネット	Em生ゴミ堆肥化・ペレット化試行事業				10じつ				
NPO法人NPO戸田EMピープルネット	EM生ゴミ堆肥ペレット化試行事業					10じつ			
NPO法人NPO戸田EMピープルネット	EM生ゴミ堆肥ペレット化試行事業						10じつ		
NPO法人グリーンガーディアンズ	NPO法人グリーンガーディアンズ運営事業				1きおい				
NPO法人グリーンガーディアンズ	ホンとだ！体験倶楽部事業					2っこり			
NPO法人グリーンガーディアンズ	ホンとだ！体験倶楽部事業						10じつ		
NPO法人グリーンガーディアンズ	ホンとだ！体験倶楽部事業							10じつ	
NPO法人World Sports Family							1きおい		
NPO法人World Sports Family	とだスポーツライフ情報発信事業							10じつ	
NPO法人World Sports Family	とだスポーツライフ情報発信事業								10じつ
オリーブキッズ	ママと子供のえいごサロン事業						2っこり		
エンジェル・すまいる	Toda子育てフェスタ事業						2っこり		
エンジェル・すまいる	キラキラ輝くTodaフェスタ事業							2っこり	
市役所南通りの景観と文化を育む会	市役所南通りの景観と文化を育む意識の啓発事業						2っこり		
市役所南通りの景観と文化を育む会	市役所南通りの景観と文化を育む意識の啓発事業							2っこり	
市役所南通りの景観と文化を育む会	市役所南通りの景観と文化を育む意識の啓発事業								10じつ
NPO法人ワーカーズコープ	地域支え合いの仕組み推進事業「とだ・お～る助っ人隊」事業						10じつ		
NPO法人ワーカーズコープ	地域支え合いの仕組み推進事業「とだ・お～る助っ人隊」事業							10じつ	
戸田マルシェ	アートむすび市事業							10じつ	
戸田マルシェ	むすび市事業								10じつ

印西市では、「印西市基本構想（2001～2010）」の中で、「市民と共に歩み育むまちづくり」が掲げられ、その第 1 次基本計画において「協働型社会の実現」を基本方針として「市民の主体的活動を積極的に支援していく」ことが示され、「市民の主体的活動の振興」が施策の基本的な方向性となった。2001 年 3 月「NPO・ボランティア団体等の育成及び連携についての指針(基本的考え方)」が策定され、NPO やボランティアとの協働のための育成及び連携についての施策が立案され、2002 年 1 月 15 日、「印西市市民活動支援センター」がオープンした。ここでは、市民活動に関する情報提供や会議室等の貸し出し、相談支援や各種講座開催などが行われている。図表 7－4－5 のとおり、印西市市民活動支援センターの登録団体や市民活動イベントへの参加者は増加傾向にある。

図表 7－4－5　印西市市民活動支援センターの利用者数と登録団体数

年度	2015	2016	2017	2018
登録団体数	107	117	136	152
利用者数	8,582	9,402	11,382	14,045

出典：印西市 HP（平成 30 度指定管理業務のモニタリング結果）
http://www.city.inzai.lg.jp/0000009556.html
「平成 30 年度 指定管理者評価シート 市民活動支援センター」

そして助成制度として、「印西市市民活動助成事業補助金制度」が 2001 年度から実施された（2006 年度に廃止）。2007 年 1 月には「公益信託印西市まちづくりファンド」が創設された。また、印西市では、2004 年度に『印西市市民活動推進条例』を施行、2005 年度には『市民活動団体（NPO 等）との協働を進めるためのガイドライン』を策定し、市民との協働に取り組むためのルール作りを進めて来た。条例では『協働』を「市民、市民活動団体、事業者及び市がそれぞれの役割を自覚し、自主的な行動に基づき、対等な立場で互いに協力及び連携しながらまちづくりを進めること」と定義している。そして、条例第 9 条では、「市は、市民、市民活動団体及び事業者に対し、市民活動の持つ特性を活かせる分野において、協働の機会が開かれるよう努めるものとする」とし、「協働の機会を市長に提案することができる」と定めている。これを具体化するために、2005 年度から『企画提案型協働事業』が実施されている。

対象となる事業は、市民活動団体と市が協働して取り組むことにより地域社会が抱える課題の解決が図られる事業、相乗効果が期待できる事業などの要件を備えたものであり、2005 年度は 3 件の提案があったものの採用されず、2006 年度は 1 件の提案があり、初めて採用された。それ以降の実施事業は図表 7－4－6 のとおりである。

図表 7－4－6　企画提案型協働事業の実績

事業名	団体名	活動分野	協働部署	実施年度
印西市ファミリーサポートセンター事業	特定非営利活動法人いんば子どもネット		子育て支援課	2007
竹袋調整池と周辺地域の維持管理	NPO 法人エコネットちば	環境保全	都市整備課	2009-2018
印西市木下地区歴史講座	木下まち育て塾	文化振興	生涯学習課	2012-2018
自転車ルートマップの作成	印西いーまち会			2012-2013
道作古墳群歴史広場の維持管理事業	NPO 法人小林住みよいまちづくり会	文化振興 環境保全	生涯学習課	2015-2018
地域住民への身体活動増進プログラムの提供	ALIpro（アリプロ）	保健・福祉	健康増進課	2017-2018
【指定テーマ型】 アドラー心理学による「勇気づけコミュニケーション」のすすめ	勇気づけサークル でこぼこピース	男女共同参画	市民活動推進課	2017
自主防災組織の活性化事業	印西防災研究会	災害救援	防災課	2018-2019
イノシシ等の獣害対策としての荒れた里山の整備事業	NPO 法人里地里山保全ねっと	農業振興 環境保全	農政課	2018-2019
武西の里山　保全と調査事業	NPO 法人谷田武西の原っぱと森の会	環境保全	環境保全課	2018-2019
みんなでつくる「木下街道膝栗毛」リターンズ	印西ふるさと案内人協会	文化振興	生涯学習課	2018
訪問傾聴ワーカー（見守り隊養成講座）	こむ net ちば	保健・福祉	高齢者福祉課	2019

出典：印西市『平成 30 年度企画提案型協働事業実施要領』など

協働提案型事業に限らず、印西市と市民活動団体等の協働事業は着実に増加しており、2012 年に 60 件だったものが、2018 年には 88 件になっている[48]。

一方で、高齢化や人材不足に悩む団体も増えており、今後の市民活動の活性化に向けては、新たな人材の発掘と育成が重要な課題となっている。

那賀町では、図表 7－4－7 のように 5 つの NPO 法人がある。

---

[48] 印西市 HP http://www.city.inzai.lg.jp/0000009653.html
行政評価結果（平成 30 年度分）「事業評価票　6 住民自治・協働・行財政」

図表 7−4−7　那賀町の NPO 法人

	設立認証年月日	目的	
里業ランド木頭	2007 年 3 月 2 日	地域の活性化と自然保護のために，自然循環型の農林業を基軸に，栽培・管理技術の研究・開発と，その指導及び普及啓発を行い，人と自然との共生調和のために寄与すること	
那賀文化振興事業団	2009 年 10 月 2 日	那賀町及びその周辺地域住民に対して，地域の文化振興に関する事業を行い，地域住民の文化的環境の向上に寄与すること	
出逢	2010 年 2 月 10 日	介護を必要とする高齢者、支援を必要とする子育て中の親に対し、介護事業子育て支援事業を行い、地域づくりに寄与すること	解散
マミーズ	2011 年 10 月 12 日	那賀町旧鷲敷町地区を中心に地域の子供達を対象にハロウィンイベントやイースターイベントを実施するなど，外国の文化に楽しく触れる機会をつくることにより，地域の国際化を図るとともに，ファミリーサポートシステムを実施することにより子育てに追われるママたちにやさしいまちづくりの推進に寄与すること	
那賀町吹筒煙火保存会	2013 年 5 月 8 日	長い歴史のある手造りの吹筒花火を伝承し，伝統文化の保存・振興を図るとともに，地域の活性化に寄与すること	
きさわクラブ	2017 年 5 月 9 日	那賀町を中心とする南つるぎ地域の地域振興に寄与すること	

那賀町で英会話講師として働いていた女性が、保育所の休園日や時間外に預ける場所をつくるために、仲間たちとともに設立した「マミーズ」では、那賀町からの委託を受け、徳島県内初の NPO によるファミリーサポート事業を開始した。

「出逢」は、旧鷲敷町阿井地区と百合地区で高齢者交流サロンを開き、高齢者の孤立・ひきこもり防止に一役買っていたが、現在は解散している。NPO 法人に限らず、那賀町、特に旧木頭村では、高齢者交流サロンが行われていた。少し活動が衰退気味だったが、近年では「いきいき百歳体操」との相乗効果で活動が継続されている。

5　自治組織・住民活動による「自治」

以上で見てきたように、自治組織・住民活動について、組織・活動内容にわたる多様な姿が浮き彫りになった。人口が急増している戸田市では新しい住民の町会未加入が多い。印西市ではニュータウンの初期入居者が高齢化などを理由に町内会等を抜けたことや、町内会等の未設立や解散によって町内会等の空白地帯があるために、町内会等の加入率が低下している。人口が減少している那賀町では自治組織の加入率の低下は問題にはならないが、集落の寄り合いの開催頻度が高齢化等を理由に少なくなっている。特に那賀町の自治組織の抱える問題は、人口減少・高齢化と直接結びついており、根本的な解決を図ることは容易ではない。

しかしながら、いずれの自治体でも、子どもが参加できるお祭りや、高齢者の支え合い、防災などをよりどころに、自治組織の活動を活発にしようという地道な取り組みが見られた。

人口が急増している自治体である戸田市・印西市の自治組織から聞かれたのは、(特に自治組織の役員の)仕事の負担の大きさであった。戸田市では、行政から町会に任される仕事が多いのに、町会が担い手不足に陥っていることから、「地域担当職員制度」の導入が真剣に検討されている。減少している自治体である那賀町の自治組織では、例えば、集落内にある景勝地の保勝会も運営している自治組織では、その会計が大変で活動を縮小しつつある、という声や、高齢化や少子化で活動の維持が大変になりつつあるという声は聞かれたが、リーダー一人に活動が重くのしかかって大変だという声は聞かれなかった。

住民自治組織の担う「自治」の範囲は、戸田市・印西市では日常生活の一部に限られている(特に、印西市の一部の団地では、団地内の清掃まで業者がやってくれる)のに対し、那賀町では、水道など、ライフラインにかかわる部分も含まれている。

那賀町では自治組織による「自治」が根強い一方、NPO やボランティア団体による地縁に縛られない「自治」の活動も見られる。戸田市、印西市では、那賀町ほどには自治組織による「自治」が見られないものの、土地柄や代表者(町会長等)の人柄によって活発に活動しているところもある。戸田市、印西市では市役所と協働して事業を行うような NPO 等の住民活動団体も多くあり、住民自治の形が多様化している。

前掲の「印西市地域福祉に関するアンケート調査 調査結果報告書(平成 28 年 8 月)」[49]によれば、「地域で活動を行うさまざまな組織・団体」に加入している人ほど、現在住んでいる地区に愛着や誇りを感じていると回答する割合が高くなっている。何でも他人(業者)任せていては、自治意識、ひいては住んでいる土地への愛着を醸成されない。自治組織であれ、住民活動団体であれ、参加の様態は問わず、住んでいる土地に対して何らかの活動を行うことが、土地への愛着に繋がる。その活動の自発性を失わせずに、背中を押すような支援が行政には求められているのではないだろうか。

[49] 印西市「印西市地域福祉に関するアンケート調査 調査結果報告書(平成 28 年 8 月)」, pp.13-15

第 8 章　那賀町生活実態調査分析

1　はじめに

本稿では、2019 年 1 月に後藤・安田記念東京都市研究所が実施した「那賀町生活実態調査」の調査結果を報告する。アンケート調査結果によって、ヒアリング調査による各研究報告を量的・質的に補完し、「消滅可能性のある地方自治体」の生活上の課題と持続可能性に関する課題を考察する。

本稿の構成は以下のとおりである。第 2 節では、アンケートに関する基本的な情報や設計方式について述べる。第 3 節では各質問項目の調査結果と考察を行う。第 4 節では居住地情報や居住年数をもとにしたクロス集計を行い、より詳細な分析を行う。第 5 節では那賀町の生活上の課題や持続可能性に関する課題を考察する。なお、アンケートの質問項目は本章末尾に掲載した。

2　アンケートの基本的な情報・設計について

・アンケートの基本情報

本調査では、那賀町役場との協力のもと、2019 年 1 月の那賀町が配布する広報誌『広報なか』と合わせて、本アンケート調査用紙及びアンケート調査のお願いに関する書類を徳島県那賀町の全世帯へ郵送した。回答者は同封の回答用封筒に調査票及び返信用封筒を封入した上で 3 月末までに郵送するよう、お願いした。このうち 6 月 8 日時点で 742 世帯からアンケートの回答があった。

2018 年 1 月時点での徳島県那賀町の総世帯数は総務省「平成 30 年度住民基本台帳に基づく人口、人口動態及び世帯数」によれば 3896 世帯であり、今回の調査ではこのうち 3780 世帯に配布した。回答率は約 19.6%となった。また、支所ごとの発送部数は、鷲敷が 1200 部、相生が 980 部、上那賀が 750 部、木沢が 300 部、木頭が 550 部である。送り状には「広報なか同封物（後藤・安田記念東京都市研究所）」と記載した。

・アンケートの基本設計

本調査におけるアンケート調査の設計は以下の通りである。

①アンケートは配布世帯の回答者が世帯を代表して、回答者と回答者の家族の情報、生活満足度、行政サービスに対する評価を回答する方式を採用した。

②質問項目は可能な限り他の市町村で実施されたアンケート調査の質問項目を参考にした。

③回答の結果から特定の世帯を特定するような情報、もしくは特定されると認識

させるような分析は行っていない。

・分析手法

本調査では、アンケート調査によって、いわゆる個票データを収集したが、以下の理由から計量的分析ではなく、簡易な分析しか行っていない。それは以下の理由からである。

本調査は調査期間や費用・人員の関係上、戸別に訪問するのではなく、那賀町役場協力のもと町広報と同封する形で全世帯に質問表を配布する方式を採用した。その結果、調査の段階でランダマイズ化してサンプル対象を選定することができなかった。戸別訪問方式であれば、戸別聞き取りなどによって、世帯構成員ごとにアンケート調査を行うことが可能である。したがって、生活満足度やお困り毎に関する質問は、あくまで世帯を代表する方で回答者本人もしくは家族の状況を評価して、回答してもらうようにした。

3　各質問項目の分析

本節では、アンケート調査の各質問項目の結果を整理し、那賀町の生活実態について考察を行う。

質問 1「現在の住所の郵便番号を記入してください。」について、回答数は 708、回答率は 95.4%であった。郵便番号によって回答者の居住地の大字まで特定することはできるが、回答数が多くない地域では個々の世帯が特定されることを回避する必要があるため、旧合併町村の地区（那賀郡鷲敷町、那賀郡相生町、那賀郡木沢村、那賀郡上那賀町、那賀郡木頭村）を改めて分類した。

分類の結果、那賀郡鷲敷町は 236 世帯（33.3%）、那賀郡相生町は 203 世帯（28.7%）、那賀郡木沢村は 56 世帯（7.9%）、那賀郡上那賀町は 93 世帯（13.1%）、那賀郡木頭村は 120 世帯（16.9%）だった。以下の図表は回答世帯の居住地区を旧合併町村ごとに分類し、それぞれの世帯数を示したものである。

図表 8－3－1　質問 1「現在の住所の郵便番号を記入してください。」

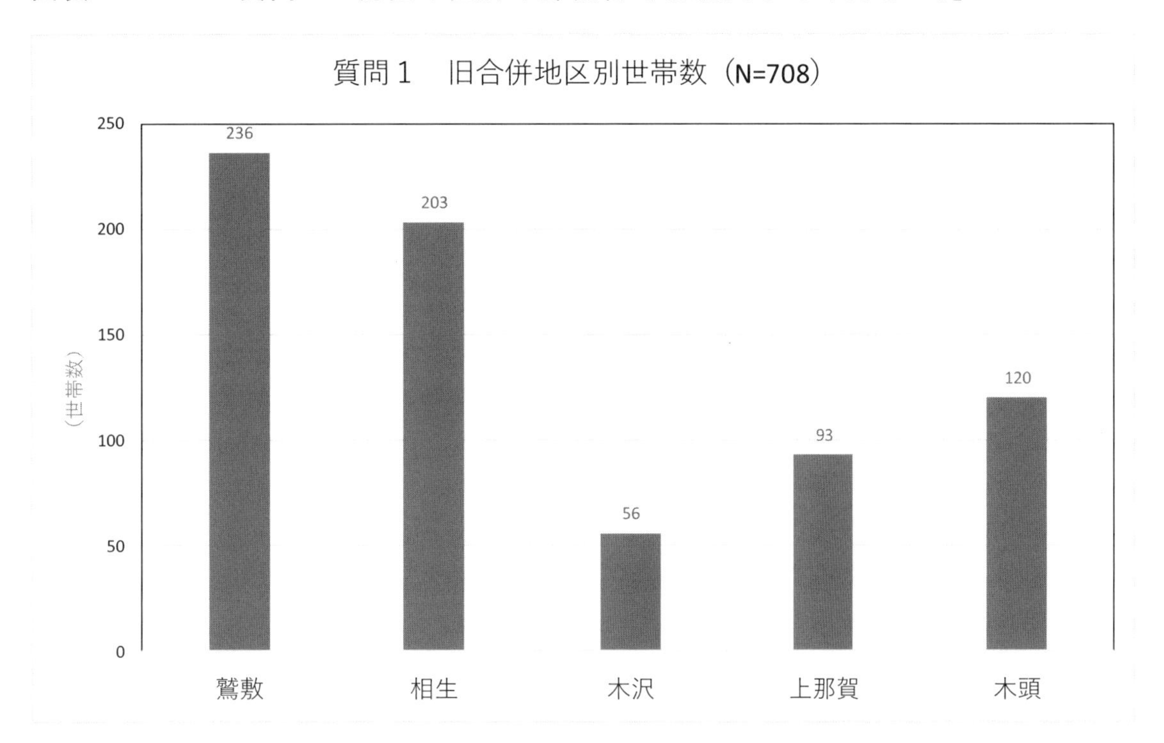

質問 2「現在の住所にお住まいになって何年になりますか。」については、回答数が 738 世帯、回答率は 99.5％であった。このうち「1．1 年未満」が 9 世帯（1.22％）、「2．1～3 年未満」が 15 世帯（2.03％）、「3．3～5 年未満」が 10 世帯（1.36％）、「4．5～13 年未満」が 35 世帯（4.74％）、「5．14～30 年未満」が 83 世帯（11.25％）、「6．30 年以上」が 586 世帯（79.4％）となった。市町村合併が 13 年前であったことから、回答 4 と 5 は合併以前から那賀町内に居住していた世帯に該当する。つまり、合併前から那賀町内に居住している世帯は約 90.65％を占めていることになる。逆に 1 年未満の世帯数の割合は 1.22％と極めて低い。

図表 8－3－2　質問 2「現在の住所にお住まいになって何年になりますか。」

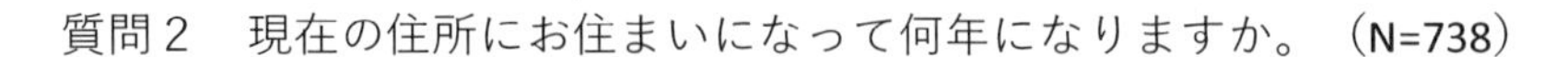

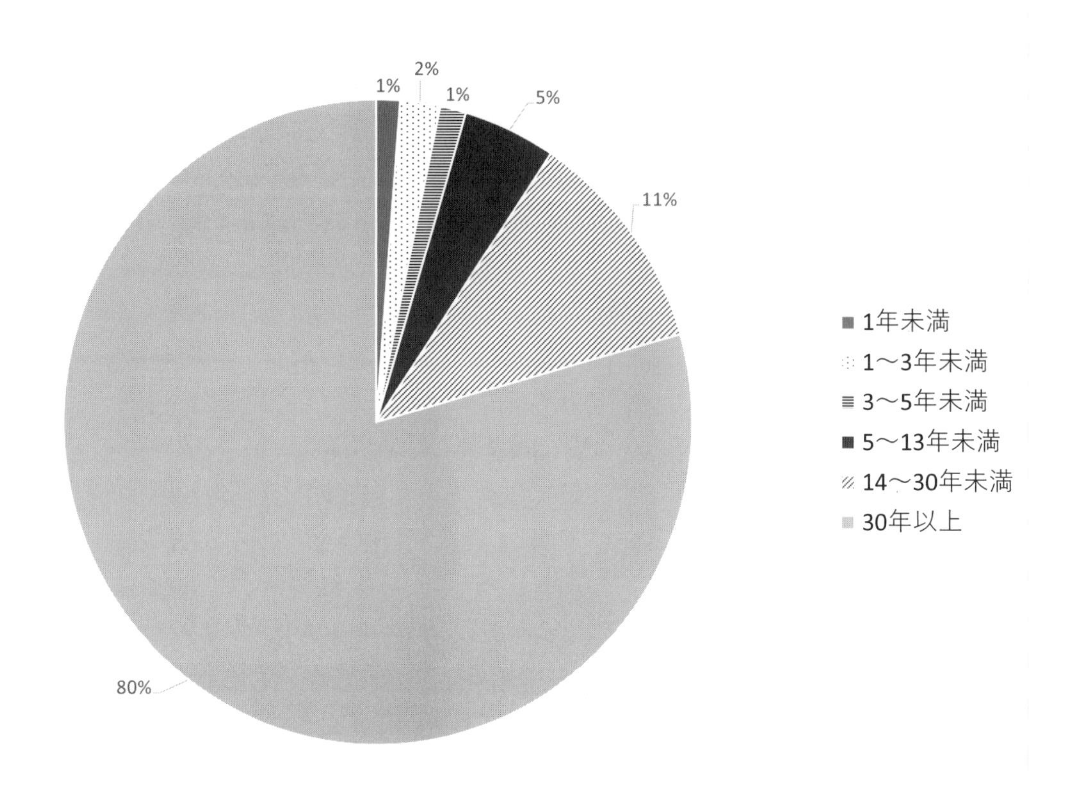

質問 3「あなたの世帯の収入（税引き前）はどのぐらいですか。」については、回答数が 711 世帯、「1．200 万円未満」が 238 世帯（33.8%）、「2．200 万円以上～300 万円未満」が 175 世帯（24.6%）、「3．300 万円以上～400 万円未満」が 99 世帯（13.9%）、「4．400 万円以上～500 万円未満」が 65 世帯（9.1%）、「5．500 万円以上～800 万円未満」が 60 世帯（8.4%）、「6．800 万円以上」が 23 世帯（3.2%）、「7．回答は控えたい」が 51 世帯（7.2%）であった。

なお、総務省調査によれば、那賀町の平均世帯年収（2018 年）は 274 万 5284 円であった。

図表８－３－３　質問３「あなたの世帯の収入（税引き前）はどのぐらいですか。」

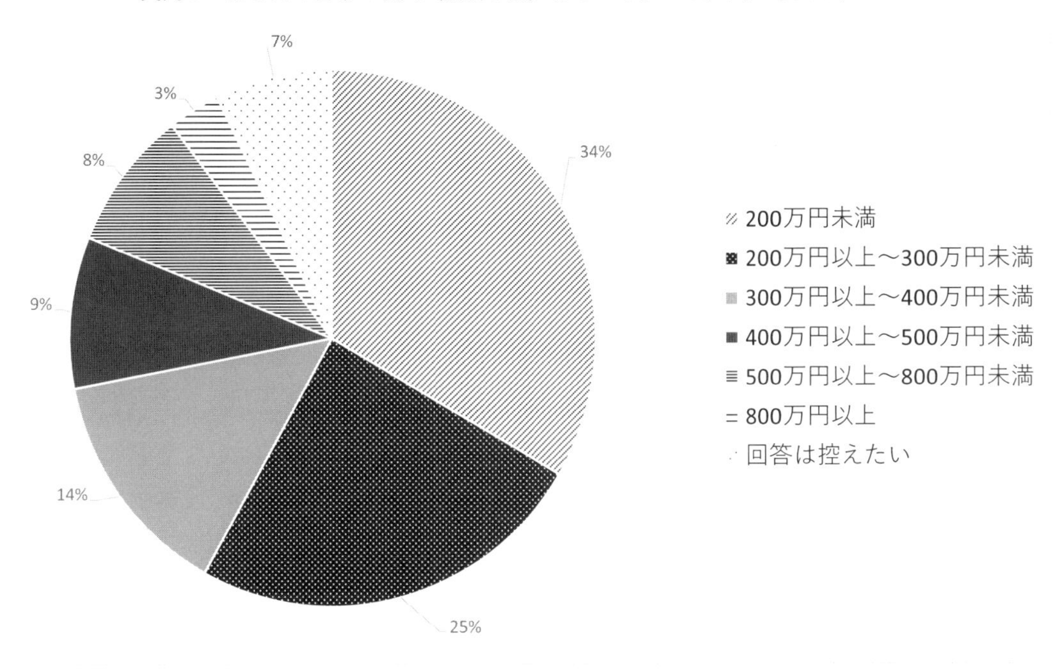

質問４「あなたの世帯の現在の主な収入源は何ですか」（複数回答、上位３つ）については、「１．給与所得」が294、「２．事業所得」が234、「３．年金給付」が593、「４．預貯金のとりくずし」が309、「５．親類・知人の支援」が28、「６．その他」が63であった。年金給付が最も多く、次に給与、事業所得の順であった。

「６．その他」については、不動産収入、投資収益などの不労所得、有償ボランティア、アルバイトなどの一時労働、保険金や遺族年金などの親族・家族の死亡を原因とした収入があげられた。

図表 8－3－4　質問 4「あなたの世帯の現在の主な収入源は何ですか。」

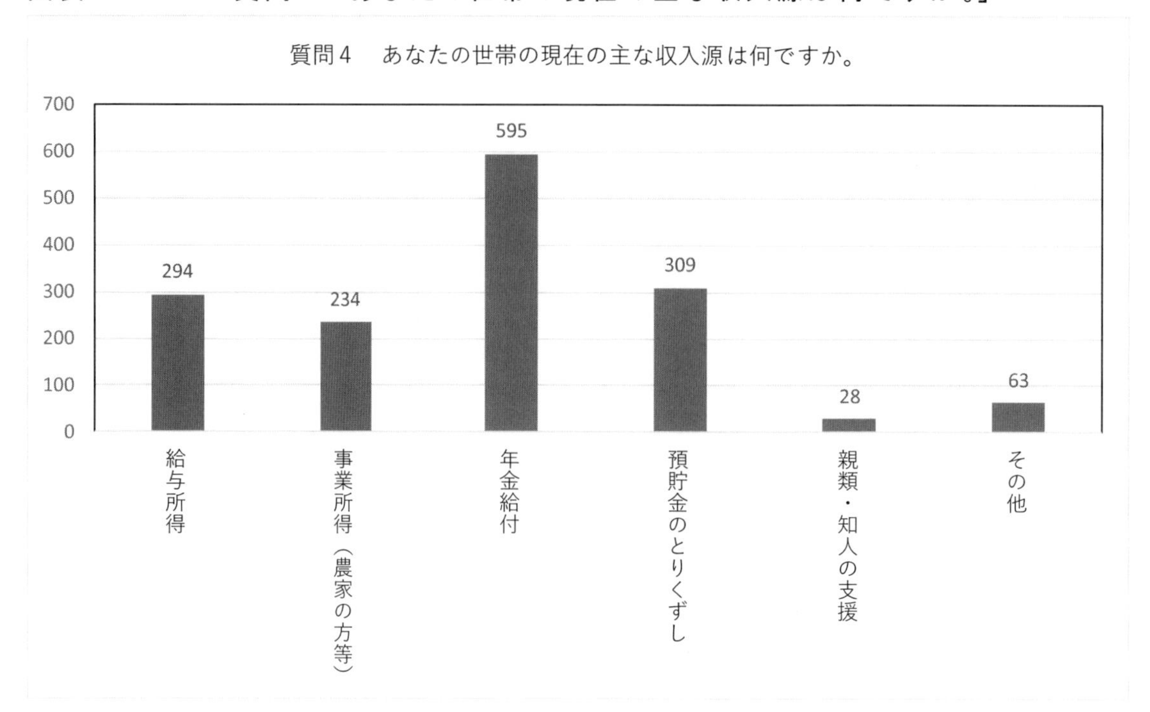

質問 5「あなたのご家族のうち 3 年以内に那賀町外へ引っ越す予定の方はいますか。」については、回答数が 719 世帯数、回答率が 96.9％であった。このうち「1．はい」が 37 世帯（5.2％）、「2．いいえ」が 593 世帯（82.5％）、「3．分からない」が 89 世帯（12.4％）となった。回答の結果から、居住世帯のほとんどが 3 年以内に那賀町外へ引っ越す予定はないことが分かった。

次に質問 5－1「質問 5 で「1．はい」と回答した方にお聞きします。引っ越す予定の方はどの方ですか。」は、「町外に引っ越す方」がいると回答した数が 31 世帯、「町内に引っ越す方」がいると回答した数が 3 世帯であった。「町外に引っ越す方」は、自分（回答者）が 10、子どもが 14、孫が 1、家族全員が 6 であった。「町内に引っ越す方」は子どもが 1、家族全員が 1 であった。回答の結果から、町外に引っ越す方がいる世帯は、子どもが最も多い割合であり、進学や結婚などライフステージの変化によって引っ越す予定が発生していると推察される。

質問 6「那賀町内に住宅をお持ちの方にお聞きします。あなたやあなたのご家族が利用していない、あるいは近い将来利用しなくなる住宅がありますか。」について、回答数は 676 世帯、回答率が 91.1％であった。「1．住宅をもっていない」が 141 世帯（20.9％）、「2．住宅をもっているが、家族で利用している」が 436 世帯（64.5％）、「3．利用していない住宅があるが、他に貸している」が 12 世帯（1.8％）、「4．利用していない住宅があり、他に貸したいが、借り手がいない」が 12 世帯（1.8％）、「5．利用していない住宅があるが、他に貸す予定はない」が 52 世帯（7.7％）、「6．その他」が 23 世帯（3.4％）であった。

図表 8－3－5　質問 5「あなたのご家族のうち 3 年以内に那賀町外へ引っ越す予定の方はいますか。」

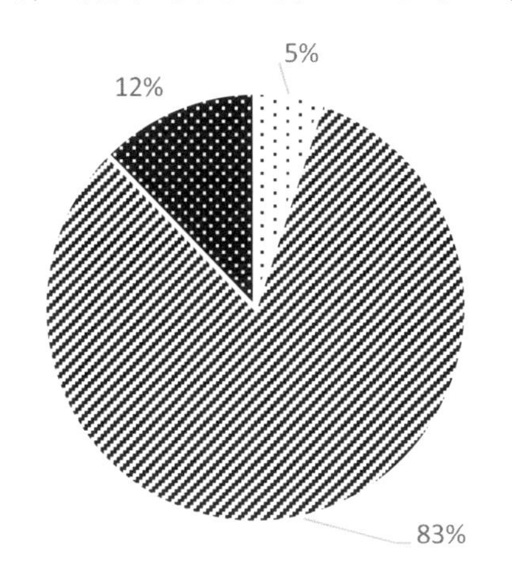

図表 8－3－6　質問 6「那賀町内に住宅をお持ちの方にお聞きします。あなたやあなたのご家族が利用していない、あるいは近い将来利用しなくなる住宅がありますか。」

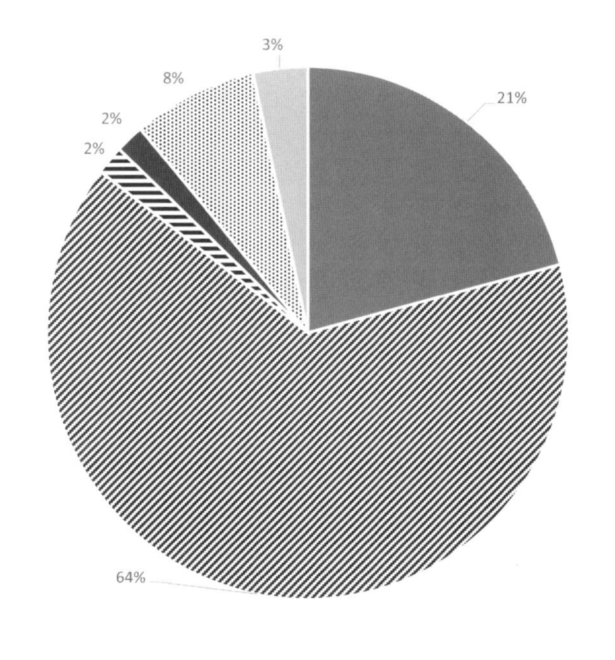

質問 7 では回答者及び回答者の家族に関する性別、年代、職業、同居の有無、日常的に自動車を運転するかなどを質問した。

「家族」の定義については、本調査では同居世帯と定義した。しかし、回答者の中には近所に居住している（もしくは遠くに別居している）親族や家族をも「家族」として認識し、回答する可能性があったため、「家族」の世帯構成員にそれぞれ同居の有無を確認した。

回答者の情報は以下の通りである。性別については「男性」が 505（78.3%）、「女性」が 197（28.1%）であり、男性の割合が大きい。

年代については「10 歳未満」「10 代」が 0 人（0.0%）、「20 代」が 3 人（0.4%）、「30 代」が 18 人（2.6%）、「40 代」が 29 人（4.2%）、「50 代」が 75 人（10.9%）、「60 代」が 196 人（28.6%）、「70 代」が 217 人（31.6%）、「80 代」が 137 人（20.0%）、「90 代」が 11 人（1.6%）、「100 歳以上」が 0 人（0.0%）であり、「70 代」が最も多く、高齢者（60 代以上）の数は 561 と、全体の 81.8%を占めている。那賀町全体の高齢化率は 47.4%であることから、回答者の年齢区分は平均よりも高齢に偏っていることが分かる。

続いて職業については、「1．公務員」が 38 人、「2．会社員」が 112 人、「3．会社役員」が 23 人、「4．自営業・自由業」が 62 人、「5．専業主婦」が 23 人、「6．パート・アルバイト」が 46 人、「7．学生」が 0 人、「8．農林業」が 124 人、「9．失業（仕事を探している）」が 3 人、「10．年金生活者」が 377 人であった。職業は複数回答可である。このうち年金生活者の回答が最も多かった。

最後に回答者が「日常的に自動車を運転する」かについては、586 人が運転をしていると回答した。これは全体の 79.0%に相当している。

図表 8－3－7　質問 7　回答者の年代分布

質問７　回答者の年代分布

年代	割合
100歳以上	0.0%
90代	1.6%
80代	20.0%
70代	31.6%
60代	28.6%
50代	10.9%
40代	4.2%
30代	2.6%
20代	0.4%
10代	0.0%
10歳未満	0.0%

0.0%　5.0%　10.0%　15.0%　20.0%　25.0%　30.0%　35.0%

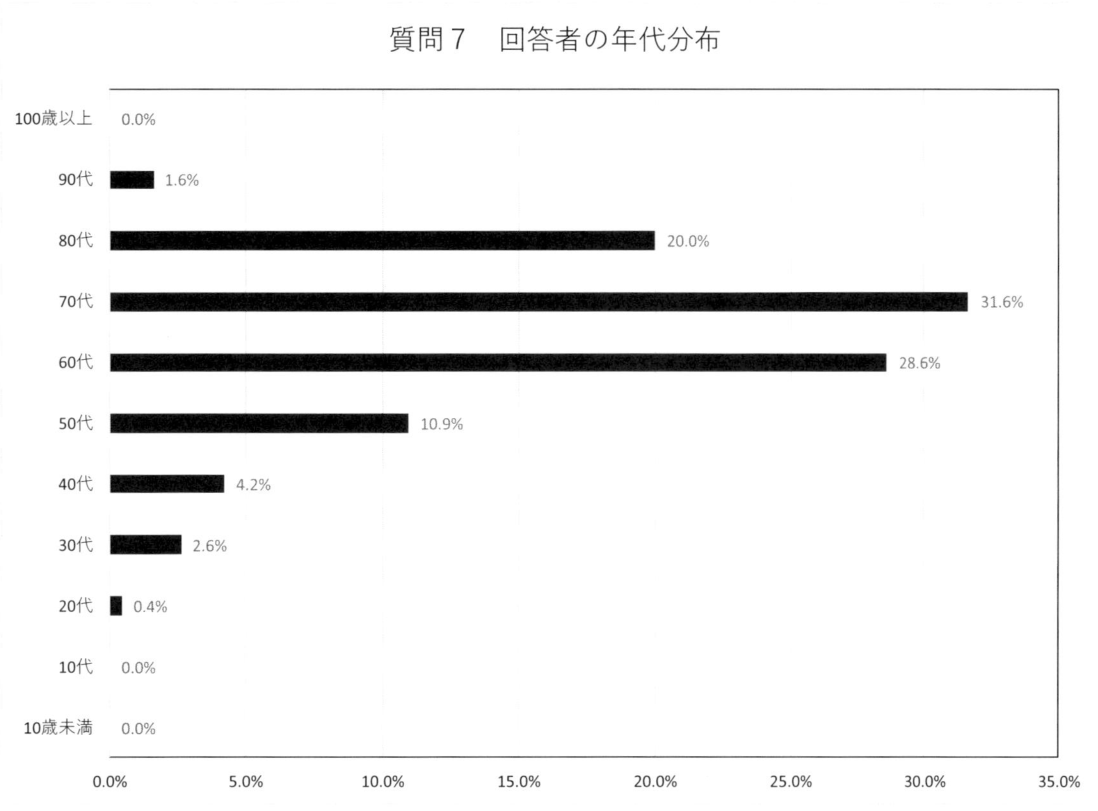

回答者の世帯状況については、まず平均世帯人数は 2.1 人であった。一人世帯の回答数は 246 であり、一人世帯の割合は 33.2%であった。

・回答世帯構成

回答世帯の構成を確認しよう。

「単身世帯」の世帯数は 246 であり、全体の 33.2%であった。

「夫婦二人世帯」の世帯数は 263 であり、全体の 35.4%であった。

「三世代同居」の世帯数は 32 であり、全体の 4.3%であった。ここでいう「三世代同居」の定義は、祖父母、両親、子の三世代が同居している世帯である。アンケート上では、回答者が祖父母、両親、子のいずれかのパターンであることを踏まえて、それぞれのパターンごとに続柄の関係を特定して、同時にその続柄の世帯員が同居していることを条件とした。

「児童扶養世帯」の世帯数は、91 であり、全体の 12.3%であった。「扶養児童」とは、20 歳未満の児童を一人以上扶養している世帯のことを意味する。

質問 8「食料品・生活用品の買い物先・入手方法は次のうちどれですか。」（複数回答、上位 3 つ）については、「1．那賀町内のコンビニ・スーパー・商店等」が 657 人、「2．那賀町外のコンビニ・スーパー・商店等」が 624 人、「3．インターネット通販」が 129 人、「4．移動販売」が 151 人、「5．親戚や知人からもらう」が 111 人、「6．その他」が 122 人であった。「6．その他」については、「生協」が最も多く（52)、他には自家生産などもあった。最も多いのが「1．那賀町内のコンビニ・スーパー・商店等」であったが、「2．那賀町外のコンビニ・スーパー・商店等」が 624 人となっていることから、全体では町内外にかかわらずコンビニ・スーパーが利用されていることが伺える。

図表 8－3－8　質問 8「食料品・生活用品の買い物先・入手方法は次のうちどれですか。」

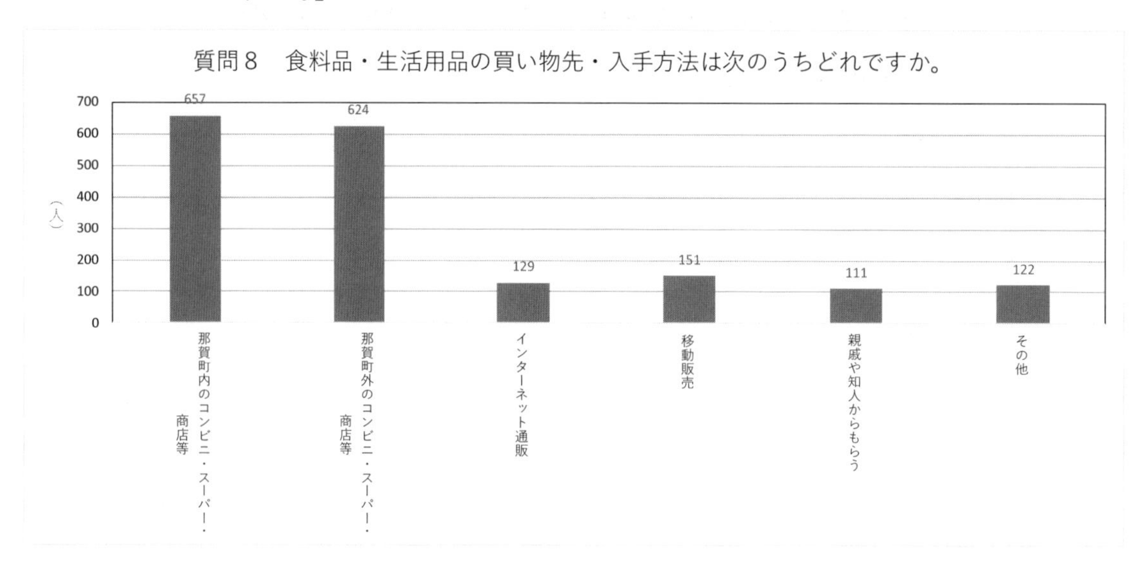

質問 9「あなたが週に 1 回以上会っている方はどのような人たちですか。」(複数回答可）については、「1．同居の家族」が 485 人、「2．別居の家族」が 242 人、「3．友人・職場の同僚」が 366 人、「4．自治会や近所の住民」が 395 人、「5．民生委員・児童委員」が 8 人、「6．介護職員・医療関係」が 54 人、「7．商店・移動販売」が 134 人、「8．NPO 職員」が 1 人、「9．町職員」が 23 人、「10. その他」が 31 人、「11.特にいない」が 42 人であった。その他については、グラウンドゴルフ仲間、郵便局員、議員などがあった。最も多いのが「1．同居の家族」であり、次に多いのが「4．自治会や近所の住民」、「3．友人・職場の同僚」であった。家族、近所、職場での交流が多くを占めていることが伺える。また、「11. 特にいない」との回答が一定数見られることも分かった。

図表 8－3－9　質問 9「あなたが週に 1 回以上会っている方はどのような人たちですか。」

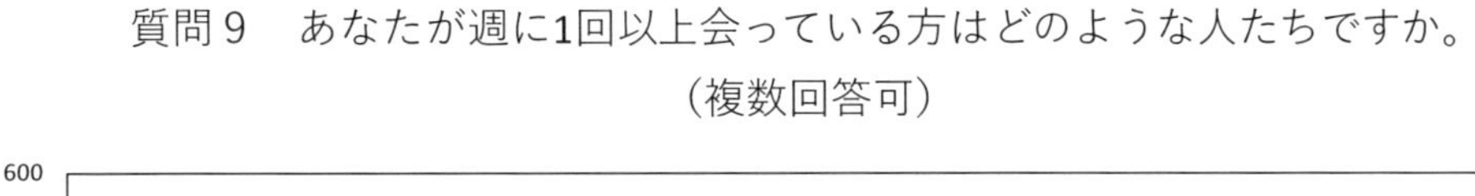

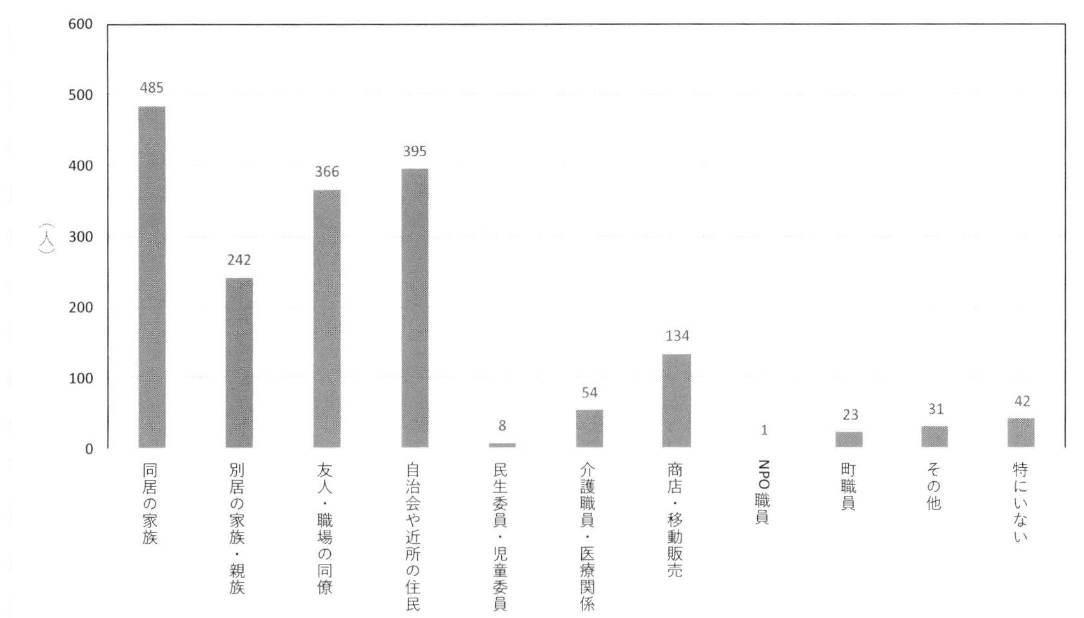

質問 10「あなたとあなたのご家族（那賀町にお住まいの方）は、現在、幸せだと感じますか？」については、回答数が 648 世帯、回答率が 87.33%であった。「1．まったく感じない」が 54 世帯（8.3%）、「2」が 36 世帯（5.6%）、「3」が 144 世帯（22.2%）、「4」が 145 世帯（22.4%）、「5．大いに感じる」が 168 世帯（25.9%）、「0．分からない」が 101 世帯（15.59%）であった。「5．大いに感じる」が最も割合が多い。「5」と「4」を合わせた「感じる」は、48.3%と 5 割弱を占め、「1」と「2」を合わせた「感じない」の 13.9%を上回っている。

この質問については、荒川区が実施している調査「荒川区民総幸福度（GAH）に関する区民アンケート調査」で類似した質問が行われている。荒川区では「あなたは、幸せだと感じますか？」と尋ねたところ、同様に「「5」と「4」を合わせた「感じる」の割合は 51.9%と約 5 割を占め、「1」と「2」を合わせた「感じない」の 9.5%を上回る[1]」。

しかし、荒川区の調査では、「1．まったく感じない」が 1.9%であったのに対し、那賀町の調査では「1．まったく感じない」が 8.3%いる。厳密な比較は今後の課題となるが、那賀町では幸せだと感じない世帯数が一定のインパクトで存在している可能性がある。

---

[1] 荒川区「平成 30 年度荒川区民総幸福度（GAH）に関する区民アンケート調査」p.35 より https://www.city.arakawa.tokyo.jp/kusei/chosa/GAH_Q.files/30gah2.pdf

図表 8－3－10　質問 10「あなたとあなたのご家族（那賀町にお住まいの方）は、現在、幸せだと感じますか？」

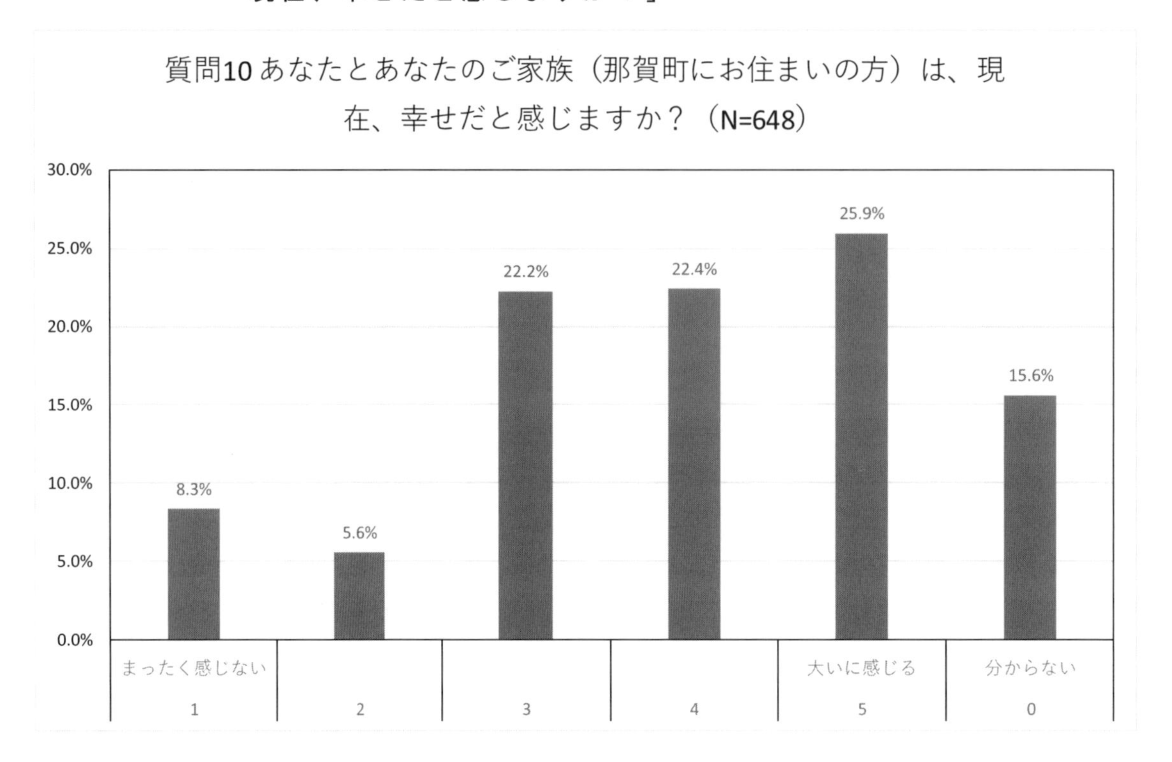

質問 11「あなたとあなたのご家族（那賀町にお住まいの方）は、20 年前と現在を比べて暮らしが良くなったと感じていますか？」については、回答数は 679 世帯で、回答率は 91.5%であった。「1．悪くなった」が 157 世帯（43.1%）、「2．やや悪くなった」が 178 世帯（26.2%）、「3．変わらない」が 177 世帯（26.1%）、「4．やや良くなった」が 95 世帯（14.0%）、「5．良くなった」が 72 世帯（10.6%）、「6． 分からない」が 0 世帯（0.0%）であった。

「1」と「2」の合計の「悪くなった」の割合は 69.3%であるのに対して、「4」と「5」の合計の「良くなった」の割合は 24.6%であったことから、全体として 20 年前よりも現在の暮らしぶりが悪くなっていると評価する世帯が多い傾向にある。

後述する「質問 21」では合併に対する評価を尋ねているが、そこでは合併に対するネガティブな評価が目立っていた。この質問にある「20 年前」に該当するのは市町村合併前の時期であり、この結果とも整合的である。

図表 8－3－11　質問 11「あなたとあなたのご家族（那賀町にお住まいの方）は、20 年前と現在を比べて暮らしが良くなったと感じていますか？」

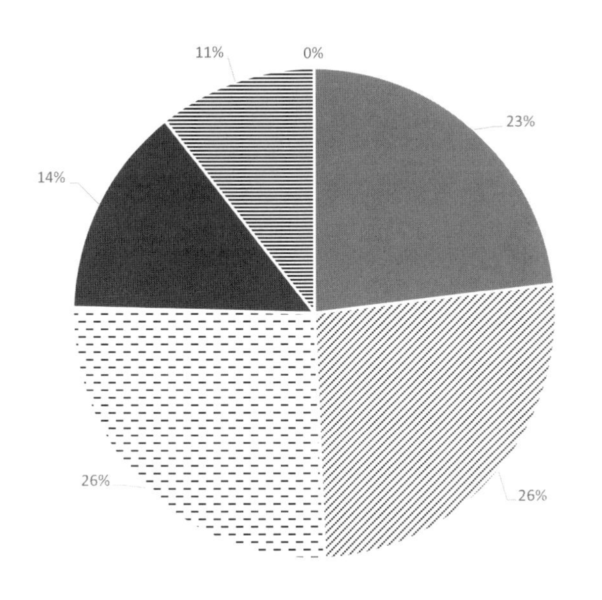

質問 12 は、自治体サービスや生活環境の満足度を調査するための質問項目である。

「(1) 自治体の給付・サービス全般」については、「どちらともいえない」が 37.1%と最も多いが、「満足」が 4.0%、「まあ満足」が 27.7%の合計が 31.7%であるのに対して、「やや不満」が 11.5%、「不満」が 11.2%の合計が 22.7%であり、若干「満足」と回答する割合が「不満」よりも大きいことが分かった。

「(2) 働く機会」については、「6．該当しない」が 29.0%と最も多く、次に「3．どちらともいえない」が 20.8%と多かった。「1．満足」が 4.1%、「2．まあ満足」が 15.4%で合計が 19.5%であるのに対して、「4．やや不満」が 14.0%と「5．不満」が 16.7%で合計が 30.7%であり、「不満」と回答する割合が「満足」よりも大きいことが分かった。

「(3) 乳幼児や小学生の子育て環境」については、「6．該当しない」が 42.1%と最も多く、次に多いのが「2．まあ満足」18.0%、「3．どちらともいえない」が 17.7%であった。「1．満足」が 1.5%、「2．まあ満足」が 18.0%と合計が 21.1%であるのに対して、「4．やや不満」が 9.8%、「5．不満」が 9.3%と合計が 19.1%であり、「満足」と回答する割合が「不満」よりも大きいことが分かった。

「(4) 中学生や高校生の子どもの教育機会」については、「6．該当しない」が 45.1%と最も多く、次に多いのが「3．どちらともいえない」が 18.2%であった。「4．やや不満」が 11.9%、「5．不満」が 10.0%で合計が 21.9%であるのに対し、「1．満足」が 1.5%、「2．まあ満足」が 13.3%で合計が 14.8%であり、「不満」と回答する割合が「満足」よりも大きいことが分かった。

「(5) 健康や体力維持のための場」については、「3．どちらともいえない」が 32.3%と最も多く、次に多いのが「2．まあ満足」の 24.2%であった。「1．満足」が 5.1%、「2．まあ満足」が 24.2%で合計が 29.3%であるのに対し、「4．やや不満」が 16.2%、「5．不満」が 11.3%で合計が 27.5%であり、「満足」と回答する割合が「不満」よりも大きいことが分かった。

「(6) サークルなど、友人や仲間との交流の場」については、「3．どちらともいえない」が 33.5%と最も多く、次に多いのが「2．まあ満足」の 26.9%であった。「1．満足」が 5.2%、「2．まあ満足」が 26.9%の合計が 32.1%であるのに対して、「4．やや不満」が 10.7%、「5．不満」が 9.4%で合計が 20.1%であり、「満足」と回答する割合が「不満」よりも大きいことが分かった。

「(7) ボランティアや町会活動など、社会活動の場」については、「3．どちらともいえない」が 45.3%と最も多く、次に多いのが「2．まあ満足」の 21.5%であった。「1．満足」が 3.0%、「2．まあ満足」が 21.5%で合計が 24.5%であるのに対して、「4．やや不満」が 11.0%、「5．不満」が 5.6%で合計が 16.6%であり、「満足」と回答する割合が「不満」よりも大きいことが分かった。

「(8) 安心できるかかりつけ医者や病院の存在」については、「2．まあ満足」が 38.6%と最も多く、次に多いのが「3．どちらともいえない」の 16.7%であった。「1．満足」が 14.7%、「2．まあ満足」が 38.6%で合計が 53.3%であり、「4．やや不満」が 14.1%、「5．不満」が 14.5%で合計が 28.6%であり、「満足」と回答する割合が「不満」よりも大きいことが分かった。

「(9) 在宅介護の支援」については、「6．該当しない」が 39.3%と最も多く、次に多いのが「3．どちらともいえない」が 25.9%であった。「1．満足」が 3.9%、「2．まあ満足」が 16.4%で合計が 20.3%であり、「4．やや不満」が 9.3%、「5．不満」が 5.2%で合計が 14.5%と、「満足」と回答する割合が「不満」よりも大きいことが分かった。

「(10) 介護施設の充実」については、「3．どちらともいえない」が 27.9%と最も多く、次に多いのが「6．該当しない」が 27.4%であった。「1．満足」が

5.0%、「2．まあ満足」が 21.9%で合計が 26.9%、「4．やや不満」が 9.9%、「5．不満」が 7.9%で合計が 17.8%と「満足」と回答する割合が「不満」よりも大きいことが分かった。

図表 8－3－12　質問 12　自治体サービスや生活環境の満足度

	満足		まあ満足		どちらともいえない		やや不満		不満		該当しない		合計	
	1		2		3		4		5		6		回答数	
(1) 自治体の給付・サービス全般	27	4.0%	188	27.7%	252	37.1%	78	11.5%	76	11.2%	58	8.5%	679	100.0%
(2) 働く機会	26	4.1%	98	15.4%	132	20.8%	89	14.0%	106	16.7%	184	29.0%	635	100.0%
(3) 乳幼児や小学生の子育て環境	19	3.1%	109	18.0%	107	17.7%	59	9.8%	56	9.3%	255	42.1%	605	100.0%
(4) 中学生や高校生の子どもの教育機会	9	1.5%	80	13.3%	110	18.2%	72	11.9%	60	10.0%	272	45.1%	603	100.0%
(5) 健康や体力維持のための場	34	5.1%	161	24.2%	215	32.3%	108	16.2%	75	11.3%	72	10.8%	665	100.0%
(6) サークルなど、友人や仲間との交流の場	34	5.2%	177	26.9%	220	33.5%	70	10.7%	62	9.4%	94	14.3%	657	100.0%
(7) ボランティアや町会活動など、社会活動の場	20	3.0%	141	21.5%	297	45.3%	72	11.0%	37	5.6%	89	13.6%	656	100.0%
(8) 安心できるかかりつけ医者や病院の存在	100	14.7%	263	38.6%	114	16.7%	96	14.1%	99	14.5%	10	1.5%	682	100.0%
(9) 在宅介護の支援	25	3.9%	104	16.4%	164	25.9%	59	9.3%	33	5.2%	249	39.3%	634	100.0%
(10) 介護施設の充実	32	5.0%	139	21.9%	177	27.9%	63	9.9%	50	7.9%	174	27.4%	635	100.0%

質問 13 は那賀町内での生活上の困りごとに関する質問項目である。

「(1) 病院に通いづらい」については、「4．そう思う」の 29.9%が最も多く、次に多いのが「2．まあそう思う」の 28.6%であった。「6．該当しない」の割合は 1.9%と非常に低い。「1．そう思わない」が 18.3%、「2．あまりそう思わない」が 28.6%で合計が 46.9%であるのに対して、「3．まあそう思う」が 20.8%、「4．そう思う」が 29.9%で合計が 50.7%であり、「そう思う」の割合が「そう思わない」の割合よりも大きいことが分かった。

「(2) 買い物に行きづらい」については、「4．そう思う」の 30.9%が最も多く、次に多いのが「2．あまりそう思わない」の 28.2%であった。「6．該当しない」の割合は 1.9%と非常に低い。「1．そう思わない」が 17.6%、「2．あまりそう思わない」が 28.2%で合計が 45.6%であるのに対して、「3．まあそう思う」が 20.8%、「4．そう思う」が 30.9%、で合計が 51.7%であり、「そう思う」の割合が「そう思わない」の割合よりも大きいことが分かった。

「(3) 外出時に必要な交通手段を確保できない」については、「2．あまりそう思わない」の 27.8%が最も多く、次に多いのが「1．そう思わない」の 23.7%であった。「1．そう思わない」が 23.7%、「2．あまりそう思わない」が 27.8%

で合計が 51.5%であるのに対して、「３．まあそう思う」が 12.4%、「４．そう思う」が 23.1%で合計が 35.5%であり、「そう思わない」の割合が「そう思う」の割合を大きく上回ることが分かった。

「(4) 身の回りの世話をしてくれる人が欲しい」については「６．該当しない」が 29.7%、次に多いのが「２．あまりそう思わない」が 25.4%であった。「１．そう思わない」が 21.8%、「２．あまりそう思わない」が 25.4%で合計が 47.2%であるのに対して、「３．まあそう思う」が 10.0%、「４．そう思う」が 9.9%で合計が 19.9%と、「そう思わない」の割合が「そう思う」の割合を大きく上回ることが分かった。

「(5) 困りごとの相談相手がいない」については、「２．あまりそう思わない」の 33.2%が最も多く、次に多いのが「１．そう思わない」が 22.6%であった。「１．そう思わない」が 22.6%、「２．あまりそう思わない」が 33.2%と合計が 55.8%であるのに対して、「３．まあそう思う」が 13.0%、「４．そう思う」が 13.3%と合計が 26.3%であり、「そう思わない」の割合が「そう思う」の割合を大きく上回ることが分かった。

「(6) 生計を確保できない」については、「２．あまりそう思わない」の 31.9%が最も多く、次に多いのが「１．そう思わない」が 26.9%であった。「１．そう思わない」が 26.9%、「２．あまりそう思わない」が 31.9%で合計が 58.8%であるのに対して、「３．まあそう思う」が 12.6%、「４．そう思う」が 9.6%で合計が 22.2%であり、「そう思わない」の割合が「そう思う」の割合を大きく上回ることが分かった。

「(7) 山林の維持管理ができない」については、「４．そう思う」の 47.3%が最も多く、次に多いのが「６．該当しない」の 21.8%であった。「１．そう思わない」が 5.2%、「２．あまりそう思わない」が 6.8%で合計が 12.0%であるのに対して、「３．まあそう思う」が 14.7%、「４．そう思う」が 47.3%で合計が 62.0%と、「そう思う」の割合が「そう思わない」の割合を大きく上回ることが分かった。

「(8) 用水を確保したり、維持管理ができない」については、「６．該当しない」の 29.9%が最も多く、次に多いのが「４．そう思う」の 23.9%であった。「１．そう思わない」が 9.8%、「２．あまりそう思わない」が 15.6%で合計が 25.4%であるのに対して、「３．まあそう思う」が 16.7%、「４．そう思わない」が 23.9%で合計が 40.6%と、「そう思わない」の割合が「そう思う」の割合を上回ることが分かった。

「(9) 農作業を継続できない」については、「4．そう思う」の 31.5%が最も多く、次に多いのが「6．該当しない」の 29.8%であった。「1．そう思わない」が 5.7%、「2．あまりそう思わない」が 10.7%で合計が 16.4%であるのに対し、「3．まあそう思う」が 19.0%、「4．そう思う」が 31.5%で合計が 50.5%と、「そう思う」の割合が「そう思わない」の割合を大きく上回ることが分かった。

「(10) 神社の維持管理、祭祀を継続できない」については、「4．そう思う」の 36.8%が最も多く、次に多いのが「3．まあそう思う」の 21.7%であった。「1．そう思わない」が 7.3%、「2．あまりそう思わない」が 14.8%で合計が 22.1%であるのに対して、「3．まあそう思う」が 21.7%、「4．そう思う」が 36.8%で合計が 58.5%であり、「そう思う」の割合が「そう思わない」の割合を大きく上回ることが分かった。

「(11) 葬儀の実施が難しい」については、「2．あまりそう思わない」の 36.1%が最も多く、次に多いのが「1．そう思わない」の 19.2%であった。「1．そう思わない」が 19.2%、「2．あまりそう思わない」が 36.1%で合計 55.3%であるのに対して、「3．まあそう思う」が 13.8%、「4．そう思う」が 14.7%で合計が 28.5%であり、「そう思わない」の割合が「そう思う」の割合を大きく上回ることが分かった。

「(12) 税・社会保険料が重すぎる」については、「4．そう思う」の 54.7%が最も多く、次に多いのが「3．まあそう思う」の 25.7%であった。「1．そう思わない」が 3.2%、「2．あまりそう思わない」が 10.6%で合計が 13.8%であるのに対して、「3．まあそう思う」が 25.7%、「4．そう思う」が 54.7%で合計が 80.4%であり、「そう思う」の割合が「そう思わない」の割合を大きく上回ることが分かった。

以上のように、那賀町内での生活上の困りごとに関しても、項目ごとにバラツキが見られることが分かった。特に人間関係や生計の管理よりも、買い物や病院へのアクセスやインフラや山林・神社の維持管理に関して不満を持っている割合が多い傾向にある。高齢化と人口減少を背景とする人手不足・雇用減少から、地域資源やインフラの維持管理が困難になっていることが理由であると考えられる。

図表 8－3－13　質問 13　那賀町内での生活上の困りごと

	そう思わない		あまりそう思わない		まあそう思う		そう思う		分からない		該当しない		合計	
	1		2		3		4		5		6		回答数	
(1) 病院に通いづらい	126	18.3%	197	28.6%	143	20.8%	206	29.9%	4	0.6%	13	1.9%	689	100.0%
(2) 買い物に行きづらい	121	17.6%	194	28.2%	143	20.8%	212	30.9%	4	0.6%	13	1.9%	687	100.0%
(3) 外出時に必要な交通手段を確保できない	161	23.7%	189	27.8%	84	12.4%	157	23.1%	6	0.9%	83	12.2%	680	100.0%
(4) 身の回りの世話をしてくれる人が欲しい	146	21.8%	170	25.4%	67	10.0%	66	9.9%	21	3.1%	199	29.7%	669	100.0%
(5) 困りごとの相談相手がいない	151	22.6%	222	33.2%	87	13.0%	89	13.3%	30	4.5%	89	13.3%	668	100.0%
(6) 生計を確保できない	179	26.9%	212	31.9%	84	12.6%	64	9.6%	33	5.0%	93	14.0%	665	100.0%
(7) 山林の維持管理ができない	35	5.2%	46	6.8%	99	14.7%	318	47.3%	28	4.2%	147	21.8%	673	100.0%
(8) 用水を確保したり、維持管理ができない	65	9.8%	104	15.6%	111	16.7%	159	23.9%	28	4.2%	199	29.9%	666	100.0%
(9) 農作業を継続できない	38	5.7%	72	10.7%	128	19.0%	212	31.5%	22	3.3%	200	29.8%	672	100.0%
(10) 神社の維持管理、祭祀を継続できない	49	7.3%	99	14.8%	145	21.7%	246	36.8%	47	7.0%	83	12.4%	669	100.0%
(11) 葬儀の実施が難しい	129	19.2%	243	36.1%	93	13.8%	99	14.7%	59	8.8%	50	7.4%	673	100.0%
(12) 税・社会保険料が重すぎる	22	3.2%	73	10.6%	177	25.7%	376	54.7%	34	4.9%	6	0.9%	688	100.0%

質問 14「困りごとがあったとき、どのような方法で役場に伝えていますか（複数回答）」については、「１．那賀町役場の職員に伝えた」が 485、「２．自治体、町内会、部落会（行政連絡員を含む）関係者に通じて伝えた」が 152、「３．町長に伝えた（手紙、メール、ファックスを含む）」が 20、「４．説明会・懇談会などに参加して伝えた」が 60、「５．議会に伝えた」が 109、「６．その他」が 21、「７．伝えたことがない」が 150 となった。「６．その他」については、電話が最も多かった。他にも議員や職員に伝えたが、返答がない、相手にしてくれないなどの記述もみられた。多くの世帯では那賀町役場に直接要望を伝えているが、一部の世帯は伝えたことがない状況にある。

図表 8－3－14　質問 14 「困りごとがあったとき、どのような方法で役場に伝えていますか（複数回答）」

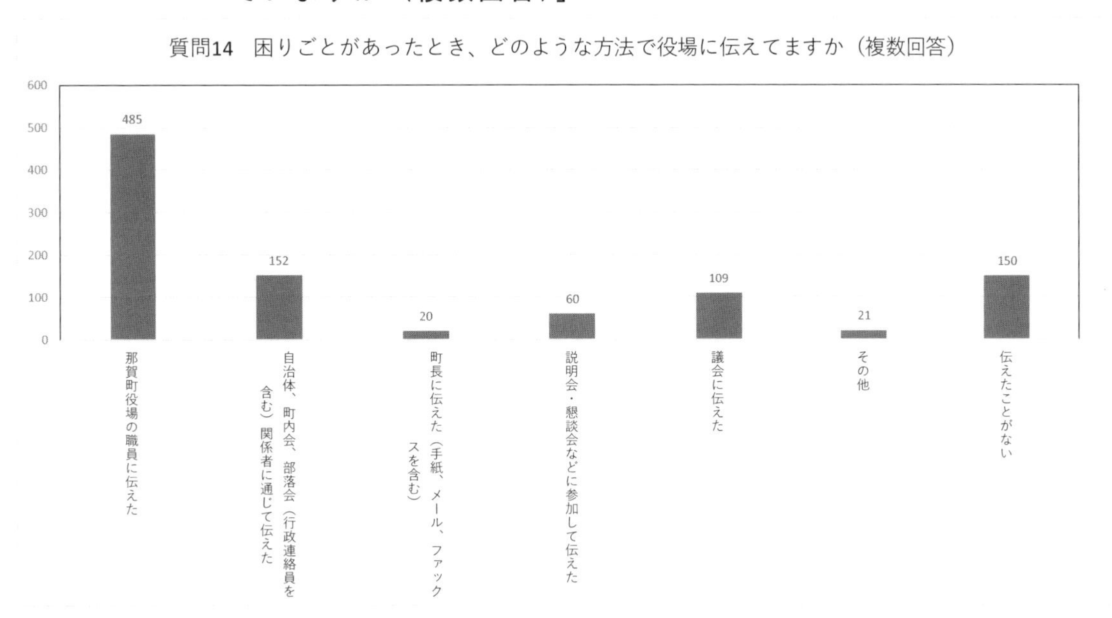

質問 15「あなたが役場（支所を含む）に足を運ばれる際にどれくらい時間がかかりますか」については回答数が 723、回答率が 97.44％であった。このうち、「１．10 分未満」が 421 人（58.23％）、「２．10 分以上～30 分未満」が 253 人（34.99％）、「３．30 分以上～1 時間未満」が 31 人（4.29％）、「４．１時間以上～1 時間半未満」が 10 人（1.38％）、「５．1 時間半以上」が 3 人（0.41％）、「６．分からない」が 5 人（0.69％）。

このうち 1 時間以内と回答した割合は 97.51％と、ほとんどが 1 時間以内に役所（支所を含む）にアクセスできることが可能であることが分かった。また、半数以上の世帯が 10 分以内に役所（支所を含む）にアクセスできる状況にあることが分かった。

なお、アンケート用紙には「車で」と手段を但し書きしている場合が多く、回答者の多くは車での移動などを想定した移動時間だと推定される。

図表 8－3－15　質問 15「あなたが役場（支所を含む）に足を運ばれる際にどれくらい時間がかかりますか。」

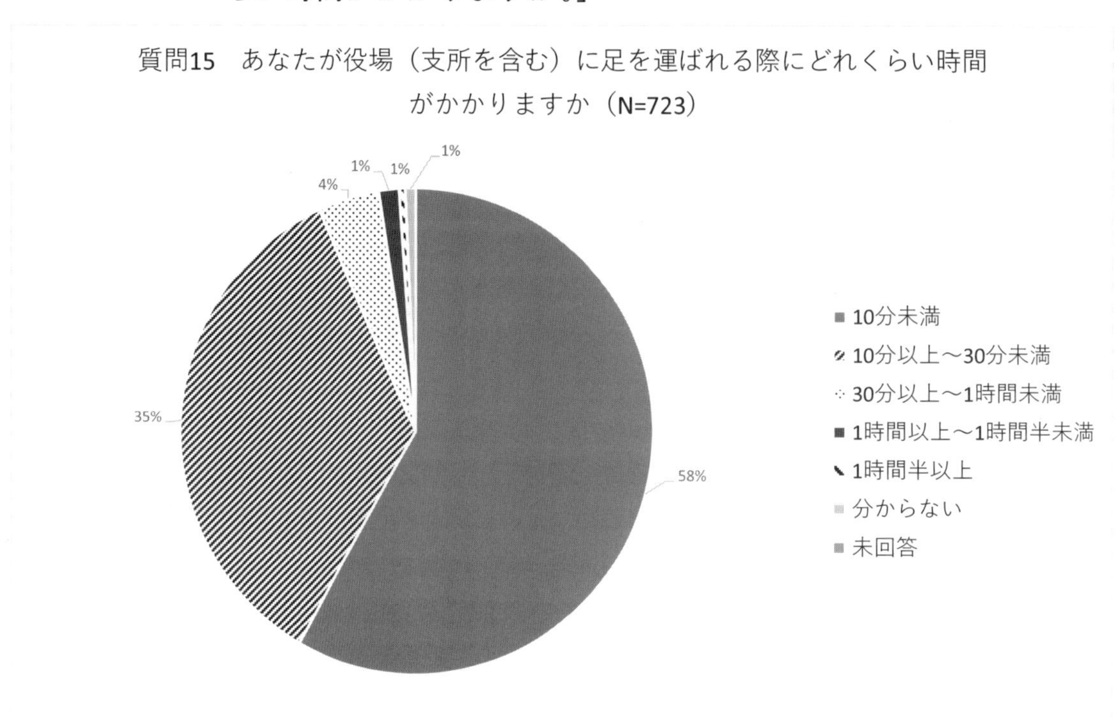

質問 16「あなたやあなたのご家族は、この 1 年間に役場（支所を含む）に、何回、足を運ばれた頻度はどれくらいですか。」については回答数が 722 世帯、回答率が 97.3％であった。

「1．全く行かない」が 30 世帯（4.2％）、「2．1 年に 1 回程度」が 210 世帯（29.1％）、「3．3 ヶ月に 1 回程度」が 297 世帯（41.1％）、「4．1 ヶ月に 1 回程度」が 149 世帯（20.6％）、「5．1 週間に 1 回程度」が 25 世帯（3.5％）、「6．1 週間に 2 回程度」が 11 世帯（1.5％）となった。最も多いのが「3．3 ヶ月に 1 回程度」、次に多いのが「2．1 年に 1 回程度」、「4．1 ヶ月に 1 回程度」であった。合計すると約 70％以上が 3 ヶ月に 1 回以上役場（支所を含む）、すなわち年に 4 回以上訪問していることが分かった。

図表 8－3－16　質問 16「あなたやあなたのご家族は、この 1 年間に役場（支所を含む）に、何回、足を運ばれた頻度はどれくらいですか。」

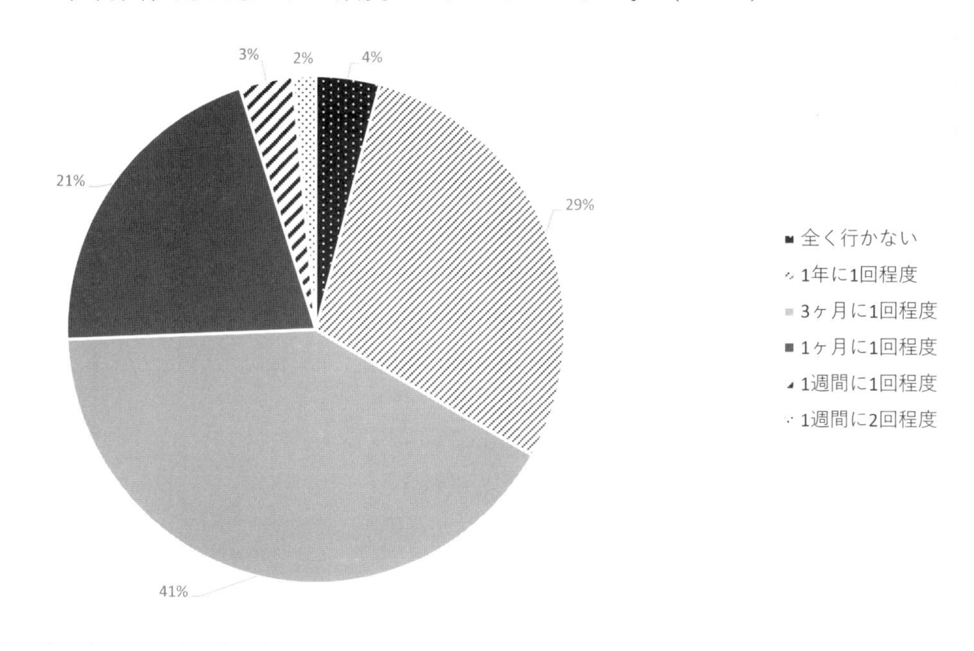

質問 17「役場（支所を含む）に足を運ぶ際の用件は次のうちどれですか。」（複数回答可）について、「1．住民票発行などの各種証明書発行手続き」が 486 人、「2．税の納付」が 257 人、「3．給付申請」が 106 人、「4．生活に関する相談」が 103 人、「5．その他」が 128 人であった。「5．その他」については、役所の会合やゴミ袋の購入などがあった。

図表 8－3－17　質問 17「役場（支所を含む）に足を運ぶ際の用件は次のうちどれですか。」

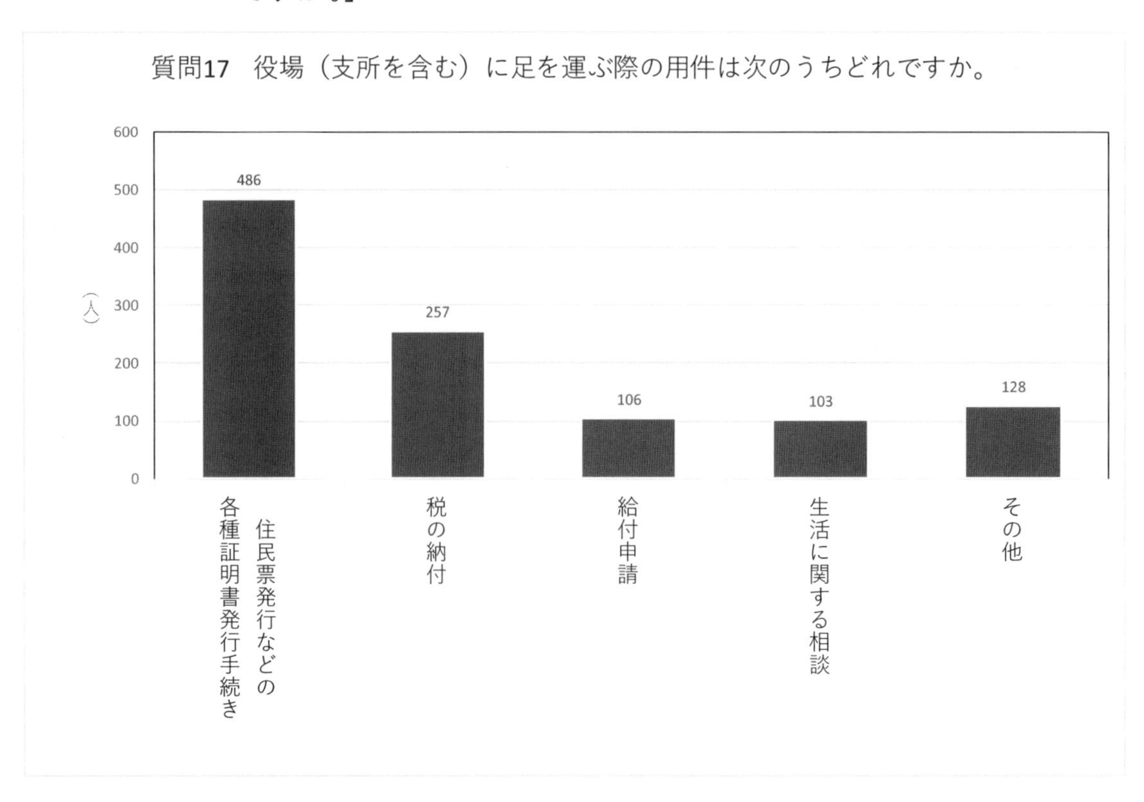

質問 18「お住まいの生活情報をどこ（だれ）から得ていますか。（複数回答可）」については、「1．町広報紙（広報なか）」が 622 人、「2．回覧板」が 462 人、「3．掲示板」が 11 人、「4．家族・友人」が 289 人、「5．隣近所との会話」が 308 人、「6．新聞・チラシ・雑誌」が 273 人、「7．インターネット」が 52 人、「8．テレビ・ラジオ」が 202 人であった。

質問 18 の回答は「1．町広報紙（広報なか）」が最も多かったが、今回のアンケート調査が広報誌と同封した配送される形で実施されたことを鑑みれば、広報誌を閲覧した後に当アンケートに回答している可能性が高いと想定される。したがって「1．町広報紙（広報なか）」の回答率の高さは実際よりも過大である可能性があることには注意しなければならない。

図表 8－3－18　質問 18「お住まいの生活情報をどこ（だれ）から得ていますか。（複数回答可）」

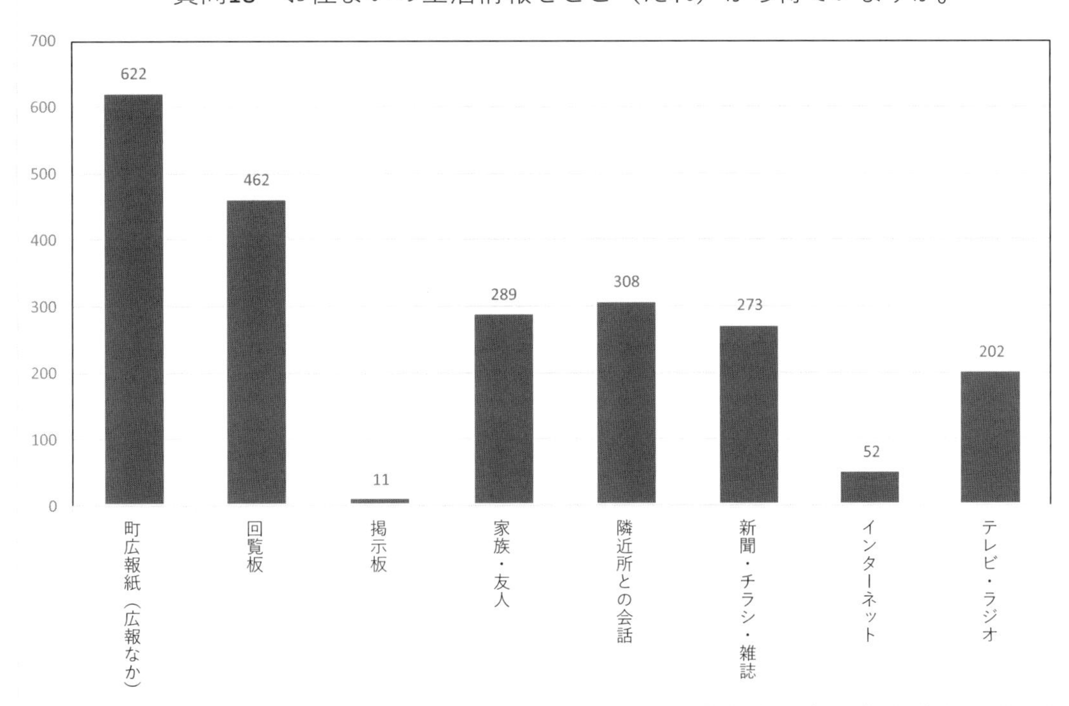

質問 19「那賀町では現在までに 17 名の「地域おこし協力隊」が活動しています。あなたは「地域おこし協力隊」のことを知っていますか？」について、回答数が 724 であった。このうち、「1．知っている」が 583（80.5%）、「2．知らない」が 141（19.5%）であり、約 5 人のうち 4 人が「地域おこし協力隊」の存在を知っていることが分かった。

質問 19－1「質問 19 で「1．知っている」と回答された方にお聞きします。「地域おこし協力隊」に対して、あなたはどのような評価をもっていますか。」については、回答数は 575 であった。「1．とても積極的に評価できる」が 36（6.3%）、「2．積極的に評価できる」が 143（24.9%）、「3．どちらともいえない」が 224（39.0%）、「4．あまり積極的に評価はできない」が 125（21.7%）、「5．評価できない」が 47（8.2%）であった。「1．とても積極的に評価できる」と「2．積極的に評価できる」の合計は 63.9%であるのに対して、「3．どちらともいえない」が 39.0%、「4．あまり積極的に評価はできない」と「5．評価できない」の合計は 29.9%であることから、全体的に地域おこし協力隊は積極的に評価する声が大きいことが分かった。

図表 8－3－19　質問 19「那賀町では現在までに 17 名の「地域おこし協力隊」が活動しています。あなたは「地域おこし協力隊」のことを知っていますか？」

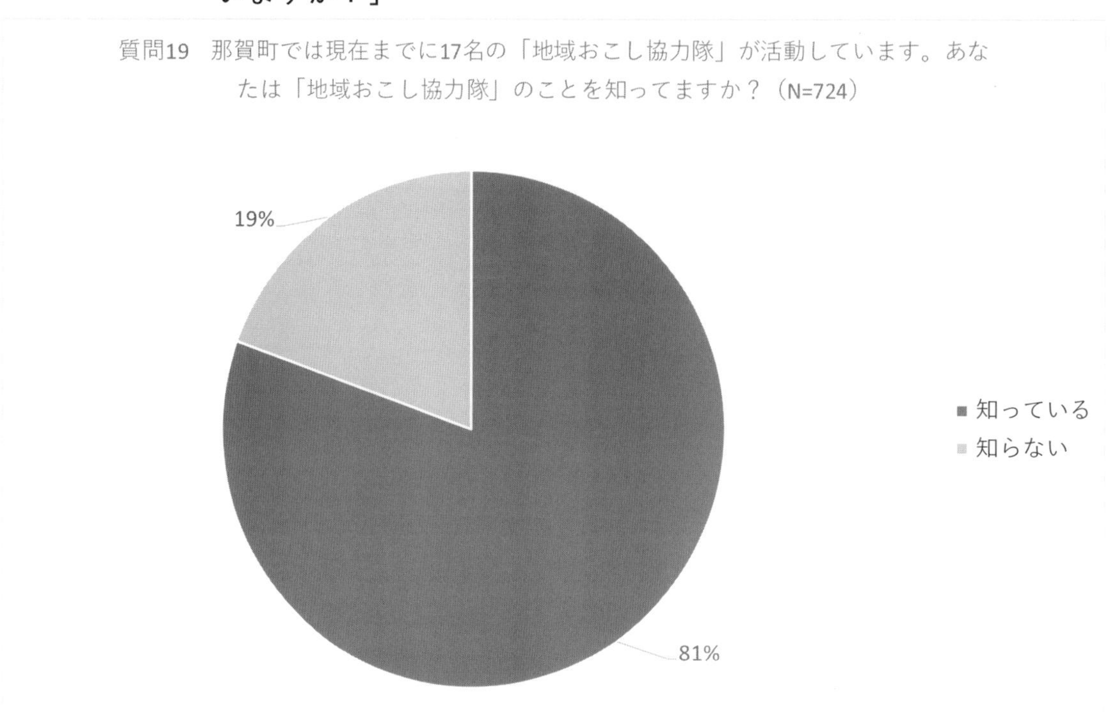

図表 8－3－20　質問 19－1「質問 19 で「1．知っている」と回答された方にお聞きします。「地域おこし協力隊」に対して、あなたはどのような評価をもっていますか。」

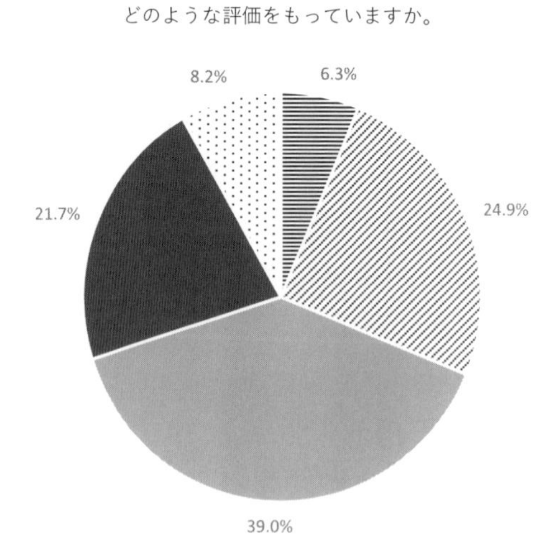

質問 20「あなたが考える那賀町（お住まいの地域）の魅力（住み続ける理由）

は次のうちどれですか。」（複数回答可）については、「１．自然環境がよい」が549人、「２．歴史のあるまちである」が44人、「３．人情が細やかであたたかい」が339人、「４．永年住みなれている」が623人、「５．公共施設等の生活基盤が整っている」が82人、「６．まちの発展が見込める」が８人、「７．仕事にいきやすい」が92人、「８．その他」が80人であった。

このうち「４．永年住み慣れている」「１．自然環境がよい」「３．人情が細やかであたたかい」の順で多く、自然豊かで居住年数の長い住民が多い那賀町の特徴を反映した回答であることが伺える。

「８．その他」については、魅力が全く無いというコメントもあったが、災害が少ないこと、子育てがしやすい、犯罪がない、親・子供の面倒を見るため、他に行くところがないなどのコメントもあった。

なお、印西市において実施された「平成23年度市民意識調査報告書[2]」では単数回答で、「自然環境がよい」が41.9%と最も多く、次に「永年住み慣れている」が30.1%、「公共施設等の生活基盤が整っている」が5.7%、「まちの発展が見込める」が3.7%、「首都東京に近い」が3.7%、「歴史のあるまちである」が0.3%、「その他」が5.7%、「無回答」が6.3%であった。単純に比較はできないものの、那賀町アンケートでも「自然環境がよい」「永年住み慣れている」の順で多かった。その反面「人情が細やかであたたかい」は印西市と対照的であった。

[2] 印西市『平成23年度市民意識調査報告書』より
http://www.city.inzai.lg.jp/cmsfiles/contents/0000000/538/heisei23nenndosiminnisikityousahoukokusyo.pdf

図表 8－3－21　質問 20「あなたが考える那賀町（お住まいの地域）の魅力（住み続ける理由）は次のうちどれですか。」

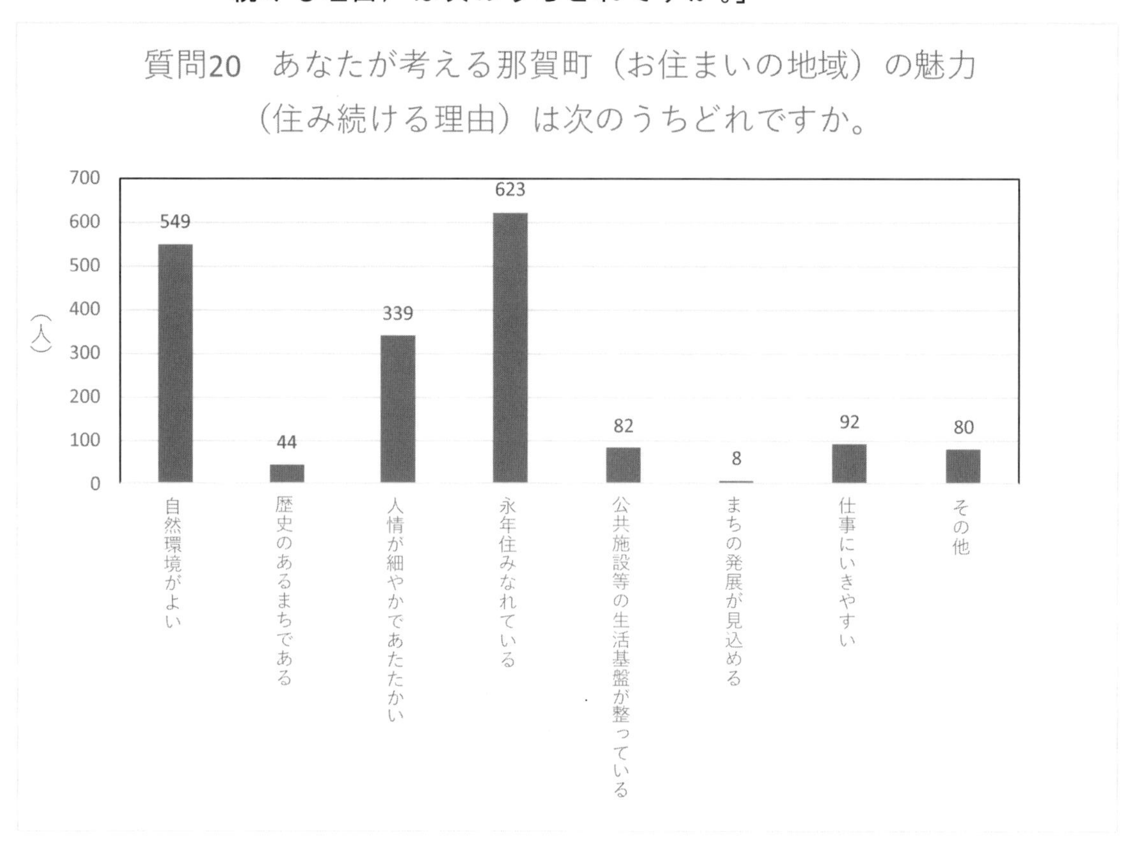

質問 21「合併前後で比べて那賀町役場の行政サービスはよくなりましたか。」については、「1．よくなった」が 31 世帯（4.3%）、「2．どちらかというとよくなった」が 78 世帯（10.7%）、「3．変わらない」が 186 世帯（25.6%）、「4．どちらかというと悪くなった」が 231 世帯（31.8%）、「5．悪くなった」が 116 世帯（16.0%）、「6．わからない」が 85 世帯（11.7%）であった。

「4．どちらかというと悪くなった」と「5．悪くなった」の合計が 47.8%であり、「1．よくなった」と「2．どちらかというとよくなった」の合計が 15.0%であることから、全体として悪くなったという見方が多いといえる。

図表 8－3－22　質問 21「合併前後で比べて那賀町役場の行政サービスはよくなりましたか。」

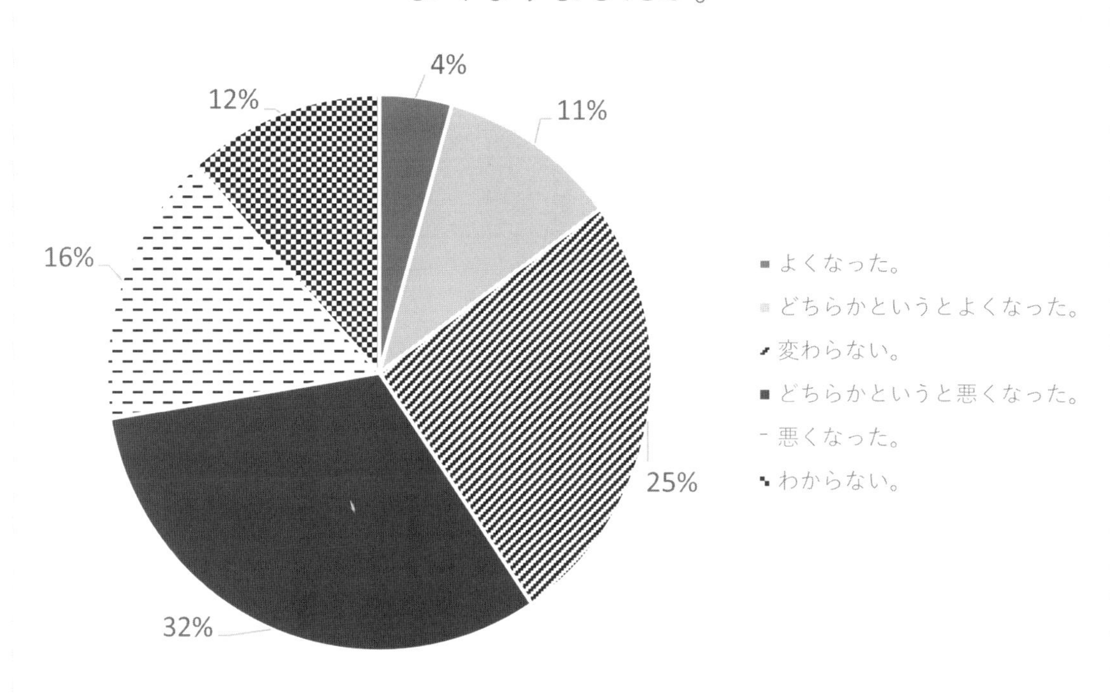

4　クロス集計

以下では２つの質問事項のクロス集計を行うことによって、回答世帯の属性・地域による違いを分析する。

図表 8－4－1　旧住民と新住民

	世帯数		
	旧住民	新住民	
	1	2	合計
鷲敷	210	25	235
相生	176	24	200
上那賀	83	10	93
木沢	50	6	56
木頭	108	11	119
合計	627	76	703
	割合		
	旧住民	新住民	合計
鷲敷	89.4%	10.6%	100.0%
相生	88.0%	12.0%	100.0%
上那賀	89.2%	10.8%	100.0%
木沢	89.3%	10.7%	100.0%
木頭	90.8%	9.2%	100.0%

質問１と質問２のクロス集計を行った。旧合併地区ごとの「旧住民」世帯と「新住民」世帯の構成（合併前後で区分）をみると、「旧住民」世帯か「新住民」世帯かによって旧合併地区の分布に大きな違いは見られないことが分かる。両者とも鷲敷が最も多く、次に相生、木頭、上那賀、木沢の順に大きい。

・旧合併地区ごとの分析

質問１と質問 21「合併前後で比べて那賀町役場の行政サービスはよくなりましたか。」のクロス集計を行った。集計によって、旧合併地区ごとに合併前後で那賀町役場の行政サービスに対する評価が分かる。

図表によれば、旧合併地区によって多少のばらつきが見られるが、「４．どちらかというと悪くなった」の回答割合が最も多く、次に大きいのが「３．変わらない」であった。また、「４．どちらかというと悪くなった」、「５．悪くなった」の合計が、鷲敷が 47.4%、相生が 48.0%、上那賀が 52.8%、木沢が 43.6%、木頭が 44.9%であり、上那賀が最も多かった。一方、「１．よくなった」、「２．どちらかというとよくなった」の合計が、鷲敷が 16.8%、相生が 15.1%、上那賀が 13.2%、木沢が 18.1%、木頭が 11.0%であり、木沢が最も多かった。

図表 8－4－2　質問 1 と質問 21 のクロス集計

	よくなった。	どちらかというとよくなった。	変わらない。	どちらかというと悪くなった。	悪くなった。	わからない。	合計
鷲敷(N=232)	6.0%	10.8%	23.3%	29.3%	18.1%	12.5%	100.0%
相生(N=198)	4.0%	11.1%	23.7%	29.8%	18.2%	13.1%	100.0%
上那賀(N=91)	1.1%	12.1%	28.6%	36.3%	16.5%	5.5%	100.0%
木沢(N=55)	3.6%	14.5%	27.3%	30.9%	12.7%	10.9%	100.0%
木頭(N=118)	1.7%	9.3%	28.0%	35.6%	9.3%	16.1%	100.0%

次に質問 1 と質問 15 をクロス集計し、旧合併地区ごとの役所（支所）へのアクセス時間を比較する。

多少ばらつきはあるものの、旧合併地区によって大きな差があるとは認められない。

いずれの地区においても「1．10 分未満」が 50％強であり、「1．10 分未満」と「2．10 分以上～30 分未満」の合計でみると、鷲敷が 92.5％、相生が 94.9％、上那賀が 90.3％、木沢が 87.2％、木頭が 94.9％と、ほとんどが 90％以上であった。

図表 8－4－3　質問 1 と質問 15 のクロス集計

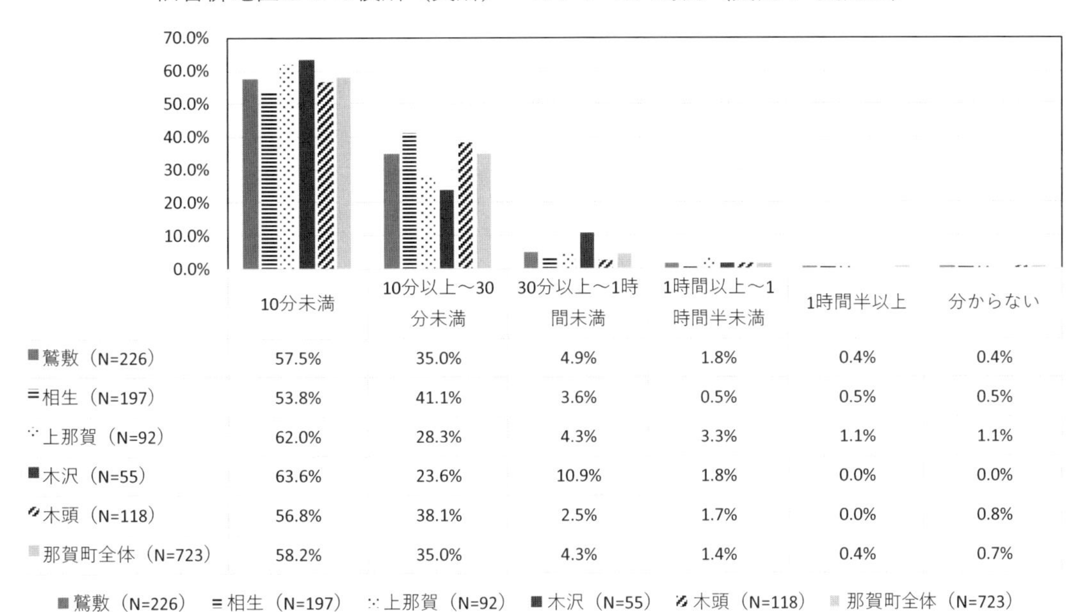

	10分未満	10分以上～30分未満	30分以上～1時間未満	1時間以上～1時間半未満	1時間半以上	分からない
鷲敷（N=226）	57.5%	35.0%	4.9%	1.8%	0.4%	0.4%
相生（N=197）	53.8%	41.1%	3.6%	0.5%	0.5%	0.5%
上那賀（N=92）	62.0%	28.3%	4.3%	3.3%	1.1%	1.1%
木沢（N=55）	63.6%	23.6%	10.9%	1.8%	0.0%	0.0%
木頭（N=118）	56.8%	38.1%	2.5%	1.7%	0.0%	0.8%
那賀町全体（N=723）	58.2%	35.0%	4.3%	1.4%	0.4%	0.7%

質問 1 の回答世帯の郵便番号から居住世帯を旧合併地区に分類し、その上で質

問８のクロス集計をみた。旧合併地区によって大きな違いはみられないが、例えば木頭では移動販売の利用世帯が多いことがわかった。

図表 8－4－4　質問 1 と質問 8 のクロス集計（複数回答）

	那賀町内のコンビニ・スーパー・商店等	那賀町外のコンビニ・スーパー・商店等	インターネット通販	移動販売	親戚や知人からもらう	その他
鷲敷	108	108	27	13	19	18
相生	117	110	26	16	14	29
上那賀	76	68	9	29	14	15
木沢	49	46	13	15	13	4
木頭	98	95	14	42	15	25

質問１の回答世帯の郵便番号から居住世帯を旧合併地区に分類し、その上で質問 10「あなたとあなたのご家族（那賀町にお住まいの方）は、現在、幸せだと感じますか？」とクロス集計を行った。木頭、木沢、上那賀では「大いに感じる」が最も多く回答の一つであり、また鷲敷では「大いに感じる」に近い４の回答が最も多かった。相生では幸福度の中間位置にあたる３の回答が最も多かった。

図表 8－4－5　質問 1 と質問 10 のクロス集計

	まったく感じない				大いに感じる	合計
鷲敷（N=185）	5.9%	5.4%	25.4%	33.0%	30.3%	100.0%
相生（N=165）	7.9%	6.1%	32.1%	23.0%	30.9%	100.0%
上那賀（N=65）	21.5%	12.3%	16.9%	20.0%	29.2%	100.0%
木沢（N=38）	13.2%	7.9%	21.1%	18.4%	39.5%	100.0%
木頭（N=70）	7.1%	7.1%	25.7%	30.0%	30.0%	100.0%

質問３「あなたの世帯の収入（税引き前）はどのぐらいですか。」と質問 10「あなたとあなたのご家族(那賀町にお住まいの方)は、現在、幸せだと感じますか？」とクロス集計を行った。いずれの年収でも「まったく感じない」に近い１や２の合計よりも、「大いに感じる」に近い４や５の合計の方が多い傾向にある。しかし、年収が「200 万円未満」「200 万円以上～300 万円未満」では、「まったく感じない」の回答数がそれ以上の年収よりも大きい傾向にある。一般的に低い年収世帯において、幸福感をまったく感じていない世帯が一定程度いることが分かった。

図表 8−4−6　質問 3 と質問 10 のクロス集計

		まったく感じない				大いに感じる	合計
		1	2	3	4	5	
1	200万円未満（N=148）	15.5%	8.8%	16.9%	23.0%	35.8%	100.0%
2	200万円以上～300万円未満（N=129）	12.4%	7.0%	31.8%	20.2%	28.7%	100.0%
3	300万円以上～400万円未満（N=89）	2.4%	9.8%	34.1%	30.5%	23.2%	100.0%
4	400万円以上～500万円未満（N＝56）	0.0%	3.6%	25.0%	33.9%	37.5%	100.0%
5	500万円以上～800万円未満（N=57）	5.3%	1.8%	36.8%	31.6%	24.6%	100.0%
6	800万円以上（N=21）	4.8%	4.8%	4.8%	42.9%	42.9%	100.0%
7	回答は控えたい（N=37）	10.8%	5.4%	35.1%	29.7%	18.9%	100.0%

質問 1 の回答世帯の郵便番号から居住世帯を旧合併地区に分類し、その上で質問 12 とのクロス集計を行った。

「(1) 自治体の給付サービス全般」に関しては、「どちらともいえない」がすべての地区で最も多かった。ただし、「満足」と「不満」の割合は地区によって多少のばらつきが見られた。

「(2) 働く機会」に関しては、「該当しない」がすべての地区で最も多かった。ただし、「満足」と「不満」の割合は地区によって多少のばらつきが見られた。

「(3) 乳幼児や小学生の子育て機会」に関しては、「該当しない」がすべての地区で最も多かった。ただし、「満足」と「不満」の割合は地区によって多少のばらつきが見られた。

「(4) 中学生や高校生の子どもの教育機会」に関しては、「該当しない」がすべての地区で最も多かった。ただし、「満足」と「不満」の割合は地区によって多少のばらつきが見られた。

「(5) 健康や体力維持の場」に関しては、「どちらともいえない」がすべての地区で最も多かった。ただし、「満足」と「不満」の割合は地区によって多少のばらつきが見られた。

「(6) サークルなど、友人や仲間との交流の場」に関しては、「どちらともいえない」がすべての地区で最も多かった。ただし、「満足」と「不満」の割合は地区によって多少のばらつきが見られた。

「(7) ボランティアや町会活動など、社会活動の場」に関しては、「どちらともいえない」がすべての地区で最も多かった。ただし、「満足」と「不満」の割合は地区によって多少のばらつきが見られた。

「(8) 安心できるかかりつけ医者や病院の存在」に関しては、木頭以外では「まあ満足」が最も多いのに対して、木頭では「不満」が多く、医療サービスへのアクセスに関する不満が地区ごとによってバラツキがあることが分かった。

「(9) 在宅介護の支援」に関しては、どちらともいえない」がすべての地区で最も多かった。ただし、「満足」と「不満」の割合は地区によって多少のばらつきが見られた。

「(10) 介護施設の充実」に関しては、地区ごとによって大きくバラツキがみられる。上那賀や相生は「まあ満足」が最も多いのに対して、それ以外の地区では「どちらともいえない」あるいは「該当しない」が最も多かった。

図表 8－4－7　質問 1 と質問 12 のクロス集計

（1）自治体の給付サービス全般									
			満足	まあ満足	どちらともいえな	やや不満	不満	該当しない	合計
			1	2	3	4	5	6	
木頭	N=	108	2.8%	23.1%	36.1%	16.7%	13.0%	8.3%	100.0%
上那賀	N=	85	1.2%	18.8%	34.1%	9.4%	22.4%	14.1%	100.0%
鷲敷	N=	218	3.2%	34.9%	37.6%	10.6%	8.3%	5.5%	100.0%
相生	N=	188	5.3%	25.5%	41.5%	11.7%	7.4%	8.5%	100.0%
木沢	N=	52	9.6%	34.6%	28.8%	11.5%	11.5%	3.8%	100.0%

（2）働く機会									
			満足	まあ満足	どちらともいえない	やや不満	不満	該当しない	合計
			1	2	3	4	5	6	
木頭	N=	93	4.3%	18.3%	17.2%	11.8%	15.1%	33.3%	100.0%
上那賀	N=	78	5.1%	11.5%	21.8%	12.8%	17.9%	30.8%	100.0%
鷲敷	N=	208	3.8%	11.5%	24.0%	14.9%	15.4%	30.3%	100.0%
相生	N=	184	4.3%	19.6%	20.7%	15.8%	19.0%	20.7%	100.0%
木沢	N=	48	4.2%	18.8%	14.6%	12.5%	18.8%	31.3%	100.0%

（3）乳幼児や小学生の子育て機会									
			満足	まあ満足	どちらともいえない	やや不満	不満	該当しない	合計
			1	2	3	4	5	6	
木頭	N=	91	2.2%	13.2%	20.9%	9.9%	11.0%	42.9%	100.0%
上那賀	N=	74	1.4%	5.4%	13.5%	14.9%	18.9%	45.9%	100.0%
鷲敷	N=	196	4.1%	23.5%	18.4%	9.7%	5.1%	39.3%	100.0%
相生	N=	177	4.5%	23.7%	19.2%	8.5%	5.6%	38.4%	100.0%
木沢	N=	44	0.0%	6.8%	13.6%	6.8%	18.2%	54.5%	100.0%

（4）中学生や高校生の子どもの教育機会									
			満足	まあ満足	どちらともいえない	やや不満	不満	該当しない	合計
			1	2	3	4	5	6	
木頭	N=	89	2.2%	9.0%	21.3%	5.6%	10.1%	51.7%	100.0%
上那賀	N=	73	0.0%	5.5%	11.0%	15.1%	21.9%	46.6%	100.0%
鷲敷	N=	197	1.5%	17.3%	22.3%	10.2%	6.1%	42.6%	100.0%
相生	N=	176	2.3%	16.5%	18.8%	14.8%	6.8%	40.9%	100.0%
木沢	N=	44	0.0%	6.8%	11.4%	13.6%	18.2%	50.0%	100.0%

（5）健康や体力維持のための場									
			満足	まあ満足	どちらともいえない	やや不満	不満	該当しない	合計
			1	2	3	4	5	6	
木頭	N=	98	6.1%	24.5%	32.7%	10.2%	13.3%	13.3%	100.0%
上那賀	N=	82	2.4%	23.2%	31.7%	11.0%	17.1%	14.6%	100.0%
鷲敷	N=	220	5.0%	24.5%	34.5%	17.3%	9.5%	9.1%	100.0%
相生	N=	189	6.3%	25.9%	31.2%	19.0%	10.6%	6.9%	100.0%
木沢	N=	48	4.2%	22.9%	33.3%	18.8%	8.3%	12.5%	100.0%

（6）サークルなど、友人や仲間との交流の場									
			満足	まあ満足	どちらともいえない	やや不満	不満	該当しない	合計
			1	2	3	4	5	6	
木頭	N=	98	7.1%	30.6%	31.6%	9.2%	9.2%	12.2%	100.0%
上那賀	N=	80	2.5%	23.8%	31.3%	7.5%	16.3%	18.8%	100.0%
鷲敷	N=	217	4.6%	26.7%	34.6%	12.0%	8.8%	13.4%	100.0%
相生	N=	187	5.9%	28.9%	36.4%	11.2%	7.5%	10.2%	100.0%
木沢	N=	48	4.2%	31.3%	31.3%	8.3%	6.3%	18.8%	100.0%

（7）ボランティアや町会活動など、社会活動の場									
			満足	まあ満足	どちらともいえない	やや不満	不満	該当しない	合計
			1	2	3	4	5	6	
木頭	N=	98	3.1%	21.4%	42.9%	14.3%	4.1%	14.3%	100.0%
上那賀	N=	79	1.3%	11.4%	50.6%	7.6%	12.7%	16.5%	100.0%
鷲敷	N=	218	4.1%	19.7%	49.1%	11.0%	4.6%	11.5%	100.0%
相生	N=	188	3.7%	29.8%	41.5%	10.1%	4.3%	10.6%	100.0%
木沢	N=	49	0.0%	22.4%	42.9%	10.2%	4.1%	20.4%	100.0%

（8）安心できるかかりつけ医者や病院の存在									
			満足	まあ満足	どちらともいえない	やや不満	不満	該当しない	合計
			1	2	3	4	5	6	
木頭	N=	105	6.7%	27.6%	9.5%	20.0%	33.3%	2.9%	100.0%
上那賀	N=	83	25.3%	51.8%	10.8%	6.0%	6.0%	0.0%	100.0%
鷲敷	N=	222	10.4%	36.0%	20.3%	17.6%	14.9%	0.9%	100.0%
相生	N=	194	18.6%	44.3%	19.1%	11.3%	5.2%	1.5%	100.0%
木沢	N=	48	10.4%	31.3%	18.8%	16.7%	22.9%	0.0%	100.0%

（9）在宅介護の支援									
			満足	まあ満足	どちらともいえない	やや不満	不満	該当しない	合計
			1	2	3	4	5	6	
木頭	N=	94	1.1%	10.6%	24.5%	11.7%	9.6%	42.6%	100.0%
上那賀	N=	75	5.3%	24.0%	25.3%	9.3%	5.3%	30.7%	100.0%
鷲敷	N=	208	2.9%	16.3%	24.5%	7.7%	3.8%	44.7%	100.0%
相生	N=	185	6.5%	19.5%	26.5%	9.7%	2.2%	35.7%	100.0%
木沢	N=	47	2.1%	8.5%	31.9%	12.8%	12.8%	31.9%	100.0%

（１０）介護施設の充実									
			満足	まあ満足	どちらともいえない	やや不満	不満	該当しない	合計
			1	2	3	4	5	6	
木頭	N=	93	0.0%	10.8%	29.0%	12.9%	18.3%	29.0%	100.0%
上那賀	N=	75	8.0%	26.7%	24.0%	12.0%	9.3%	20.0%	100.0%
鷲敷	N=	210	6.7%	21.9%	29.0%	6.7%	3.3%	32.4%	100.0%
相生	N=	186	5.4%	28.5%	27.4%	10.8%	3.8%	24.2%	100.0%
木沢	N=	48	2.1%	16.7%	29.2%	10.4%	18.8%	22.9%	100.0%

質問１の回答世帯の郵便番号から居住世帯を旧合併地区に分類し、その上で質問 13 とのクロス集計を行った。

「(1) 病院に通いづらい」に関しては、例えば鷲敷では「あまりそう思わない」が最も多いのに対して、木頭や木沢では「そう思う」が最も多く、旧合併地区によってバラツキがあるのが分かった。

「(2) 買い物に行きづらい」に関しては、例えば鷲敷や相生では「あまりそう思わない」が最も多いのに対して、木頭や木沢や上那賀では「そう思う」が最も多く、旧合併地区によってバラツキがあるのが分かった。

「(3) 外出時に必要な交通手段を確保できない」に関しては、例えば鷲敷や相生では「あまりそう思わない」が最も多いのに対して、木頭では「そう思う」が最も多く、旧合併地区によってバラツキがあるのが分かった。

「(4) 身の回りの世話をしてくれる人が欲しい」に関しては、すべての地区で「あまりそう思わない」が最も多かった。

「(5) 困りごとの相談相手がいない」に関しては、すべての地区で「あまりそう思わない」が最も多かった。

「(6) 生計を確保できない」に関しては、「そう思わない」あるいは「あまりそう思わない」のいずれかがすべての地区で最も多かった。

「(7) 山林の維持管理ができない」に関しては、「そう思う」がすべての地区で最も多かった。

「(8) 用水を確保したり、維持管理ができない」に関しては、「そう思う」がすべての地区で最も多かった。

「(9) 農作業を継続できない」に関しては、「そう思う」がすべての地区で最も多かった。

「(10) 神社の維持管理、祭祀ができない」に関しては、「そう思う」がすべての地区で最も多かった。

「(11) 葬儀の実施が難しい」に関しては、上那賀、鷲敷、相生では「あまりそう思わない」が最も多かったが、木頭や木沢では必ずしもそのような傾向はみられなかった。

「(12) 税・社会保険料が重すぎる」に関しては、「そう思う」がすべての地区で最も多かった。

図表 8－4－8　質問 1 と質問 13 のクロス集計

(1) 病院に通いづらい									
			そう思わない	あまりそう思わない	まあそう思う	そう思う	分からない	該当しない	合計
			1	2	3	4	5	6	
木頭	N=	107	11.2%	12.1%	21.5%	53.3%	0.0%	1.9%	100.0%
上那賀	N=	86	27.9%	26.7%	16.3%	25.6%	1.2%	2.3%	100.0%
鷲敷	N=	224	15.6%	31.7%	23.2%	27.7%	0.0%	1.8%	100.0%
相生	N=	192	20.8%	36.5%	19.3%	20.3%	1.6%	1.6%	100.0%
木沢	N=	51	13.7%	23.5%	29.4%	33.3%	0.0%	0.0%	100.0%

(2) 買い物に行きづらい									
			そう思わない	あまりそう思わない	まあそう思う	そう思う	分からない	該当しない	合計
			1	2	3	4	5	6	
木頭	N=	108	9.3%	10.2%	25.0%	54.6%	0.9%	0.0%	100.0%
上那賀	N=	85	18.8%	23.5%	20.0%	34.1%	1.2%	2.4%	100.0%
鷲敷	N=	222	15.8%	32.4%	21.2%	27.9%	0.0%	2.7%	100.0%
相生	N=	192	20.8%	38.0%	18.8%	19.8%	1.0%	1.6%	100.0%
木沢	N=	52	17.3%	25.0%	25.0%	32.7%	0.0%	0.0%	100.0%

(3)外出時に必要な交通手段を確保できない									
			そう思わない	あまりそう思わない	まあそう思う	そう思う	分からない	該当しない	合計
			1	2	3	4	5	6	
木頭	N=	107	17.8%	19.6%	16.8%	27.1%	1.9%	16.8%	100.0%
上那賀	N=	85	28.2%	20.0%	4.7%	28.2%	2.4%	16.5%	100.0%
鷲敷	N=	222	19.8%	34.7%	13.1%	22.1%	0.5%	9.9%	100.0%
相生	N=	188	27.1%	29.8%	15.4%	17.0%	0.5%	10.1%	100.0%
木沢	N=	50	28.0%	22.0%	6.0%	30.0%	0.0%	14.0%	100.0%

（4）身の回りの世話をしてくれる人が欲しい									
			そう思わない	あまりそう思わない	まあそう思う	そう思う	分からない	該当しない	合計
			1	2	3	4	5	6	
木頭	N=	104	14.4%	20.2%	12.5%	15.4%	4.8%	32.7%	100.0%
上那賀	N=	80	21.3%	22.5%	13.8%	8.8%	5.0%	28.8%	100.0%
鷲敷	N=	220	24.1%	25.5%	10.0%	7.7%	0.9%	31.8%	100.0%
相生	N=	188	20.7%	30.3%	9.0%	9.0%	2.1%	28.7%	100.0%
木沢	N=	50	30.0%	20.0%	6.0%	10.0%	10.0%	24.0%	100.0%

（5）困りごとの相談相手がいない									
			そう思わない	あまりそう思わない	まあそう思う	そう思う	分からない	該当しない	合計
			1	2	3	4	5	6	
木頭	N=	106	17.0%	28.3%	13.2%	12.3%	11.3%	17.9%	100.0%
上那賀	N=	81	19.8%	32.1%	12.3%	22.2%	3.7%	9.9%	100.0%
鷲敷	N=	218	21.6%	40.4%	10.1%	11.5%	2.8%	13.8%	100.0%
相生	N=	188	27.7%	28.7%	16.0%	10.6%	2.7%	14.4%	100.0%
木沢	N=	48	22.9%	31.3%	14.6%	20.8%	6.3%	4.2%	100.0%

（6）生計を確保できない									
			そう思わない	あまりそう思わない	まあそう思う	そう思う	分からない	該当しない	合計
			1	2	3	4	5	6	
木頭	N=	98	20.4%	31.6%	15.3%	12.2%	5.1%	15.3%	100.0%
上那賀	N=	81	27.2%	29.6%	6.2%	14.8%	7.4%	14.8%	100.0%
鷲敷	N=	219	31.5%	30.1%	11.4%	7.8%	4.1%	15.1%	100.0%
相生	N=	190	24.2%	34.7%	14.2%	6.3%	5.8%	14.7%	100.0%
木沢	N=	50	32.0%	30.0%	16.0%	16.0%	2.0%	4.0%	100.0%

（7）山林の維持管理ができない									
			そう思わない	あまりそう思わない	まあそう思う	そう思う	分からない	該当しない	合計
			1	2	3	4	5	6	
木頭	N=	102	3.9%	7.8%	14.7%	55.9%	1.0%	16.7%	100.0%
上那賀	N=	81	1.2%	7.4%	13.6%	49.4%	4.9%	23.5%	100.0%
鷲敷	N=	220	5.0%	6.4%	13.6%	37.7%	6.4%	30.9%	100.0%
相生	N=	192	6.8%	7.8%	17.7%	54.2%	3.1%	10.4%	100.0%
木沢	N=	52	9.6%	5.8%	13.5%	48.1%	1.9%	21.2%	100.0%

（8）用水を確保したり、維持管理ができない									
			そう思わない	あまりそう思わない	まあそう思う	そう思う	分からない	該当しない	合計
			1	2	3	4	5	6	
木頭	N=	101	10.9%	9.9%	22.8%	27.7%	1.0%	27.7%	100.0%
上那賀	N=	80	8.8%	16.3%	11.3%	25.0%	7.5%	31.3%	100.0%
鷲敷	N=	217	7.8%	18.0%	10.6%	14.7%	4.1%	44.7%	100.0%
相生	N=	192	10.9%	17.2%	24.0%	29.2%	3.1%	15.6%	100.0%
木沢	N=	51	11.8%	15.7%	11.8%	33.3%	5.9%	21.6%	100.0%

（9）農作業を継続できない									
			そう思わない	あまりそう思わない	まあそう思う	そう思う	分からない	該当しない	合計
			1	2	3	4	5	6	
木頭	N=	103	5.8%	14.6%	19.4%	35.9%	1.9%	22.3%	100.0%
上那賀	N=	82	6.1%	7.3%	18.3%	39.0%	2.4%	26.8%	100.0%
鷲敷	N=	217	4.6%	10.1%	11.1%	23.5%	3.2%	47.5%	100.0%
相生	N=	195	6.2%	10.8%	26.2%	37.4%	3.6%	15.9%	100.0%
木沢	N=	50	4.0%	16.0%	24.0%	26.0%	8.0%	22.0%	100.0%

（１０）神社の維持管理、祭祀ができない									
			そう思わない	あまりそう思わない	まあそう思う	そう思う	分からない	該当しない	合計
			1	2	3	4	5	6	
木頭	N=	104	7.7%	8.7%	23.1%	40.4%	7.7%	12.5%	100.0%
上那賀	N=	78	2.6%	15.4%	24.4%	41.0%	9.0%	7.7%	100.0%
鷲敷	N=	217	10.6%	15.7%	17.1%	27.6%	8.3%	20.7%	100.0%
相生	N=	193	6.7%	18.7%	28.5%	36.8%	4.1%	5.2%	100.0%
木沢	N=	51	2.0%	13.7%	15.7%	54.9%	9.8%	3.9%	100.0%

（１１）葬儀の実施が難しい									
			そう思わない	あまりそう思わない	まあそう思う	そう思う	分からない	該当しない	合計
			1	2	3	4	5	6	
木頭	N=	104	15.4%	26.0%	15.4%	26.9%	9.6%	6.7%	100.0%
上那賀	N=	81	13.6%	37.0%	13.6%	21.0%	7.4%	7.4%	100.0%
鷲敷	N=	218	25.2%	36.2%	12.4%	6.0%	9.6%	10.6%	100.0%
相生	N=	192	17.2%	45.8%	14.1%	9.9%	7.8%	5.2%	100.0%
木沢	N=	51	13.7%	25.5%	19.6%	29.4%	9.8%	2.0%	100.0%

（１２）税・社会保険料が重すぎる									
			そう思わない	あまりそう思わない	まあそう思う	そう思う	分からない	該当しない	合計
			1	2	3	4	5	6	
木頭	N=	103	1.9%	5.8%	23.3%	62.1%	5.8%	1.0%	100.0%
上那賀	N=	83	2.4%	7.2%	21.7%	65.1%	3.6%	0.0%	100.0%
鷲敷	N=	225	2.7%	10.7%	29.8%	50.2%	5.8%	0.9%	100.0%
相生	N=	198	3.5%	13.6%	26.8%	50.0%	5.1%	1.0%	100.0%
木沢	N=	51	3.9%	11.8%	23.5%	58.8%	2.0%	0.0%	100.0%

「日常的に運転する人が同居世帯内にいない世帯」はどれくらいいるのか。本調査における質問 7 の結果から分析を行った。「日常的に運転する人が同居世帯内にいない世帯」は、同一世帯内で「同居」でなおかつ「日常的に運転をする」人が同一世帯内で一人もいない状況と定義した。

分析の結果、「日常的に運転する人が同居世帯内にいない世帯」は、115 世帯であり、回答世帯の 721 世帯のうち 16.0%を占める結果になった。

続いて「日常的に運転する人が同居世帯内にいない世帯」の役所（支所）へのアクセスはどのような状況になっているか。同様の定義のもと、質問 15 の役所（支所）へのアクセスまでの時間とクロス集計による分析を行った。

分析の結果、「日常的に運転する人がいない世帯」のうち質問 15 に対して回答した合計が 112 世帯であった。このうち「1．10 分未満」が 61 世帯、「2．10 分以上～30 分未満」が 46 世帯、「3．30 分以上～1 時間未満」5 世帯、「4．1 時間以上～1 時間半未満」、「5．1 時間半以上」、「6．分からない」は回答数が 0 世帯であった。したがって、「日常的に運転する人がいない世帯」のうち、ほとんどが 30 分以内で役所（支所）にアクセス可能であり、1 時間以上アクセスがかかる世帯は少なくとも回答世帯には見られなかったことが分かった。

これは 2 つの可能性が考えられる。第一に、「日常的に運転する人がいない世帯」はもともと役所（支所）へのアクセスが容易な立地に自宅がある、あるいは公共交通機関によるアクセスが容易である場合、第二に「日常的に運転する人がいない世帯」であっても別居している家族・親族が自動車を代わりに運転するケースである。第二の場合は、実際に同居家族で運転者がいなくても別居家族（例えば息子・娘など）が運転し、那賀町内に居住する両親世帯を自動車で移送するケースがいくつか観察されている。

図表 8－4－9　日常的に運転をする人がいない世帯と役所（支所）へのアクセス

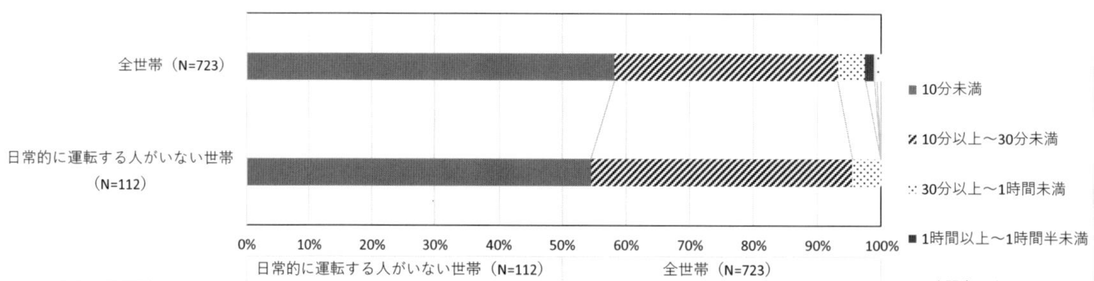

	日常的に運転する人がいない世帯（N=112）	全世帯（N=723）
10分未満	61	421
10分以上～30分未満	46	253
30分以上～1時間未満	5	31
1時間以上～1時間半未満	0	10
1時間半以上	0	3
分からない	0	5

質問 2 より合併前から居住していた世帯を「旧住民」、合併後に居住した世帯を「新住民」と定義し、世帯数を算出した。

質問 21「合併前後で比べて那賀町役場の行政サービスはよくなりましたか。」と質問 2 の「旧住民」と「新住民」でクロス集計を行った。分析の結果、「旧住民」では「1．よくなった」が 4.6%、「2．どちらかというとよくなった」が 10.7%、

「３．変わらない」25.9%、「４．どちらかというと悪くなった」が 34.1%、「５．悪くなった」が 16.6%、「６．わからない」が 8.1%であった。「新住民」では、「１．よくなった」が 1.4%、「２．どちらかというとよくなった」が 10.1%、「３．変わらない」が 21.7%、「４．どちらかというと悪くなった」が 10.1%、「５．悪くなった」が 10.1%、「６．わからない」が 46.4%であった。

以上の結果から、「旧住民」は合併前よりも行政サービスが悪くなったと考える世帯の割合が多く、一方「新住民」は合併による行政サービスの影響は分からない、もしくは変わらないと回答する世帯の割合が多いことが分かった。言うまでもなく「新住民」は合併後に那賀町に移住したわけだから、合併前の那賀町の姿を直接知るすべはなかった。したがって、合併に対する評価が分からない、もしくは変わらないと回答するのは上のような理由のためだと考える。

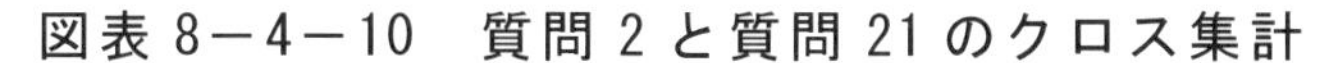
図表 8−4−10　質問 2 と質問 21 のクロス集計

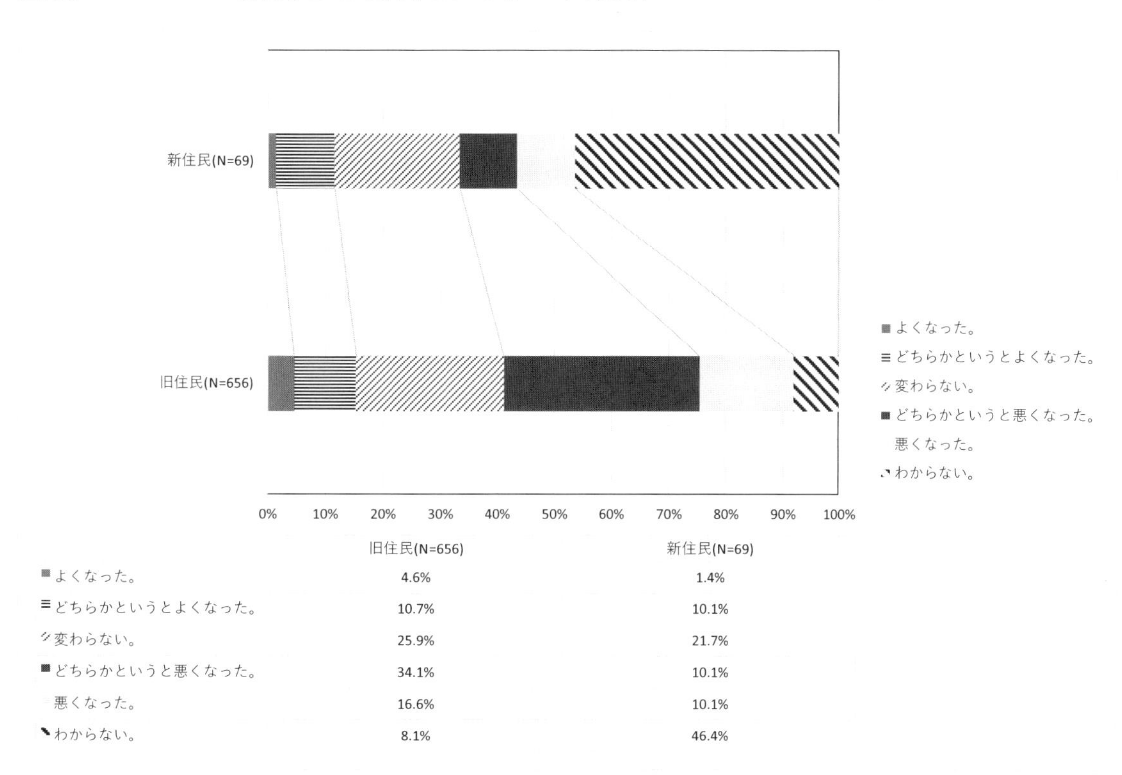

	旧住民(N=656)	新住民(N=69)
よくなった。	4.6%	1.4%
どちらかというとよくなった。	10.7%	10.1%
変わらない。	25.9%	21.7%
どちらかというと悪くなった。	34.1%	10.1%
悪くなった。	16.6%	10.1%
わからない。	8.1%	46.4%

5　自由記述と今後の課題

質問 22「那賀町（お住まいの地域）について自由にお書きください。」について、回答者から那賀町について様々なコメントを頂いた。回答数は 307 世帯で、回答率は 41.3%であった。個別の自由記述については、各報告論文で適時引用することにした。

本調査では那賀町役場の協力のもと、居住全世帯を対象とするアンケート調査を実施した。以下では調査によって明らかになった点や調査結果から人口減少自治体が抱える課題を整理していきたい。

第一に、将来の那賀町行政に対する不安感についてである。例えば水道事業や病院など、現時点では事業運営が継続していたとしても、将来的に事業運営が続く保障はないため、それが町民にとって大きな不安になる。本人が町外に転居しないとしても、若い人が町外へ行ってしまうことを町民は不安視している。それが、那賀町のさらなる人口減へと繋がり、負のスパイラルへと陥ってしまう状況になっている。

もっとも、自由記述欄によれば、若い人を呼ぶには若い働き口が足りていないとしながらも、一部の職場では人手不足が起こっているという声もあった。人口減の負のスパイラルを防ぐには、若い人が那賀町外に流出しないような雇用の場を作っていく必要がある、というのが町民の意識にあると考えられる。

第二に、合併を契機とする町内の分断についてである。合併から 10 年以上が経過したが、那賀町役場の採用など人事面では交流が進み、以前よりも一体感が生まれているとの声もあった。しかし、合併に関する評価をみると、全体として芳しく無く、それは新住民・旧住民、旧合併地区によって大きく異なることが分かった。また、（実態面に伴っているかは今後検討すべき課題であるが）旧合併地区によって庁舎建て替え等の予算の配分が行き届かない、町民の声が届きづらいという不満もみられた。また、地区によって町議員の数にバラツキがあることが、一部の町民にとって不満となっている。ここに輪をかけて町内の一体感を妨げるのが、ダム計画問題である。自由記述欄によれば、ダム問題は旧町民間の感情の分裂をもたらしたという。

那賀町が人口急増地域と異なるのは、子育て世帯がほとんど流入してこないため、子育てを介して住民同士のつながりが新たに生まれ、住民コミュニティの新陳代謝が起こりづらい。したがって、那賀町でも他の地域と同様に地域でいかにして子育ての場と働く場を提供していくかが鍵となってくる。

第三に、行政サービスの評価や日常のお困りごとについて、行政分野によって評価に多少バラツキがみられた。全体として、喫緊の生計維持や人間関係の問題というより、高齢化と人口減を背景に、生活インフラや地域行事の維持管理を担う人手が不足していることが課題となっているようである。また、税や社会保険料が重すぎるという回答、地域間での予算の使われ方に対する不満など、那賀町町民は必ずしも那賀町の財政運営に対して積極的に評価していない可能性が考えられる。

アンケートの記述欄からは、那賀町を良くしたいという思いは町民間で共通していることが読み取れた。しかし、どのようにすればいいかについては居住地や居住年数によって考え方にズレがみられる。町民間の分断を乗り越えるためには、那賀町の住民の声を汲み取って、町政に反映させる仕組みが、一層求められる。

しかし、現実には人口減少が進む中、広大な那賀町では過疎化が進むと、それぞれの地域に住む町民の声を集めることが難しくなっていく状況である。

質問でもあったとおり、町民の要望を伝える時に最も多いのが「那賀町役場の職員」に伝えるルートである。議員だけでなく、役場の職員が町民の声を集める能力が一層求められるだろう。

那賀町の住民の皆様へのアンケート調査

まず、あなたの基本的な情報についてお伺いします。

質問１　現在の住所の郵便番号を記入してください。

〒７７１－（　　　　　　　　　　　　　　　　）

質問２　現在の住所にお住まいになって何年になりますか。該当する番号に○をつけてください。

１．１年未満
２．１～３年未満
３．３～５年未満
４．５～13年未満
５．13～30年未満（合併前）
６．30年以上（合併前）

質問３　あなたの世帯の収入（税引き前）はどのぐらいですか。該当する番号に○をつけてください。

１．200万円未満
２．200万円以上～300万円未満
３．300万円以上～400万円未満
４．400万円以上～500万円未満
５．500万円以上～800万円未満
６．800万円以上
７．回答は控えたい

質問４　あなたの世帯の現在の主な収入源は何ですか。上位３つまで選び、番号を記入してください。

１番	２番	３番

１．給与所得
２．事業所得（農家の方等）
３．年金給付
４．預貯金のとりくずし
５．親類・知人の支援
６．その他　（　　　　　　　　　　　　　　　　）

質問５　あなたのご家族のうち３年以内に引っ越す予定の方はいますか。該当する番号に○をつけてください。

１．はい
２．いいえ
３．分からない

質問５－１　質問５で「１．はい」と回答した方にお聞きします。どなたが町外に引越し、どなたが町内に引っ越すのですか（例：兄弟、息子・娘）。以下の記入欄に回答してください。

町外に引っ越す方（　　　　　　　　　　）　町内に引っ越す方（　　　　　　　　　　）

質問６　那賀町内に住宅をお持ちの方にお聞きします。あなたやあなたのご家族が利用していない、あるいは近い将来利用しなくなる住宅がありますか。該当する番号に○をつけてください。（複数回答可）

１．住宅をもっていない
２．住宅をもっているが、家族で利用している
３．利用していない住宅があるが、他に貸している
４．利用していない住宅があり、他に貸したいが、借り手がいない
５．利用していない住宅があるが、他に貸す予定はない。
６．その他（　　　　　　　　　　　　　　）

質問７　あなたのご家族についてお伺いします。あなたとの続柄、性別、年代、職業、同居の有無、自動車運転の状況を記入例にしたがってご記入ください。

	続柄	性別	年代	職業	同居／別居	日常的に自動車を運転する
例	あなたの　子	男（○）・女	20代	1, 8	同居（○）・別居	○
1	あなた　本人	男・女	代		同居・別居	
2	あなたの	男・女	代		同居・別居	
3	あなたの	男・女	代		同居・別居	
4	あなたの	男・女	代		同居・別居	
5	あなたの	男・女	代		同居・別居	

6	あなたの	男・女	代		同居･別居	
7	あなたの	男・女	代		同居･別居	
8	あなたの	男・女	代		同居･別居	
9	あなたの	男・女	代		同居･別居	
10	あなたの	男・女	代		同居･別居	

※職業番号

1．公務員
2．会社員
3．会社役員
4．自営業・自由業
5．専業主婦
6．パート・アルバイト
7．学生
8．農林業
9．失業（仕事を探している）
10．年金生活者

次に、あなたの地域での生活についてお伺いします。

質問８　食料品・生活用品の買い物先・入手方法は次のうちどれですか。上位３つまで選び、番号を記入してください。

１番	２番	３番

1．那賀町内のコンビニ・スーパー・商店等
2．那賀町外のコンビニ・スーパー・商店等
3．インターネット通販
4．移動販売
5．親族や知人からもらう
6．その他（　　　　　　　　　　）

質問９　あなたが週に１回以上会っている方はどのような人たちですか。該当する番号を選び、○をつけてください（複数回答可）

1．同居の家族
2．別居の家族・親族
3．友人・職場の同僚
4．自治会や近所の住民
5．民生委員・児童委員
6．介護職員・医療関係者
7．商店・移動販売員
8．NPO 職員
9．町職員
10．その他（　　　　　　　　）
11．特にいない

次に、あなたとあなたのご家族（那賀町にお住いの方）の生活の満足度や生活する上での困り事についてお伺いします。

質問 10　あなたとあなたのご家族（那賀町にお住いの方）は、現在、幸せだと感じていますか？

まったく感じていない	→	→	→	大いに感じている	分からない
1	2	3	4	5	0

質問 11　あなたとあなたのご家族（那賀町にお住いの方）は、20 年前と現在を比べて暮らしが良くなったと感じていますか？

悪くなった	やや悪くなった	変わらない	やや良くなった	良くなった	分からない
1	2	3	4	5	0

質問 12　あなたとあなたのご家族（那賀町にお住いの方）は、以下のことにどの程度満足していますか。該当する番号を選び、○をつけてください。

	満足	まあ満足	どちらともいえない	やや不満	不満	該当しない
(1) 自治体の給付・サービス全般	1	2	3	4	5	6
(2) 働く機会	1	2	3	4	5	6
(3) 乳幼児や小学生の子育て環境	1	2	3	4	5	6
(4) 中学生や高校生の子どもの教育機会	1	2	3	4	5	6
(5) 健康や体力維持のための場	1	2	3	4	5	6
(6) サークルなど、友人や仲間との交流の場	1	2	3	4	5	6
(7) ボランティアや町会活動など、社会活動の場	1	2	3	4	5	6

(8) 安心できるかかりつけ医者や病院の存在	1	2	3	4	5	6
(9) 在宅介護の支援	1	2	3	4	5	6
(10) 介護施設の充実	1	2	3	4	5	6

質問 13　あなたとあなたのご家族（那賀町にお住いの方）は、以下の「生活上の困りごと・不安」に対して、どのように考えていますか。該当する番号を選び、○をつけてください。

	そう思わない	あまりそう思わない	まあそう思う	そう思う	分からない	該当しない
(1) 病院に通いづらい	1	2	3	4	5	6
(2) 買い物に行きづらい	1	2	3	4	5	6
(3) 外出時に必要な交通手段を確保できない	1	2	3	4	5	6
(4) 身の回りの世話をしてくれる人が欲しい	1	2	3	4	5	6
(5) 困りごとの相談相手がいない	1	2	3	4	5	6
(6) 生計を確保できない	1	2	3	4	5	6
(7) 山林の維持管理ができない	1	2	3	4	5	6
(8) 用水を確保したり、維持管理ができない	1	2	3	4	5	6
(9) 農作業を継続できない	1	2	3	4	5	6
(10) 神社の維持管理、祭祀を継続できない	1	2	3	4	5	6
(11) 葬儀の実施が難しい	1	2	3	4	5	6
(12) 税・社会保険料が重すぎる	1	2	3	4	5	6

最後に、あなたとあなたのご家族（那賀町にお住いの方）と役場との関係についてお伺いします。

質問 14　役場に相談したいこと、伝えたいことがあるとき、あなたやご家族はどのような方法で役場に伝えていますか。該当する番号を選んで○をつけてください（複数回答可）

1．那賀町役場の職員に伝えた
2．自治会、町内会、部落会（行政連絡員を含む）関係者に通じて伝えた
3．町長に伝えた（手紙、メール、ファックスを含む）
4．説明会・懇談会などに参加して伝えた
5．議員に伝えた
6．その他（　　　　　　　　　　　　）
7．伝えたことがない

質問 15　あなたのお住まいから役場（支所を含む）に足を運ばれる際にどれくらい時間がかかりますか。該当する番号を選んで○をつけてください。

1．10 分未満
2．10 分以上～30 分未満
3．30 分以上～１時間未満
4．１時間以上～１時間半未満
5．１時間半以上
6．分からない

質問 16　あなたやあなたのご家族は、この一年間に役場（支所を含む）に、何回、足を運ばれた頻度はどれくらいですか。該当する番号を選んで○をつけてください。

1．全く行かない
2．１年に１回程度
3．３か月に１回程度
4．１か月に１回程度
5．１週間に１回程度
6．１週間に２回以上

質問 17　役場（支所を含む）に足を運ぶ際の用件は次のうちどれですか。該当する番号を選んで〇をつけてください（複数回答可）

1．住民票発行などの各種証明書発行手続き
2．税の納付
3．給付申請（例：福祉給付金など）
4．生活に関する相談（例：介護、陳情、仕事上の相談など）
5．その他（　　　　　　　　　　　　）

質問 18　お住まいの生活情報をどこ（だれ）から得ていますか。該当する番号を選んで〇をつけてください（複数回答可）。

1．町広報紙（広報なか）
2．回覧板
3．掲示板
4．家族・友人
5．隣近所との会話
6．新聞・チラシ・雑誌
7．インターネット
8．テレビ・ラジオ

質問 19　那賀町では現在までに 17 名の「地域おこし協力隊」が活動しています。あなたは「地域おこし協力隊」のことを知っていますか？

1．知っている
2．知らない

質問 19－1　質問 19 で「1．知っている」と回答された方にお聞きします。「地域おこし協力隊」に対して、あなたはどのような評価をもっていますか。該当する番号を選んで〇をつけてください。

とても積極的に評価できる	積極的に評価できる	どちらともいえない	あまり積極的に評価はできない	評価できない
1	2	3	4	5

質問 20　あなたが考える那賀町（お住まいの地域）の魅力（住み続ける理由）は次のうちどれですか。該当する上位３つの番号を選んで記入してください。

１番	２番	３番

１．自然環境がよい
２．歴史のあるまちである
３．人情が細やかであたたかい
４．永年住みなれている
５．公共施設等の生活基盤が整っている
６．まちの発展が見込める
７．仕事にいきやすい
８．その他（　　　　　　　　　　　　　）

質問 21　合併前後で比べて那賀町役場の行政サービスはよくなりましたか。該当する番号を選んで○をつけてください。

１．よくなった
２．どちらかというとよくなった。
３．変わらない。
４．どちらかというと悪くなった
５．悪くなった。
６．わからない

質問 22　那賀町（お住まいの地域）について自由にお書きください。

終章

ここまで、「消滅」が危惧される地域から徳島県那賀町を、そして「一極集中」が続く地域から埼玉県戸田市・千葉県印西市を取り上げ、政治・行政や財政の現状、教育・医療・福祉といった政策別の状況、そして住民の自治組織や活動についてそれぞれ明らかにしてきた。この終章においては、まず（1）各章において明らかになったことを簡潔にまとめた上で、各章で得られた知見も踏まえながら（2）人口の減少／増加によって対象自治体に何が起きる（あるいはすでに起きつつある）のかについて考える。そして最後に、（3）単なる人口の減少／増加という観点を超えて—すなわち、ある意味で「消滅」と「一極集中」という二分法から踏み出して—あらゆる場所で可能な、「小さな社会」における《自治》の意義と可能性について論じ、本報告書の結びとしたい。

1　各章において明らかになったこと

序章および第1章では、那賀町・戸田市・印西市（以下「三自治体」）の地勢、合併の歴史、人口や産業構造などについて概観した。那賀町は人口減少が続く、四国の山間地に位置する自治体である。人口は8,500人ほどで、高齢化率は5割に迫り、少子化も進んでいる。広大な町域を有するが、その95%が山林であり、第1次産業就業人口は2割近い。「平成の合併」を経験している（5町村が合併）。戸田市は東京都に隣接し、人口増加が続く都市部の自治体である。市域は非常に小さく、起伏の少ない極めて平坦な地形であり、ほぼ全域が市街地に覆われている。人口は約14万人で、高齢化率は16%に対し、15歳未満人口比率も約15%となっている。第1次産業就業人口はわずか0.2%で、実に76.8%が第3次産業に就業している。「平成の合併」は経験していない。印西市もまた人口増加の続く自治体であるが、人口増に寄与しているのは主に千葉ニュータウンを中心とした開発市街地である。それ以外の地域には田園地帯が広がっており、それを反映して第1次産業就業人口は4%台と、戸田市より多い。人口は約10万人で、高齢化率は2割強と戸田市より若干高く、15歳未満人口比率もわずかに高い。「平成の合併」を経験している（1市2村が合併）。

第2章では、三自治体の行政組織の編成、職員の人事、市町長・市町議会議員および県議会・衆議院議員の選挙の動向について詳述した。戸田市では、これまで市長の長期在任が続き、幹部人事についても、キャリアパスが比較的パターン化されており、安定した行政・政治体制が形成されていたと言える。しかし、前市長が引退し、2018年の市長選挙で後継指名された候補者を破った現市長が就任したことで、この安定状況には変化が生じる可能性がある。一方、那賀町と印西市は、いずれも、合併後2年余りで首長の交代を経験した。那賀町では、現職町長の不祥事による辞職という予期せぬ事態の中、当時の副町長が町長となり、以後長期町政を築いた。印西市では、ごみ処理施設移転計画が争点となり、現職市長を破った新市長が計画を撤回した。選挙の結果が政策の転換をもたらしたのである。両自治体とも、人口の多い地区が町政・市政において必ずしも主導権を握っているわけではない。しかし、将来、人口の多い地区から首長や多数の議員が選出されるようになった場合は、行政・政治体制に大きな変化が生じる可能性もある。

合併時、那賀町と印西市は、旧町村単位に支所を設置した。那賀町が支所に地元町村役場出身者を多く配属しているのに対し、印西市ではそのような傾向は弱く、支所内組織の名称は、那賀町では「地域振興室」、印西市では「行政サービス課」と、前者のほうが総合支所であることをより強くアピールする名称となっているなど、旧町村役場としての支所の存在感は、那賀町においてより大きい。

第3章では、三自治体の財政状況を分析し、財政計画や公共施設の維持管理計画についても検討した。那賀町の財政力指数は類似団体平均よりも低いが、2004年に合併を実施して以降、行財政改革による歳出削減を進めながら財政調整基金を積み上げており、財政状況は改善傾向にある。しかし、広い町域を持つ上、周囲に山々が連なる高低差の大きい地形となっていることから、行政サービス機能の集約化や行政効率の改善が難しく、相対的に消防や総務などの管理費が高くなるという構造を持っている。戸田市は流入人口の増加による豊富な税収（固定資産税や市民税）と市内に所在する競艇場からの配分金に支えられた、「豊かな」自治体である。しかし近年は、その人気の低迷を背景に競艇配分金が減少しているにも関わらず、それが潤沢だった時代に整備された公共施設が市内に残存しており、維持管理費が歳出増圧力の一因となっている。また2009年以降、経常収支比率が増加傾向で、財政力指数は高くとも財政構造の弾力性は失われつつあり、今後も扶助費や公債費の増加、国民健康保険、介護保険、区画整理事業などの特別会計への繰出金増加によって経常的経費の拡大が見込まれる。印西市も、戸田市と同様、地方交付税交付金の不交付団体であり、財政が「豊かな」自治体と言える。戸田市と比べて行政サービスによる財政の硬直化はそれほど進んでおらず、たとえば生活保護率（2015年度）は千人あたり3.7%と千葉県平均13.4%と比較して非常に低い。他方で、投資的経費については普通建設事業費が増加傾向にある。今後は、広い市域に点在する公共インフラの老朽化への対策が課題となる。

第4章では、三自治体の市／町立小中学校の学校・学級数、児童・生徒数、学校の位置などの基本的なデータを確認した上で、とりわけ児童・生徒の地域的偏在と学校選択制、学校統廃合問題というトピックについて詳しく論じた。児童・生徒数に直結する年少人口は那賀町で著しい減少が、印西市で若干の減少が見込まれ、一方戸田市では今後も増加が見込まれている。戸田市の小学校の児童数は、最大規模の学校と最小規模の学校で3倍以上の差が生じており、一般的に、市東部の学校で児童数が多く、西部の学校で少ない傾向にある。印西市の児童数の地域的偏在はさらに顕著で、ニュータウン地域に 1,100 名を超える児童を抱える小学校がある一方、児童約 20 名の学校も存在しており、学校の大規模化と小規模化に同時に対応することが求められている。那賀町では、児童・生徒数の偏在はもとより、過疎化がとくに進行した木沢地区においては小学校と中学校が一校も存在していないなど、学校自体の地域的偏在が見られる。

戸田市は学校選択制を採用しているが、那賀町と印西市は、児童・生徒数の地域的偏在に拍車をかける懸念から、これを採用していない。学校統廃合という課題を抱えるのもまた那賀町と印西市である。このうち前者では、合併時に設置した地域審議会の場などを通し、住民の意向に配慮したボトムアップの形で統廃合の議論を進めていると評価できる。

第 5 章では、三自治体の医療体制について論じた。那賀町の人口 10 万人あたり病院病床数・人口 10 万人あたり医師数はいずれも全国平均を大幅に下回るが、二次医療圏の徳島県南部医療圏全体で見ると、全国平均を上回る。一方、戸田市・印西市とも、市内に医療施設が十分に立地しているものの、人口 10 万人あたり病院数・人口 10 万人あたり病院病床数とも全国平均を下回っている（両市がそれぞれ属する埼玉県南部医療圏、千葉県印旛医療圏で見ても同様である）。

那賀町には、医師・看護師等の医療スタッフの確保という喫緊の課題と、医療施設の地域からの撤退を防ぎ、住民にいかにして医療サービスを持続的に提供するかという将来の課題が存在している。いずれも困難な課題ではあるが、町内の医療サービスの大部分を町が担っており、町が―もちろん他の主体の支援・協力は必要だが―自ら主体的に課題解決に取り組むことが可能である。すなわち、那賀町にとって、医療の問題は、自らグリップできる範囲に収まっていると言える。これに対し戸田市・印西市では、そもそも、市内の医療サービス提供に占める市のシェアが皆無もしくは非常に小さい。現状では、高齢化率は低く、他の主体による医療サービスの提供も十分に行われているため、大きな問題は生じていないが、今後、両市では医療需要量の急増が見込まれる。市が主体的に統御できない危機が静かに近づいているという意味では、戸田市・印西市は那賀町よりも厳しい立場に置かれていると見ることもできる。

第 6 章では、三自治体の高齢者福祉・介護の問題について論じた。具体的には、老齢人口や要介護認定の状況を確認したうえで、介護サービスの利用・提供の状況を明らかにした。また、地域包括ケアの体制の整備状況や、介護予防の取り組みについてもフォローした。那賀町は行政として民間事業者を支援してきたものの、事業者の数は決して多くない。町内で足りない部分は近隣自治体の介護事業者の助けも得ながら、要介護者への介護サービスが提供されている状況である。今後は高齢者人口が減少していくことが予想され、現在よりも介護需要が少なくなった時にサービスをどのように維持していくかが問題になる。一方、戸田市・印西市は、（後者においては若干の地域的偏在もみられるが）民間の介護サービス事業者も多く立地しており、今後もサービスを提供し続ける可能性が高い。今後、特に後期高齢者が急増し、介護需要も増加することが予想されるため、十分な介護サービスが提供できるか、とりわけ介護人材をいかに確保できるかが問題となると考えられる。

地域包括ケアの体制が、三自治体のうちでも手厚いと言えるのは那賀町である。町では保健・医療・福祉の連携が 1994 年から進められており、現在では「各支所ケア会議」で個別課題を抽出し、「健康福祉検討会」で政策提言につなげる流れが確立している。この会議を通して関係者の連携も円滑に進んでおり、ICT による個別ケースの情報共有も行われ、認知症の見守りなどの取り組みが実行に移されている。

第 7 章では、三自治体の町内会・自治会などの自治組織や、住民の自治的活動の様態について論じた。印西市では、旧印旛村、旧本埜村と、同制度が市町村合併前からなかった旧印西市、また、ニュータウン（NT）地域と非 NT 地域では、町内会等の役割は微妙に異なっており、NT に建設された住宅団地の「自治会」もあれば、農村地帯の集落の「区」もあり、そもそもの性質が多様である。それに比べると、市内全域で都市化が進んでおり、平成の市町村合併を経験していない戸田市の自治組織の様態は相対的に画一性を帯びている。那賀町の自治組織は、ほとんどすべてが集落を単位とした地縁組織である。

戸田市では新住民の未加入が多いこと、印西市ではニュータウンの初期入居者が高齢化などを理由に退会したことや、組織のそもそもの未設立あるいは解散によって空白地帯が存在することなどから、町内会等の自治組織への加入率は低下傾向にある。一方那賀町では、集落の世帯が当然に加入するものとなっているため加入率は論点にすらならないが、少子高齢化によって、集落の寄り合いの開催頻度の減少など、活動の実質に停滞の兆しが見られる。しかしながら、いずれの自治体でも、子どもが参加できるお祭りや、高齢者の支え合い、防災などをよりどころに、自治組織の活動を活発にしようという地道な取り組みが見られた。

自治組織の担う公共的活動の範囲は、戸田市・印西市では日常生活の一部に限られている（特に、印西市の一部の団地では、団地内の清掃まで業者がやってくれる）のに対し、那賀町では水道の維持管理など、ライフラインにかかわる部分も含まれていた。また、自治組織は、地域の課題を共有・議論し、意見をまとめ、市・町政に要望を伝達するという機能も有しており、とりわけ、那賀町においては、集落ごとに置かれている行政連絡員と町長以下行政幹部が一堂に会し、旧町村単位で年 1 回開かれる「連絡員会」が、また印西市においては町内会（長）名の「要望書」の提出が、それぞれ重要な回路となっていた。

第 8 章では、那賀町において実施した住民アンケートの結果を紹介した。その内容は多岐にわたるため、詳細は本文をお読みいただきたいが、重要と思われる知見をいくつか挙げると、まず、「あなたとあなたのご家族は、現在、幸せだと感じますか？」という質問に対し、「大いに感じる」「感じる」と答えた住民が合わせて5割弱を占めたものの、「まったく感じない」とした住民も8.3%と決して看過できない比率で存在していたことである。次に、「生活上の困りごと」について尋ねる質問では、人間関係や生計の管理よりも、買い物・病院へのアクセスやインフラや山林・神社の維持管理に関して不安を持つ住民が多かった。旧町村別に見ても、この傾向はあまり変わらない。高齢化と人口減少を背景とする人手不足・雇用減少から、地域資源やインフラの維持管理が全町的に困難になっている様子がうかがわれる。また、自由記述欄からは、人口減の負のスパイラルを防いでいくには、若い人が那賀町外に流出しないような雇用の場を作っていく必要がある、という共通認識が住民に分け持たれている様子が明らかになった。

2　対象自治体のこれから

人口規模が少ない上にその減少が続く山間部の自治体である那賀町と、同町の10倍以上の人口を有し、さらに人口増加が続く都市部の自治体である戸田市・印西市では、「これから」の姿が大きく異なるであろうことは当然である。

（1）人口減少地域・那賀町のこれから

まずは、那賀町について考えてみよう。全体社会の傾向に逆らって、那賀町においてのみ出生率が極端に上がることは望めないという現実を前提とするならば、日本創成会議が指摘したごとく、すでに少子高齢化が著しく、「人口再生産年代」が限られている那賀町では、今後ますます少子高齢化が進み、主に自然減によって人口は減少していくだろう。少子高齢化は負のフィードバック回路を持っており、これはほぼ必然である。国立社会保障・人口問題研究所の『日本の地域別将来推計人口（平成30（2018）年推計）』によると、那賀町の人口は2030年に5,489人、そして2040年には3,920人と、現在の半分になると推計されている。

この少子高齢化と人口減少は那賀町に何をもたらすだろうか。ガヴァメントたる地方公共団体に対する影響と、地域社会や地域住民に対する影響とに分けて考えてみる。まず、人口が減少し、高齢化が進んだ時、地方公共団体はどうなるのか。一般論をすると、政治面で言えば、現在すでに各地で問題となりつつある議員の高齢化・なり手不足がさらに進むことが予想される。また、行財政面で言えば、税収が減少し、厳しい財政運営を強いられ、職員の削減や非正規化が進み、サービス水準が劣化する未来が見える。

これらの点について那賀町を見てみると、第2章の5（2）で見たとおり、町議選はまだ投票になっており、なり手不足が深刻化しているとまでは言えない。ただ、2017年選挙で選出された現在の議員14人のうち、30代以下の議員はおらず、40代が3人、50代が1人、あとは60代以上となっており、高齢化は覆うべくもない。また、これも第2章の上述の箇所で見たとおり、旧町村別に見ると、人口の減少によって議員を出せ（さ）なくなる地区（旧木沢村）がすでに現れている。一方、第３章の３（１）で見た通り、財政面では堅実に財政調整基金を積み上げており、ただちに財政が行き詰まることはないだろう。ただし、第５章の３（１）で示した通り、那賀川上流域に所在する町立上那賀病院の経営は厳しく、一般会計からの繰入に依存した運営を続けざるを得ない。さらに、財務状況とは別に、医療スタッフ、とりわけ看護師の不足が深刻になっている。

だが、一般論に帰って、議員の不足や行財政運営の行きづまりの先に地方公共団体の「消滅」があるのかと言えば、答えは否、である。（現行の）地方制度が存在する以上、中央政府が崩壊しない限り、地方公共団体は「どんな形であれ」存続する。ただし、もちろんそれは（たとえば財政再建団体となった夕張市の例を見れば明らかなように）行財政運営に大きな制約＝他律を受けることを前提とした「存続」になるわけで、団体自治の観点からすれば極力避けなければならない事態であるに違いない。これについて那賀町は前述した通り、これを避けようという行動を今のところはとっているように見える。

あるいは、行財政運営が行き詰まった自治体が、合併により他の自治体に「併合」され、「消滅」することも考えられないではない。しかし、「平成の大合併」の過程でも多く見られた通り、周辺の自治体は「行き詰った」自治体との合併を望まず、現行の法制度が市町村合併の任意性を建前としている限り、合併が実現する可能性は低いであろう（むろん、都道府県や中央政府からの隠微な「圧力」は考えられようが、それとてやはり強制力を持つものではない）。それでも仮に、那賀町がさらなる合併の当事者となるのであれば、もっとも考えられそうなのは那賀川下流域の阿南市との合併である。そうなれば、現在すでに極めて広大な町域を有している那賀町の、とりわけ上流域（「奥」）における政治・行政の運営はますます困難になると予想される。

次に、少子高齢化と人口減少は地域社会にどのような影響を与えるだろうか。第４章で紹介した通り、少子化によって那賀町の小中学校は（住民の意向を踏まえながらも）統合が進んできた。これにより、学校を失った「奥」の地域からは、ますます子育て世帯が流出することが予想される。ただ、現状において、生活の基盤を真に脅かされている住民はまだ少ない。しかし、第７章の３で言及したとおり、高齢化によって住民活動の「馬力」は失われてきており、実際、第８章で紹介した那賀町民のアンケート調査からは、神社・祭礼の維持、山林の維持、水道の管理等、集落の諸事への対応が困難になりつつある実態が明らかになった。

また、われわれが現地調査において見聞できたのは、その「現地」にとどまっている人々の暮らしのみだという点に留意する必要がある。すなわち、生活の基盤を真に脅かされるより手前の段階、暮らしにくさの実感が募ってきた段階で、住民が町外に流出している可能性も否定できない。図表終－2－1は、住民基本台帳ベースで見た、2011年から2018年までの那賀町の転入・転出・出生・死亡者の数である。これによれば―もちろんその背景・理由はここからはわからないが

—300 人近い人々が毎年流出している（ただし直近 2 年についてはやや減少傾向にある）ことが分かる。

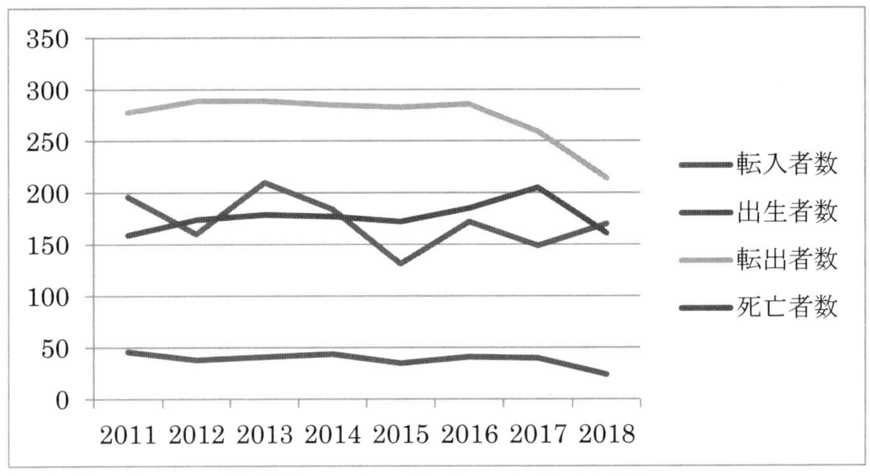

図表終－2－1　那賀町の人口社会・自然増減数

一方、図表を見れば、毎年 150～200 人程度の流入が見られることもわかる。しかし、全体としては転出超過である上、出生数が少なく、死亡数が多いため、よほど転入が増加しない限り、人口増への反転につながることはおそらくないだろう。ただ、だからといって住民の流入に意味がないとは考えない。その点は後述する。

（2）人口増加地域・戸田市、印西市のこれから

次に、戸田市や印西市はどうだろうか。両市とも人口は増加を続けており、地方公共団体の行財政運営が短・中期のうちに危機に陥る可能性は極めて低いだろう。ここではむしろ、人口増加地域に特有の行政需要への対応など、有意味でかつ質の高いサービスの提供が課題となる。第 4 章で取り上げた義務教育学校の整備と教育の充実というのはその最たるものである。また、第 5 章や第 6 章のそれぞれの総括部分で指摘されたとおり、人口増加地域である両市では、今後、老齢人口の増加にともなう医療・介護需要の高まりが予想され、それへの対応は地方公共団体の大きな課題となっていくだろう。なお、第 3 章の 2 で言及されたとおり、（とりわけ相対的に戸田市において）インフラをはじめとする各種施設の維持・修繕が支出圧力を高める要因となりうる点には留意が必要である。

また、一口に「人口が増加する」と言っても、その詳細な様態については検討の余地があるように思われる。戸田市や印西市、とりわけニュータウン地域とそうでない地域が混在する印西市では、市域内に人口が増加し続ける地域と、人口が減少し、少子高齢化も進む地域が併存し、両極化の傾向が徐々に強まっていくことが想像される（両市において、現状ですでにそのような傾向が観察されることについて、中間報告論文[1]で明らかにした）。一つの自治体の中での地域間の人口差が現れてくると、選挙における集票力を筆頭とする「民意」の表出力の格差を通して、地方公共団体の政策資源の配分が偏っていく可能性も考えられる。これによって、人口が減少していく地域の住民の厚生が低下しないかは注視していく必要があるだろう。

加えて、人口の増加と人口の定着が必ずしもイコールではないことにも注意しておきたい。戸田市では、2018 年一年間の転入人口が 10,031 人であるのに対し、転出人口も 9,231 人となっている（差はちょうど 800 人。ちなみに、出生数は 1,420 人、死亡数は 884 人）。2018 年 1 月 1 日時点での市の人口が 138,738 人であるから、その年の人口の 6.7%が 1 年の内に転出したことになる。また、平成 27 年国勢調査によると、常住人口 136,150 人のうち、5 年前の常住地が現住地であったのは 80,480 人で 59.1%となっている。これは、埼玉県内では和光市の 57.3%に次いで 2 番目に低く、50%台なのはこの 2 市のみである。すなわち戸田市は、住民がはげしく流動しながら、社会増（と自然増）が社会減（と自然減）を上回ることで人口増加を続けているのである。

印西市では、2018 年一年間の転入人口は 6,518 人、転出人口は 4,588 人（差は 1,930 人。出生数 908 人、死亡数 770 人）で、転出人口は 2018 年 1 月 1 日時点の市の人口 99,286 人の 4.6%と、戸田市よりは流動性が低いと考えられる。平成 27 年国勢調査によると、常住人口 92,670 人のうち、5 年前の常住地が現住地であったのは 71,810 人で 77.5%と、戸田市に比べれば「定着度」が高いように見える（なお、この数字は千葉県内市町村では 19 番目であり、県内で最も低いのは市川市の 58.4%）。

両市の数字の差は、第一に産業構造の違いに起因するものと考えられる。一般的に、第一次＞第二次＞第三次の順番で、産業は「土地に縛られる」。そして、それに従事する人もまた「縛られる」ことになる。反対に言えば、第三次産業の比重が高い社会ほど、人は今いる場所に留まり続ける必要性は低くなるのである。戸田市と印西市の第三次産業従事者比率は 76.8%対 79.0%と拮抗しているが、第一次産業従事者比率については、戸田市はわずか 0.2%なのに対し、印西市は 4.1%となっている。旧本埜村・印旛村を中心に、水田や畑地が残っており、農業従事者が（決して多くはないが）存在していることが一つ影響しているのだろう。

第二に、住民の「住まい方」が大いに関係していると思われる。平成 27 年国勢調査によれば、戸田市において住宅に住む一般世帯のうちそれが持ち家である比率は 48.3%に対し、印西市では 85.2%となっている。さらに、住宅のうち戸建の比率は、戸田市では 24.5%に対し、印西市は 56.1%である。持ち家（とりわけ戸建住宅）もまた、住民を土地に縛るのである。ただし、戸建住宅を購入したか

---

[1] 川手摂・小石川裕介「埼玉県戸田市・千葉県印西市における「自治」の諸相（1）―地勢・歴史・地域のすがた」『都市問題』109 巻 7 号、2018 年。

らといって、すべての人がそれを終の棲家にするとも限らない。筆者たちがヒアリングした印西市のニュータウン（分譲の戸建住宅地）の住民の中には、臨終まで今の家に住み続けるつもりはないと話す人も複数いた。

また、核家族化によって、家族の構成・人数が変動しやすくなったことも見逃せない。これは「適切な住まい方」が家族のライフサイクルにしたがって変化しやすいことを意味する。たとえば、子どもがいてまだ若い時には、ある程度広い家に住みたいとなるだろう（印西市のニュータウン地域の分譲住宅街などは、そのニーズの典型的な受け皿としてあったはずである)。しかし、子どもはやがて独り立ちして家を去る。あるいは連れ合いが亡くなることもある。多数階建ての家で、自分の体が動かなくなってくれば、1 階しか使わなくなるだろう。かくして広い家は持て余され、手放されることにもなる。私たちは、一つの家に住み続ける、という選択がしにくい社会にいるのである。それはとりもなおさず、移動の可能性が高い社会であるということにもつながろう。

移動の自由が権利として認められており[2]、現実に移動の動機が多く存在している（あるいは移動しない動機が少ない）社会であるにもかかわらず、それでも人がその場所を定住の地として留まる時、そこには何らかの、とどまる／こだわる理由・意味が存在しているに違いない。利便性や惰性は、せいぜい「どこでもいい」場所を「ここでもいい」場所に変える程度だろう。「ここでもいい」ならば、やはり何かをきっかけにして「ここではないどこか」へと人は移動してしまう。

「ここでもいい」場所が、「ここがいい」場所、そして「ここでなければならない」場所となるには、その場所に《交換不可能性》がなければならない。その源泉は、その場所が他ならぬその場所であること、すなわちその場所の固有性であり、それを生み出すのは、土地の風土であり、歴史なのではないか。ところが、現代の都市は均質化し、風土も歴史も覆い隠してしまっているように見える。そこは多くの人にとって、「ここでなければならない」場所とはなりにくい。第 7 章の 3 が指摘した、戸田市や印西市の自治組織のかかえる課題も、この都市化による《交換不可能性》の消失に多く起因していると考えられる。

かくて、両市においてこれからも人口が増え続けることは自明ではない。ふたたび『日本の地域別将来推計人口（平成 30（2018）年推計)』を見ると、印西市については 2035 年がピークとなり、その後は減少に転じる推計となっている。しかし戸田市の人口は 2030 年までは増加を続け、そこから伸びは鈍くなるものの、2045 年まで引き続き増加するという推計である。ただしそれはおそらく、目まぐるしい人口の入れ替わりの中での人口増ということにならざるを得ないだろう。

---

[2] あらためて持ち出すまでもないかもしれないが、日本国憲法第 22 条第 1 項は次のように定める。「何人も、公共の福祉に反しない限り、居住、移転及び職業選択の自由を有する」。

3　《自治》の可能性―巨大なシステムと小さな社会

ここまで、主に人口の増減という説明変数によって、調査対象自治体の行政・政治や地域社会がどのように変容していくのかを展望してきた。しかし、元も子もない話をするならば、都市における人口減少は、そこに住む人々の生存の維持にとって(少なくとも短期的には)さして大きな問題には帰結しないとも言える。それはなぜだろうか。

そもそも人間個人の生存の構造を考えるとき、「人は一人では生きていけない」というのは、単なる美辞麗句ではなく、端的な真理である。現代社会において、人間はもはやなんらかの社会システムに依存しなければ生きていけなくなった。そして、そのシステムの大部分は、貨幣経済の論理によって駆動している、市場システムである。

ところで都市とは、この市場システムが高度に集積した空間である。システムが盤石である限り、そして個々人が貨幣によってそのシステムからサービスを得られる限り、都市に暮らす人間の生存が脅かされることはない。一方、人口が大きく減少した社会では､市場システムが撤退し､あるいは十全に機能しなくなり、そこから得られていたサービスを別のシステムによって保障する方策が模索されることにもなる（中間報告論文[3]で紹介した那賀町や印西市の買い物弱者・交通弱者対策はその典型である)。

また、市場システムが十分に機能していたとしても、そもそも市場メカニズムによってはうまく供給できない「公共財」が存在する。さらに、市場システムにおける「弱者」（＝何らかの理由で貨幣を十分に所有できない､「持たざる者」）の生存が保障されなければならない。これらに対応するためにこそ、政府システムが存在する。

ところで、市場システムにせよ政府システムにせよ、それらから提供されるサービスによって営まれる生は、本質的に「他者依存」となる。円滑に作動するシステムに身を浸して流されているうちは、そのことを意識することはない（むしろ安楽な「依存する快」すらある）が、ひとたびシステムに機能不全が起こった時、あるいはシステムからなんらかの理由ではじき出された時に、人々は混乱に落とされ、時に生存まで脅かされることになる。「他者依存」の危うさと脆さが突如として表面化するのである。

また、システムが巨大であるほどに、それは、全容を―それどころかごく一部分でさえ―把握することができないという意味において､「私」が触れることのできないもの､「私」によって統御することができないものになっていく。OECD

[3] 田中暁子「徳島県那賀町における「自治」の諸相（6）―買い物弱者・交通弱者対策」『都市問題』108巻11号、2017年、川手摂「埼玉県戸田市・千葉県印西市における「自治」の諸相（9）―印西市の自治組織・住民活動」『都市問題』109巻12号、2018年。

の Better Life Index には「生活満足度」（Life Satisfaction）というスコアがあるが、日本のそれは 10 を最高点として 5.9。40 か国中 32 位である（OECD 平均は 6.5）[4]。また、自殺率も、直近のデータでは OECD 加盟 35 か国中 7 位となっている[5]。もちろん、その背景は単純でも単一でもなかろう。しかし、少なくともその要因の一つには、この巨大システムの統御不可能性に起因する、「生の実感」の欠落があるのではないだろうか。このような「幸福を感じにくい社会」とは別の社会のありようを考えていかなくてはならない。

そこで鍵となるのは、「小さな社会」である。「小さな社会」とは、「私」が身近に感じられる歴史や物語や、互いに顔の見える関係がもたらす「人と人のつながり」が存在し得るような規模の社会である。それらは—とりわけ「人のつながり」は—その場所に決定的に固有であるという意味で、前節の最後の箇所で言及した「ここでなければならない」という《交換不可能性》の究極の源泉ともなりうる。

また「小さな社会」は、そこに《自治》のいとなみが現れやすいという点も重要である。「小さな社会」にも、それが「社会」である以上、やはり社会システムが存在する。しかし、それは小さなシステムであるがゆえに、巨大システムと異なり、私（たち）で「自ら治める」という可能性が生まれる。それは、上述の「他者依存」の危険性に対抗し、「生の実感」を得る手がかりとなる。小さな社会における人のつながりの中で、小さなシステムを自治的に作動させ、「われわれ」（のうちの「他者」）のために活躍することのできる社会。これこそが、人間を幸福にする社会なのではないだろうか。

ところで、政府システムであるところの地方公共団体もまた、規模が大きくなればなるほど、「巨大システム」と化す。ゆえに住民は、容易に統御感覚を失う。そこに現れるのは、政府システムに対する敵視、あるいは無関心である。本調査の中間報告で、筆者は「地域一丸体制」という用語を使い、「小さい社会」における政府システムの可能性について考えてみた[6]。これは、政府システムを「自ら治める」＝「自治」化する構想だと言い替えることができる。理念的には、政府システムは住民の外部にある「やつら」ではなく、「われわれ」の内部にあるしくみでなければならない。そもそも「住民自治」という概念は、素朴に（しかし本質的に）はこのようなことを意味しているはずである。

ここで単純に一つの自治体を一つの社会の単位とみなして考えるのであれば、この研究が対象とした那賀町と戸田市・印西市のどちらがより「小さな社会」なのかは自明である。そしてこの点において、人口減少という「問題」を抱える那賀町に、逆に「可能性」を見出していくこともできる。本調査の中間報告でも、

---

4 http://www.oecdbetterlifeindex.org/countries/japan/
5 https://data.oecd.org/healthstat/suicide-rates.htm
6 川手摂「徳島県那賀町における「自治」の諸相（2）—住民・行政・議会による「地域一丸体制」の可能性」『都市問題』108 巻 8 号、2017 年。

そのような「可能性」の一つとして、那賀町の若い世代の活動を紹介してみた[7]。しかし一方、戸田市や印西市のような都市にそのような「可能性」がないかといえば、決してそうではない。なぜなら、一つの市町村域を一つの社会と考えなければならない必然性はまったくないからである。細分化された「地域」「地区」を考えるならば、どれだけ大きい都市にも「小さな社会」は必ず存在することになる。それは、一定の歴史を背景にした「都市に残るかつての農村（など何らかの「まとまり」）の単位」であることもあろうし、印西市のニュータウン地域のように、新住民の一斉流入を機に作り上げられた「新しいコミュニティ」であることもあろう。そこに第7章で見た住民自治組織が置かれ、それが活動の主体となるというのが、住民による《自治》の典型的なイメージかもしれない。しかし、町内会・自治会のような「包括的」な組織以外にも、これもまた第7章で紹介した通り、地域には特定の目的を掲げて活動する組織・集団がある。これもまた《自治》のしくみであると言えるだろう。

大事なのは、「小さな社会」の地理的範囲は必ずしも固定的ではないし、固定して考える必要もないと認識することである。可動人員、活動内容、活動範囲などが関係して、場合によって適正な「小ささ」は変化する。筆者は戸田市において、自分が居住している「地域」（町会の範囲が想定されているようだった）にはある種のしがらみがあり、それに縛られたくないから、市内各地で活動をしている子育て支援組織に参加し、自分の「地域」からは少し離れた場所でのびのびと活動している、と話す住民に出会った。これなどは、地理的範囲に縛られすぎない《自治》の形であり、これはむしろ都市部ならではの「可能性」と言えるのかもしれない。

巨大なシステムに依存する生から、「小さな社会」において自治をなす生へ。繰り返しになるが、前者から後者に向けて、少しずつでもシフトしていくことが、人間の幸福につながるものであると筆者は考える。そして、自治を為し、成すのは人である。だからこそ、あらゆる土地には、「人口」ではなく「人」が必要なのである。それも、できるだけ多様な人々が必要である。那賀町の地域おこし協力隊員など、外部からの人の流入が貴重なのは、それが「人口増」をもたらすからではない。一人一人の人間が、思いやアイディアを「小さな社会」にもたらし、そこで自治に参与していく可能性をもたらすからである。そしてもちろん、外部からの流入者だけが重要なのではない。すでにその「小さな社会」の中にあって活動している人々や、今まさに殻をやぶって何かを始めようとしている人々が、確実に存在している。そのような人々に向け、人口が500人を切った那賀町の旧木沢村にこだわり、70歳を超えてなお「まだまだやりたいことがある」と、山・温泉・ジビエの普及宣伝のため精力的に活動を続けている《スーパースター》[8]の

[7] 川手摂「徳島県那賀町における「自治」の諸相（1）—地域と住民のすがた」『都市問題』108巻7号、2017年。
[8] http://shikibidanionsen.blog17.fc2.com/

言葉を紹介して、この報告書を閉じることにしたい。「夢のあるところに人は集まる。続けていれば何かが起きる」。

執筆者
後藤・安田記念東京都市研究所研究室

序章　川手摂
第１章　小石川裕介
第２章　棚橋匡
第３章　倉地真太郎
第４章　和田武士
第５章　棚橋匡
第６章　田中暁子
第７章　田中暁子
第８章　倉地真太郎
終章　川手摂

「消滅」と「一極集中」の政治・行政
都市調査報告 18

発行日　2020 年 3 月 19 日

編集・発行　公益財団法人　後藤・安田記念東京都市研究所
〒100-0012　東京都千代田区日比谷公園 1-3　市政会館
電話（販売）03-3591-1262　　FAX　03-3591-1266
　　（研究室）03-3591-1237
URL　http://www.timr.or.jp　　E-mail　toshimondai@timr.or.jp

印刷：株式会社三和印刷社